S0-BME-937

Николай
ЛЕОНОВ

Алексей
МАКЕЕВ

УБИЙСТВО НА БИС

ЭКСМО
Москва
2014

УДК 82-3
ББК 84(2Рос-Рус)6-4
Л 47

Оформление серии *Г. Саукова, В. Щербакова*

Серия основана в 1993 году

Леонов Н. И.

Л 47 Убийство на бис / Николай Леонов, Алексей Макеев. — М. : Эксмо, 2014. — 416 с. — (Черная кошка).

ISBN 978-5-699-71055-3

Продюсер Анна Кристаллер организовала в своем особняке грандиозную богемную вечеринку. Актеры, балерины, журналисты — кого здесь только нет! Вокруг царит атмосфера бесшабашного праздника: смех, танцы. Шампанское льется рекой, а столы ломятся от закусок. Но вдруг один из приглашенных замечает, что хозяйки дома давно нигде не видно. Гости отправляются на поиски Анны и, к своему ужасу, обнаруживают ее мертвой в одной из гостевых комнат... Дело об убийстве продюсера поручают лучшим столичным сыщикам Гурову и Крячко. Они начинают расследование и вскоре с удивлением выясняют, что у госпожи Кристаллер был не один десяток смертельных врагов...

УДК 82-3
ББК 84(2Рос-Рус)6-4

ISBN 978-5-699-71055-3

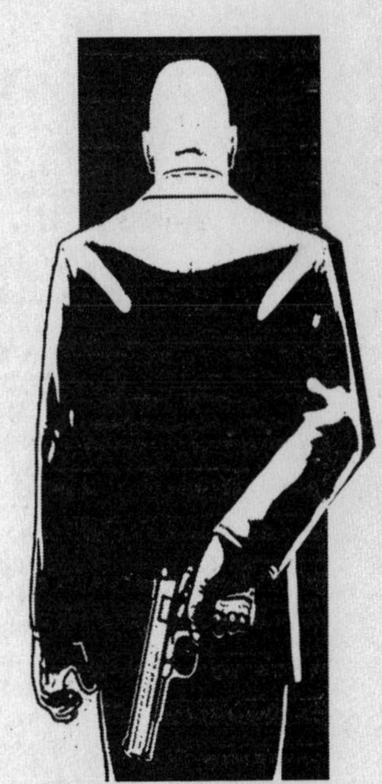

Убийство на бис

РОМАН

Глава 1

— Честно говоря, я все-таки не понимаю, для чего нам туда идти, — произнес Лев Гуров, стоя перед зеркалом и довершая последний штрих своего образа.

Он посмотрел на готовый узел галстука и небрежно затянул его. Галстук был новым, модным и смотрелся даже несколько вызывающе. Примерно десять минут назад Мария вручила ему этот шедевр и напомнила, что через полчаса им нужно выходить. Гуров собирался, но до последнего момента думал, что удастся отменить этот поход, хотя он и был запланирован еще на прошлой неделе.

— Гуров, ну это же решенный вопрос! — с досадой отозвалась Мария из спальни.

Она занималась тем, что собирала волосы в высокую прическу и скалывала их на затылке шпильками. Замечание мужа заставило ее прервать процесс и появиться в соседней комнате.

— Ты же знаешь, мне и самой не слишком хочется туда идти! — добавила она.

— Вот пример чисто женской логики! — усмехнулся Гуров. — Ты только вдумайся в логическую цепочку, выстроенную тобой. «Это вопрос решенный. Ты же знаешь, мне и самой не хочется!» Ну и где тут второе вытекает из первого или наоборот?

Мария сверкнула глазами и пристально посмотрела на мужа. Тот был невозмутим.

— Между прочим, то, что тебе не хочется туда идти, я давно понял, — продолжал он.

— Да? И из чего же сие следует? — насмешливо спросила Мария. — Из сугубо мужской логики?

— Из элементарной, — пояснил Гуров. — Достаточно взглянуть хотя бы на этот галстук. Он был приобретен в фирменном магазине, задорого, но явно спешно. В итоге в мой гардероб этот аксессуар не особенно вписывается. Слишком демонстративен. Конечно, ширпотребом его не назовешь, но это благодаря твоему врожденному вкусу. Важно и то, как ты мне его вручила: немного небрежно, с таким чувством, словно избавилась от досадной необходимости. То есть ты соблюла все, что требовалось, выбрала вещь, которая будет соответствовать этикету, но не более того. Ты его купила без души. К примеру, на мой день рождения ты не приобрела бы подобный подарок.

— Потрясающе! — усмехнулась Мария. — Вот что значит быть женой сыщика! Шерлок Холмс скромно отдыхает в сторонке, глядя на твои дедуктивные способности, и нервно курит свою трубку!

— Не язви. — Гуров улыбнулся и подмигнул жене. — В конце концов, я слишком хорошо тебя знаю. Хочу спросить без обиняков — зачем тебе это? Ты что, в самом деле собираешься принять участие в этом мюзикле?

Мария закусила губу и задумалась.

— Не знаю, — призналась она. — Возможно, да. Хотя я раньше никогда не играла в мюзиклах и вообще считала подобные проекты низкопробными для настоящей театральной актрисы.

— Так что тобой движет теперь? Неужели личные симпатии к этой Кристаллер?

— Деньги, — со вздохом сообщила Мария. — Да-да, сыщик, не удивляйся. Твоя жена, оказывается, самая обычная вульгарная материалистка. Когда я впервые услышала об этом мюзикле, у меня и в мыслях не было соглашаться. Но стоило мне услышать сумму обещанного гонорара!.. Все, я потеряла уверенность и покой!

— Такой большой гонорар? — Гуров с интересом посмотрел на жену.

— Весьма, — кивнула та. — Под этот проект немцы выделяют просто огромные по нашим меркам средства. Во всяком случае, если сравнивать с тем, на что нам приходится ставить наши спектакли, то становится просто непонятно, как мы до сих пор вообще существуем!

— Ты станешь заниматься откровенной халтурой? Тем, что тебе претит? — удивился Гуров. — Неужели я действительно так плохо тебя знаю? Ты же неоднократно отказывалась сниматься в рекламе, хотя за это тебе тоже предлагали неплохие деньги.

— Не надо сгущать краски. — Мария махнула рукой. — Во-первых, этот проект — не такое уж дерьмо. По крайней мере, халтурой его точно не назовешь. За такие деньги вполне можно состряпать что-нибудь приличное. То, что мне предлагали за съемки в рекламе, по сравнению с обещанным гонораром кажется просто нищенским подаянием.

— А во-вторых? — спросил Гуров, внимательно наблюдая за женой.

— Во-вторых, я думаю, что мне все же необходимо расти в профессиональном плане, расширять горизонт, выходить за привычные, хорошо отработанные рамки. Мне уже не двадцать лет, и я не начинающая актриса. — Мария вздохнула. — О своей работе в театре я знаю все. Я умею это делать. Но порой надо вовремя рискнуть и перешагнуть через привычные стандарты.

— Ты опасаешься, что стареешь и не будешь получать ведущих ролей? — Взгляд Гурова стал еще более пристальным.

Мария снова вздохнула.

— Боюсь, — тихо произнесла она. — Нужно уметь посмотреть правде в глаза. Я действительно старею — не спорь, пожалуйста, и не перебивай. Нужно реально оценивать объективные обстоятельства. Мы все стареем, время не стоит на месте. Мои роли, казалось бы, вполне законные, будут плавно перетекать к другим актрисам, которые значительно моложе меня. Рано или поздно наступит момент, когда я, к прискорбию своему, обнаружу, что мое место занято. Может быть, это случится не завтра и даже не через пять или десять лет, но непременно произойдет. Я пойму, что все, что у меня осталось, это эпизодические безликие роли. Безымянные, знаешь, из тех, что значатся в театральных программках как «женщина на скамейке» или «мужчина с тортом». Так вот, мне совсем не хотелось бы играть их. Точнее, довольствоваться ими в случае, если получится дожить до такого.

— Пытаешься застолбить место на будущее? Занять новую нишу? Что ж, я тебя вполне понимаю. Более того, твои мысли разумны и рациональны. Но ведь и в мюзиклах нужны молодые актеры?

— А кто тебе сказал, что я собираюсь перекочевать с театральной сцены в мюзиклы? Я просто хочу расширить круг своих амплуа. Может быть, я вообще сменю актерскую профессию на что-то другое, не менее творческое. Вдруг я на старости лет переквалифицируюсь в художника-оформителя? — Мария рассмеялась, но смех ее прозвучал несколько нервно.

— Лучше уж в маляры. Будет кому ремонтом в кухне заняться, к которому мы третий год приступить не можем. — Гуров улыбнулся. — Ладно, будем считать, что ты меня убедила. Ради твоего будущего я вытерплю этот прием, от одного упоминания о котором у меня начинает сводить челюсти от скуки!

— Ничего, у меня есть знакомый хирург. Он тебе быстро вправит челюсть, если ты ее вывихнешь от чрезмерной зевоты. — Мария засмеялась и пошла обратно в спальню заканчивать свои приготовления к выходу в свет.

Подобные выходы они устраивали нечасто, поскольку оба, и Мария и Лев, терпеть не могли мероприятий такого рода. Но сегодня выдался особый случай. Супруги были приглашены в гости к некоей Анне Кристаллер, гражданке Германии, но русской по национальности, приехавшей в нашу страну с творческими и деловыми планами.

Анна Кристаллер занималась претворением в жизнь различных музыкальных проектов. На ее счету было несколько постановок, имевших неплохой успех, во всяком случае среди людей, имеющих отношение к музыкальному и театральному творчеству.

Лев Гуров относился к таковым персонам лишь опосредованно, то есть через свою жену-актрису. Все эти сведения он получил тоже от нее. Мария, правда, раньше не пересекалась с Анной Кристаллер и, в общем-то, была далека от ее творчества. Это обстоятельство еще больше удивляло Льва и заставляло его задуматься о том, почему Мария вдруг решила принять предложение иностранки.

Мероприятие должно было состояться в особняке, принадлежащем Анне и стоявшем в поселке, раскинувшемся недалеко от Новорижского шоссе. Начало было намечено на семь часов вечера, и Гурову ради этого пришлось сегодня уйти с работы раньше. По счастью, никаких особо важных дел у полковника сейчас не было. Поэтому его преждевременный уход был воспринят достаточно спокойно как начальством в лице генерал-лейтенанта Петра Николаевича Орлова, так и ближайшим другом и коллегой, таким же опером-важняком Станиславом Крячко.

Правда, тот не удержался и выдал каламбур в своей излюбленной манере:

— Наш светский Лев отбывает на светскую тусовку.

— А тебе завидно! — накидывая пальто, бросил Гуров.

— Мне? Ничуть! — тут же парировал Станислав, замотав круглой головой. — Ты знаешь, Лева, как я отношусь к подобным мероприятиям. Соберется вся эта так называемая столичная элита, богемное общество, которое на поверку на девяносто процентов состоит из ничего не значащих бездельников-снобов, с умным видом рассуждающих о вещах, в которых они ничего не смыслят! Кучка обыкновенных бездельников, живущих на деньги своих папаш, любовников или просто спонсоров!

— Статью за тунеядство у нас давно отменили, — заметил Гуров.

— И зря, — безапелляционно заявил Крячко. — Эти субчики делать ничего не умеют и не хотят, а из себя корчат неизвестно кого!

— Вот я и говорю, завидно тебе, Стас! — нарочно поддел его Гуров, пряча улыбку.

Станислав не поддался на провокацию и отказался комментировать замечание Гурова. Он лишь демонстративно поджал губы, выражая полное презрение как к кучке столичных бездельников, так и к высказываниям своего друга.

Лишь когда Лев уже взялся за ручку входной двери, Крячко бросил ему в спину:

— Смотри не зазнайся!

Гуров даже не повернулся, не стал отвечать на его шпильку и спокойно отправился домой, чтобы успеть переодеться. Только потом, уже сидя за столом перед началом банкета и незаметно наблюдая за собравшимися, он ощутил, что его друг Станислав Крячко в чем-то был прав.

Публика в доме Анны Кристаллер собралась довольно разномастная и разновозрастная. Мелькали как лица медийные, хорошо знакомые благодаря СМИ, так и совершенно неизвестные. Кое-кого из присутствующих Гурову доводилось видеть лично, однако практически ни с кем из них он знаком не был. Исключение составлял разве что Михаил Обручев, довольно молодой актер, служивший в том же театре, что и Мария. Он был задействован вместе с нею в нескольких спектаклях и пару раз даже бывал у Марии и Льва дома, однако другом семьи не считался в силу разницы в возрасте и интересах.

Однако, увидев Марию с мужем на этом приеме, Михаил сразу же подсел к ним и завел непринужденную беседу с Марией. Суть данного разговора, как определил Гуров, сводилась к тому, чтобы выведать ее мнение насчет предстоящего участия в мюзикле и, в частности, гонорара за этот проект. Гурову данная тема была не слишком интересна, и он продолжал следить блуждающим взглядом за другими участниками мероприятия. Собственно, банкет как таковой еще не начался. Все сидели в ожидании остальных гостей.

Саму хозяйку, Анну Кристаллер, Гуров с Марией видели лишь мельком, в самом начале, проходя в широкие чугунные ворота, украшенные причудливыми коваными розами. Она презентовала им дежурную любезную улыбку, склонила голову в знак приветствия, произнесла какой-то комплимент в адрес Марии. После чего Анна плавно, широко повела рукой, предложила гостям пройти в дом и тотчас потеряла к ним всякий интерес, переключившись на вновь прибывших персон.

На входе Гуров и Мария предъявили свои пригласительные. В сущности, это была чистая формальность. Ведь гости так или иначе были знакомы между собой. Ни одной совершенно посторонней личности, не известной никому из присутствующих, здесь не должно было быть по определению.

В просторном зале Гуров и Мария уселись за столом. Номера их мест были отмечены в пригласительных билетах. Они, как и все, стали дожидаться появления хозяйки банкета. Анна Кристаллер занималась встречей гостей, которые все прибывали. Одни с опозданием на пять минут, а другие и на все двадцать.

Гуров знал, что ничего вопиющего в этом нет. На подобные мероприятия не принято приходить минута в минуту, пунктуальность здесь не в ходу. Тем не менее его раздражало, что они уже добрых полчаса сидели просто так, не знали, чем заняться, и развлекались так называемой светской беседой, которую полковник считал откровенно пустой тратой времени.

— Если меньше сотки, то я даже не подумаю напрягаться, — донесся до него голос Михаила Обручева.

Гуров обратил внимание на его лицо с высокомерно оттопыренной нижней губой и подумал, что Михаил с радостью принял бы участие в проекте и за сумму, вполовину меньшую озвученной. Он не понаслышке знал, насколько невысока зарплата в обычных театрах. Особенно когда речь идет о молодых, никому не известных актерах, не являющихся протеже кого-то из власть имущих.

— А ты и за двадцатку не напрягаешься, — насмешливо осадила его пыл Мария, крутя в длинных пальцах салфетку. — В последнем показе вообще играл так, что мне приходилось тебя чуть ли не волоком по сцене таскать за собой!

— Я просто плохо себя чувствовал, — оправдываясь, произнес Михаил, захотел сменить тему и воскликнул с наигранным удивлением: — О, гляди! Сами Сенин и Полонский пожаловали!

— Всем привет, всем привет, всем привет! — послышался громкий тенор, и в зал прошел Андрей Сенин.

Его энергичная и несколько вихляющая походка была хорошо знакома телезрителям. Он вел популярное шоу на одном из московских телеканалов. Этот субъект просто лучился радостью и энергией, громко приветствовал присутствующих и тут же привлек к себе все внимание публики.

— Где мне можно примоститься? Ах вот, у меня же стоит номер! — Он картинно хлопнул себя по лбу, прошел к указанному месту и небрежно опустился на стул.

Потом Сенин вытянул вперед свои кривоватые ноги, главным достоянием которых были модные ботинки. По всей видимости, они стоили очень дорого и были выставлены на всеобщее обозрение именно с целью демонстрации.

Андрею Сенину было уже хорошо за тридцать. На экране он смотрелся молодцеватым бодрячком, однако сейчас этот индивидуум сидел всего лишь в нескольких метрах от Гурова, при ярком освещении и без грима. Полковник смог разглядеть, что вокруг глаз Сенина молниями расползлись глубокие морщины. Уголки его губ уже смотрели вниз. Волосы он явно покрасил в темный цвет и начесал на затылке, поскольку уже сильно поредели.

Гуров сразу же определил Сенина как истерика. Тот изо всех сил старался обратить на себя внимание, манерничал, одежду выбрал самую яркую и кричащую. Все внутри него словно вопило: «Смотрите, смотрите на меня! Правда же, я достоин самого лучшего?»

За ним неторопливо подтянулся другой мужчина, пониже ростом, постарше и весьма упитанный. Он держался гораздо солиднее, сдержанно, с достоинством кивнул присутствующим и молча устроился рядом с Сениным. Это был его соведущий Федор Полонский. Вдвоем они составляли творческий тандем, довольно удачно дополняя друг друга.

Гуров не так уж и часто смотрел шоу с участием этих персон. Он вообще не был поклонником данного телевизионного жанра, однако признавал, что ведущие не лишены таланта. Причем в наибольшей степени, по его мнению, им был наделен именно немногословный и незаметный Полонский.

В отличие от своего велеречивого и юркого коллеги, он говорил редко, но, что называется, метко. По залу Полонский двигался мало, обычно сидел, вальяжно развалившись в кресле, и снисходительно поглядывал на зрителей из-под очков.

Обладая хорошим чувством юмора, Федор Полонский вставлял короткие, но емкие реплики всегда к месту и точно в тему. Он заставлял зрителей не просто тупо хохотать, а улыбаться. Его фишкой была тонкая ирония, объектом которой чаще всего становился именно Андрей Сенин.

Гуров подозревал, что и имидж ведущих, и диалоги были срежиссированы заранее. Однако природного таланта, умения подмечать тонкости характера партнера и подшучивать над ними у Полонского было не отнять.

Поговаривали, что в обыденной жизни Сенина и Полонского связывали очень близкие отношения. Эта сплетня отчасти подтверждалась тем, что оба были холостяками, однако подобные подробности Гурова интересовали меньше всего. Он вообще досадовал, что эта парочка разместилась неподалеку от них, поскольку Сенин по обыкновению тут же принялся трещать без умолку. С первых же минут Андрей изрядно утомил полковника.

Под стать Андрею Сенину была и еще одна женщина, уже не слишком юная, лет за тридцать. Ее волосы были выкрашены в жгуче-черный цвет и крутыми спиральками спускались на плечи. В облике этой дамы было что-то восточное. Худощавая, вертлявая, в каком-то умопомрачительном балахоне, усыпанном блестящими звездами, из-под которого выглядывали худые ноги, обтянутые черными лосинами.

Она тоже разговаривала без перерыва, громко и бесцеремонно, все время спрашивала что-то у кого-либо из гостей, иногда кричала через весь стол. Ей как будто не сиделось на месте, она постоянно вертелась, поправляла свои пышные волосы, покрытые лаком, и умудрялась вести диалог, кажется, со всеми присутствующими.

Это была достаточно известная журналистка Жанна Саакян. Она делала свою карьеру стремительно, агрессивно, при добывании материала не гнушалась никакими средствами. Жанна работала в газете, специализирующейся на подробностях частной жизни знаменитостей. Она пребывала в своей стихии, поскольку была неукротимой сплетницей.

Мария успела шепнуть мужу, что Жанна легко могла бы профессионально заниматься пиаром, как черным, так и белым. В искусстве создания общественного мнения госпожа Саакян вполне могла опередить любое информационное агентство.

Она специализировалась на скандальных новостях и сама была участницей нескольких крутых конфликтов с эстрадными звездами. Потом эти события долго и подробно смаковались в прессе. Гуров полагал, что Жанне такие скандалы были только на руку, способствовали росту ее популярности. Она не только не страдала от них, но даже раздувала намеренно.

Поговаривали, что Жанна является любовницей одного крупного политика. Года четыре назад она приехала в Москву из какого-то захолустного армянского городка, но в столичную реку влилась так, словно та была знакома ей с прошлой жизни. Во всяком случае, на банкете, устроенном Анной Кристаллер, Жанна чувствовала себя как рыба в воде. Политика, роман с которым ей приписывали, на приеме не было. Жанна вообще пришла сюда без пары, что совершенно не мешало ей наслаждаться вечером.

Гуров взглянул на часы. Банкет должен был начаться тридцать минут назад, но Анна все еще отсутствовала. Однако, к его удивлению, все остальные, кажется, ничуть не скучали и на часы не смотрели. За столом велась оживленная беседа, на взгляд полковника, совершенно ни о чем.

Некоторые из присутствующих дам, главным образом молодых, вели себя при этом точно в соответствии с характеристикой Станислава Крячко. Губы их были манерно оттопырены, глаза высокомерно полуприкрыты. Они лениво, словно бы с неохотой, произносили чьи-то чужие фразы, старательно следя за тем, чтобы точно их воспроизвести.

«Видимо, действительно чьи-то любовницы или девочки с подтанцовок», — подумал Гуров.

Он уже отметил, что в доме Анны Кристаллер собрались далеко не только актеры, которые будут заняты в мюзикле. Здесь были журналисты, спортсмены, популярные танцовщицы и балерины, даже кое-кто из политиков. Так что назвать банкст пробным знакомством перед предстоящей работой можно было лишь с заметной натяжкой.

Многие гости пришли сюда чисто с развлекательной целью. Хотя, конечно, некоторые имели и деловой интерес.

Гуров отлично понимал, что в работе над мюзиклом задействовано множество людей самого разного рода занятий. Отнюдь не все они имеют прямое отношение к искусству. Репортеры, например, готовят материал из первых рук. Танцовщицы с балеринами не упускают возможность сделать себе рекламу, появившись на светском мероприятии. Политики тоже подогревают интерес к своей персоне и завоевывают симпатии электората. Словом, каждый пиарится по-своему, ловя момент.

Вот, правда, непонятно, что тут делала женщина очень средних лет, на фоне светской публики выглядевшая весьма средне. Прическа ее была скромной, гладкие волосы просто заложены за уши. Макияжа минимум, и нанесен он точно не профессионалом.

По внешнему виду ее можно было бы принять за прислугу, однако она была не в униформе, соответствующей этому занятию, а в обычной одежде. Кстати, она смотрелась на ней довольно нелепо, несмотря на то что была явно дорогой. Жакет был узковат, отчего на спине бугрились складки. Юбка оказалась слишком длинной. Женщина выглядела так, словно надела на себя вещи с чужого плеча.

Мария все это время беседовала с известной оперной дивой. К примадонне в этот момент подошел лысоватый мужчина с брюшком, чинно приложился к ее пухлой руке и что-то негромко сказал на ухо. Дива тут же отреагировала отлично отрепетированными руладами смеха.

Она изобразила на лице смущение, подобающее юной девственнице, поспешно извинилась перед Марией и вместе с мужчиной отошла к окну. Певица на ходу поправляла белоснежное меховое боа на полных покатых плечах, под которым виднелось сильно декольтированное платье.

— От скуки ты нашел предмет для увлечения? — Мария стрельнула бровью в сторону женщины, неизвестной Гурову. — Интересный выбор!

— Да, довольно любопытная персона, — кивнул Гуров. — Кто она такая? Не слишком похожа на светскую львицу.

— Ты прав, как и всегда, мой дорогой сыщик, — констатировала Мария. — Это Виктория Павловна, подруга Анны и по совместительству ее помощница.

— По постановкам? — удивился Гуров.

— Ну что ты! — Мария усмехнулась. — Помощница по дому.

— То есть домработница?

— Нет, не совсем так.

Мария в отличие от мужа уже успела познакомиться с Анной Кристаллер и даже побывать у нее дома. Она была хоть как-то осведомлена о домочадцах и жизнеустройстве своей потенциальной работодательницы.

— Это ее давняя подруга, — продолжила Мария просвещать своего мужа, совершенно темного, не разбирающегося в светских подробностях. — Кажется, они вместе учились в школе или жили в одном дворе. Точно не знаю, да это и неважно. Их отношения сохранились на долгие годы. — Тут Мария сделала паузу и усмехнулась. — Однако они у них несколько своеобразные. Я немного понаблюдала за этими дамами и сделала такой вывод: Анна очень любит подчеркивать, сколько она сделала для Виктории. Нет! — Мария подняла руку. — Разумеется, она не говорит об этом вслух. Госпожа Кристаллер слишком хитра. Она делает это куда более тонко. Наоборот, Анна всегда повторяет, что они с Викой лучшие подруги, что та для нее чуть ли не самый близкий человек. При этом она вздыхает, потупив глаза, словно ей неловко говорить о тех благах, которые достаются ее подруге. Но при этом весь вид госпожи Кристаллер светится этакой благодетельностью.

— А может, она действительно для нее благодетельница? — спросил Гуров, скорее просто ради того, чтобы занять время.

— Ага! — в саркастичном возгласе Марии отчетливо слышался ответ. — Ты взгляни повнимательнее, как профессиональный сыщик. Виктория вроде бы ее приятельница, но при этом еще и помощница по дому. Казалось бы, что в этом плохого? Она работает у богатой подруги, ее услуги хорошо оплачиваются. Да только делать ей приходится слишком много! Практически все! Это сейчас здесь мельтешит куча прислуги по случаю торжества, а так лишь Виктория шуршит туда-сюда. Я-то была у Анны по другому случаю, по делу. Тогда тут крутилась одна Виктория Павловна. Только и слышалось: «Вика, подай, Вика, принеси, Вика, где то, Вика, где это?» Она и деловые бумаги приносила, и чай-кофе успевала подавать, да еще потом и убиралась после нашего ухода. Да, мы уже уходили, и я видела, как она надевала рабочий халат. Тогда я успела заметить, что когда Анна забывается, в ее тоне слышатся весьма властные нотки, даже пренебрежительные. Потом она, конечно, тут же спохватывается и снова становится самой любезностью, но этого не скроешь. А одета Виктория как? Настоящее пугало! Анна наверняка подсунула лучшей подруге какие-то свои обноски. Они ей даже не по размеру. Одежда хоть и дорогая, но давно вышедшая из моды. Это вещи из другой эпохи, такие носили несколько лет назад!

— Этого я знать не могу даже как сыщик, — перебил Лев Иванович разошедшуюся супругу и рассмеялся. — В моде я несилен, тем более в женской. Но я заметил, что Виктория Павловна действительно одета как-то не очень.

— А я тебе что говорю! — подхватила Мария. — Анна нарочно держит ее рядом, чтобы на фоне этой дурнушки выглядеть очаровательной особой. Да это же довольно распространенная ситуация. У писаной красавицы часто в лучших подругах откровенная страхолюдина. Это еще больше льстит ее самолюбию.

— Слушай, а почему же сама Виктория это терпит? Скажи мне, мой знаток психологии.

— Не знаю, — пожала плечами Мария. — Над этим я както не задумывалась. Да в общем, может, и не надо ломать голову. В конце концов, все это не наше дело, и нас оно не касается.

— Да уж, портрет виновницы торжества ты мне нарисовала весьма своеобразный, малосимпатичный, — признался Гуров. — И я еще раз жалею, что мы...

— Тише! — Мария толкнула его в бок.

Гуров не успел закончить фразу, поскольку в этот момент в зал вошла сама виновница торжества. Наконец-то Лев Иванович Гуров смог рассмотреть ее как следует. Да, Анне Кристаллер явно нравилось блистать. Одежда ее при внешней скромности поражала своей элегантностью, в ушах покачивались бриллиантовые сережки, а лицо выражало такую уверенность в себе, какая встречается только у людей, привыкших быть на высоте положения.

Однако в уголках глаз этой уже не слишком молодой женщины с безукоризненным макияжем таилась какая-то тревожность. Едва заметная, но почему-то Гуров обратил на нее внимание.

— Господа, я рада приветствовать вас в моем доме! — раздался великолепно поставленный голос Анны. — Прошу извинить за задержку. Мне хотелось лично поприветствовать каждого гостя. — Она тут же обезоруживающе улыбнулась: — Вы же знаете, что творческие люди не слишком пунктуальны. Но простим им эту маленькую слабость.

— Дорогая, ну сколько же можно! — протянул вдруг чей-то капризный ломаный голос, звучащий с легким акцентом.

Взгляд Гурова упал на молодого мужчину в белом костюме. Жгучий брюнет с копной волос, небрежно откинутых со лба. Голубые глаза явно свидетельствовали о том, что он покорил немало женских сердец. Мария таких красавцев, кстати, терпеть не могла. Гуров почему-то разделял ее мнение, хотя уж ему-то как мужчине на такие вещи и вовсе было наплевать.

Анна залилась серебристым смехом и ласково потрепала мужчину по волосам.

— Не сердись, милый, — проворковала она с видом молоденькой девушки, опоздавшей на свидание. — Ты же знаешь, я не всегда принадлежу себе. — Госпожа Кристаллер тихонько вздохнула, как показалось Гурову, несколько притворно.

— Да уж, — прошипел себе под нос какой-то совсем молодой парень, сидевший правее полковника, и громко произнес: — Давайте уже начинать, в конце концов!

— Конечно, дорогой, — Анна метнула в его сторону торопливый взгляд, в котором перемешались чувство вины и что-то еще, непонятное Гурову. — Опять прошу прощения у всех сразу. Итак, наполним бокалы и начнем!

Все оживились. Со всех сторон стали раздаваться звяканье бутылок и хлопки пробок открываемого шампанского. Полился в высокие фужеры пенистый напиток, заструился в пузатые рюмочки коньяк, зазвенели ложки и вилки. Когда посуда была наполнена, Анна негромко постучала вилкой по краю бокала, поднялась и произнесла своим замечательным сопрано:

— Господа, еще раз приветствую вас у себя в гостях и хочу напомнить, что повод, по которому мы собрались, имеет под собой как творческую, так и деловую основу. Интересно это далеко не всем присутствующим. — Она сделала паузу, услышав поспешные заверения о том, что это не так, доносившиеся с разных концов стола, махнула рукой и продолжила: — Оставьте, я прекрасно все понимаю, но никак не могу оставить без внимания наш будущий проект. Дабы не утомлять вас официозом, я прямо сейчас произнесу все подобающие случаю речи. Потом мы сможем спокойно и беззаботно предаваться веселью...

— И разврату, — пробурчал все тот же юнец, сидевший справа от Гурова.

Полковник мельком бросил на него взгляд и уловил, что одежда молодого человека не слишком-то соответствовала торжественному моменту. На нем был явный тинейджерский прикид, хотя парень уже несколько перерос данный возраст. На вид ему было лет двадцать. Ярко-розовая майка и куцые джинсики отлично смотрелись бы на нем года три-четыре назад.

На голове его красовалась бейсболка, повернутая козырьком назад. Светло-русые волосы с косой длинной челкой выбивались из-под нее. Серые глаза смотрели на все происходящее устало и недовольно.

Парень явно демонстрировал, что ему здесь скучно, и только некие обстоятельства, неизвестные окружающим, вынуждают его терпеть эту тягомотину. Никакого намека на лесть, заискивание перед Анной или даже на уважение к ней и в помине не было.

Гуров не знал, кто это. Он предположил, что сей молодой человек вполне может быть какой-то юной суперзвездой. Анна предполагает взять ее на главную роль в своем мюзикле, а звезда ломается, показывает, что ей нет до этого дела. Мол, все эти мегапроекты мне ужасно надоели.

Анна сделала вид, что не услышала реплики, брошенной парнем. Хотя красноватые пятна, проступившие сквозь слой макияжа, выдавали ее, говорили о том, что она все прекрасно уловила.

Отлично владея собой, хозяйка дома продолжала:

— Сегодняшний вечер, проведенный в неформальной обстановке, поможет нам окончательно разобраться в наших будущих отношениях. Я, конечно же, имею в виду участников предстоящего мюзикла. Мы познакомимся поближе, узнаем друг друга и, надеюсь, поймем, как нам дальше сотрудничать, дабы сделать по-настоящему хороший проект. Первый тост я предлагаю за осуществление наших грандиозных планов! — Она мило улыбнулась и подняла фужер.

Гости тоже заулыбались. Послышались реплики одобрения, кто-то даже зааплодировал. Анна поднесла фужер к губам. Все встали, прозвенели бокалами, поддержали тост. Затем персоны, приглашенные на банкет, опустились обратно на мягкие, очень удобные стулья с витыми спинками, принялись пить и закусывать.

На некоторое время все разговоры смолкли, уступив место празднику живота. Гуров выпил коньяк и тоже приступил к еде, тем более что стол был довольно богатым и разнообразным. Мария чувствовала себя здесь явно увереннее, чем он. Супруга сыщика имела большой опыт закулисных банкетов, закатываемых после спектакля. Во всяком случае, она была спокойна. Гуров же почему-то никак не мог отделаться от легкого ощущения тревоги. Что его вызывало, полковник не мог понять.

Он подготовился очень хорошо. Все было продумано, рассчитано до мелочей. Конечно, во многом, нужно признать, помогло везение, удача, без которой в его деле на успех рассчитывать не приходится, каким бы профессионалом ты ни был. А тут козырные карты сами плыли в руки. Это придавало ему твердости, уверенности в том, что все идет как надо.

Он уже ощущал, как внутри зажегся знакомый огонек, который приятно скользил по телу, возбуждал. Это был огонек азарта, ради которого он и выполнял свою работу, любимую не только за то, что она приносила ему деньги, позволяющие жить безбедно. Только ограниченные люди воспринимали его профессию как нечто тупое, требующее только одного умения — стрелять. Он был не настолько примитивен, чтобы так к себе относиться.

Что понимают все эти дураки! Разве они знают, что такое слежка, подготовка, осмотр, долгие часы ожидания, когда нужно смиренное терпение, полное хладнокровие и быстрая реакция, так необходимая в непредвиденных ситуациях, которых тоже хватает в его деле? Все нужно исполнять спокойно и четко, при этом ощущая, как огонек внутри щекочет нервы, пополняет организм адреналином, без которого все вокруг — серая, бессмысленная преснятина!

Ну и, конечно, сопутствующие факторы — глазомер, точность, твердость руки. Но это уже потом. Основная работа заключается не в нажатии на курок, а в предварительной подготовке.

На этот раз она была проведена основательно. Работа облегчалась тем, что размышлять ему пришлось не одному. Собственно, за него продумали многое, если не основное. Ему оставалось совсем немного: действовать согласно инструкциям, не отступая от них ни на шаг.

Он спокойно смотрел вокруг. Дело шло так, как и было задумано, все должно получиться. Ах, как колотится сердце в ожидании часа X! Но стучит оно ритмично, не сбиваясь, не учащая пульса. Конечно, опыт — штука важнейшая. Он надежнее всякой теории. Будь ты трижды отличным учеником, но пока руку набьешь и станешь крутым профессионалом, тебе многое придется пережить.

Особенно если ты прежде работал под руководством настоящего мастера. Когда рядом с тобой человек бывалый, ты чувствуешь себя спокойно, знаешь, что основная доля ответственности лежит на нем. Если даже ты облажаешься, то учитель тебя прикроет.

Но для него эти времена давно в прошлом. Он уже и не помнил, когда научился делать все сам, полагаясь на собственное чутье, интуицию, разум. Ему уже казалось, что так было всегда, что он таким родился — грамотным, умным волком-одиночкой. Конечно, хорошо, когда хозяева за тебя продумывают, но твою работу они не сделают, лишь облегчат ее. Как и на этот раз.

Эх, скорее бы уж! Что-то волноваться стал, нехорошо это. Или старость уже подкатывает? Да ну, ерунда, какая старость! У него сейчас самый расцвет, можно сказать, звездный возраст. Впереди еще масса побед. Многое нужно успеть, чтобы потом отойти от дел со спокойной совестью.

Его рука осторожно скользнула в карман. Ствол лежал там и послушно лег в ладонь, которая сразу ощутила благородную тяжесть и холодок металла. Отпечатки стереть потом он не забудет. Это у него уже давно происходит на автомате. Сейчас главное — дождаться. Считай, половина дела сделана, а все остальное займет считаные минуты.

Он вытащил руку из кармана, вытянул в сторону, скосил глаза. Нет, не дрожит. Да и не должна. С чего он вдруг забеспокоился-то так? К нему давным-давно не приходило это ощущение.

Хотя он его, помнил. Если уж быть честным перед самим собой до конца, то надо признать, что страх всегда сопровождал его в работе. Он был постоянным спутником, верным как женщина, влюбленная по уши. Сколько нервов оставлено на чердаках, в подъездах, на крышах!.. Сколько седых волос добавили ему эти чердаки и крыши, томительные минуты перед роковым событием, даже секунды, черт бы их драл!

Врет тот, кто говорит, что ничего не боится. Это нормально. Всегда так бывает. Главное — победить свой страх. Он много лет назад научился это делать, хорошо знает, как с ним совладать, и сегодня обязательно не даст ему воли.

Убийца мельком глянул на часы и тут же подумал, что время сейчас ни при чем. Его успех зависит от других факторов. Уже скоро!.. Он ведь дождался. Теперь начинается самое интересное.

Его сердце застучало как птица, попавшая в силки. До того сильно, что захотелось руку к нему приложить, придержать, как бы не выскочило. Но внешне — полное спокойствие. Ни один мускул не должен дрогнуть.

Так, пора подниматься. Надо вставать и идти, даже не прикасаясь к карману. Сейчас потекут последние минуты, самые тяжкие и приятные, раздирающие нервную систему и зажигающие ее энергией. Теперь нужно делать все незаметно, очень тихо и быстро, быть готовым к тому, что кто-то вдруг помешает.

Да это понятно. Он уже и так все не раз основательно продумал. Киллер натянул перчатки, снова коснулся ствола. Как же все-таки он согревает руку! Да и не только ее. Оружие насыщает теплом все тело, успокаивает, обещает тебе, что не подведет, что оно сейчас твой защитник и самый лучший помощник. Вкупе с твоим мастерством. Тихий щелчок, патрон в патронник — порядок!

Ну вот, а теперь снова ждать. Осталось совсем чуть-чуть. Вот и все. Кажется, пора. Убийца осторожно поднял руку. Через несколько роковых секунд он выстрелит.

Звучала музыка, гости жевали, изредка перебрасываясь друг с другом мало значащими фразами. Порхали вокруг стола девушки-официантки в белых кружевных передниках. Вся атмосфера мероприятия никак не свидетельствовала о том, что есть хоть малейший повод для беспокойства.

Прозвучало еще несколько тостов. Гости с удовольствием пили и закусывали. Многие расслабились и уже не выглядели так напыщенно и подтянуто, как в начале вечера.

Журналистка Жанна Саакян расстегнула верхние пуговицы своего немыслимо яркого балахона. Под ним открылось нечто, напоминающее верхнюю часть купальника, туго стягивавшее и высоко поднимавшее ее худосочную грудь.

Некоторые дамы бросали на Жанну взгляды, полные жгучего сарказма, и словно невзначай демонстрировали собственные великолепные фигуры. Жанна, казалось, ничего этого не замечала, поглощенная атмосферой вечера. Гуров не сомневался в том, что она непременно приготовит репортаж об этом мероприятии.

Он обратил внимание на парня в бейсболке. Тот с большим бокалом в руке слез со своего стула, прошел к подоконнику, запрыгнул на него и подтянул одну ногу к подбородку. Там он и устроился на довольно долгое время. Молодой человек периодически потягивал из бокала какой-то коктейль и поглядывал на всех с явно наплевательским видом.

Анна несколько раз бросала на парня косые взгляды. Она вроде бы собиралась подойти к нему и сделать замечание по поводу его откровенно вызывающего поведения, однако каждый раз прикусывала губу и оставалась на месте. Длинноволосый брюнет, сидевший подле нее, разомлел от выпитого. Он откинулся на спинку стула и все время гладил левую руку Анны. Та рассеянно похлопывала ею по колену парня.

С другой стороны от хозяйки сидел невысокий лысеющий мужчина лет пятидесяти с характерной горбинкой на носу.

Он вел себя очень невозмутимо. Насмешливые искорки, блестевшие за очками, выдавали его иронию, однако внешне он был чрезвычайно учтив, не забывал подливать Анне и ее молодому спутнику вина, подкладывать закуски.

Да и вообще Гуров заметил, что его маленькие юркие глазки постоянно находились в движении, успевали следить за всеми, кто находился в зале, и фиксировать происходящее. Человек этот, кажется, привык держать все под контролем, оставаясь при этом незаметным.

— Этот субъект случайно не из разведки? — пошутил Гуров, склонившись к Марии.

Та смерила его недоуменным взглядом.

— Что ты! Это Лев Хаимович Лейбман, продюсер Анны. Именно он занимается всеми организационными вопросами. Поговаривают, что именно Лев Хаимович сумел добиться такой высокой суммы гонорара за мюзикл, — поведала Мария.

Она уже наелась и теперь сидела, пощипывая гроздь винограда и изящно отправляя в рот по одной ягодке.

Мимо Анны прошел мужчина непонятного возраста с красным лицом, закутанный в кашне по самые глаза. Он непрерывно кашлял и прижимал к лицу большой носовой платок.

— Василий Юрьевич! — встрепенулась госпожа Кристаллер. — Боже мой, вы же насквозь простужены и все-таки пришли!

— Пустяки, — пробурчал мужчина, силясь улыбнуться. — Все в порядке. На вашем банкете я даже почувствовал себя лучше.

— Нет, это просто подвиг, что вы решились прийти в таком состоянии! — продолжала изливаться в любезностях Анна. — Все же вам лучше было бы отлежаться в постели. Честное слово, я бы не обиделась. Я все понимаю!

— Если бы я не пришел, то потом сам себе не простил бы, что не отведал столь изумительного коньяка. — Мужчина усмехнулся, и Анна сразу же закатилась веселым смехом.

— Ой, ну вы у нас просто герой, — качая головой, произнесла она.

Ее собеседник кивнул и поспешил покинуть зал. Видимо, ему стало совсем худо, поскольку он закрыл лицо платком.

— Сериальный актер, — предвосхитив вопрос Гурова, кратко пояснила Мария. — Ты его должен знать. Василий Завадский.

Гуров припомнил, что это лицо и впрямь мелькало на экране, кочевало по каким-то остросюжетным сериалам, похожим друг на друга как братья-близнецы.

— А этот мачо, который столь усердно наглаживает руку Анны, что вот-вот протрет на ней дыру, — это кто? Ее сын? — поинтересовался он.

Мария не успела ответить, потому что в этот момент от окна донеслись довольно грубые фразы. Гуров с женой повернулись в ту сторону. Там явно назревал если не конфликт, то не слишком приятный инцидент.

Андрей Сенин, которому кто-то позвонил по сотовому телефону, встал из-за стола и отошел к окну, чтобы лучше слышать. Видимо, в этот момент он неосторожно задел локтем парня в бейсболке. Ничего страшного в этом не было, тем более что Сенин тут же автоматически извинился, не прерывая беседы по телефону. Однако у парня, видимо, было свое мнение на данный счет. Он не стал оставлять этот пустяк без внимания.

— А поосторожнее нельзя? — спросил молодой человек так громко, что его услышал не только Сенин, но и многие гости, сидящие за столом.

Сенин на секунду прервал разговор, бросил на парня взгляд, полный недоумения, и раздельно повторил:

— Прошу прощения! Я не нарочно.

Парень тем не менее завелся. Он, казалось, был только рад представившемуся поводу для конфликта, высосанному из пальца. Явно не желая принимать извинений и вообще переходить на цивилизованный метод общения, он продолжал придираться к Сенину. Молодой человек на повышенных тонах заявил, что это его место. Он первым тут устроился и вообще в этом доме имеет право делать все, что только захочет, в отличие от всяких бездарных выскочек.

При последней фразе Гуров невольно начал приподниматься со стула, так как опасался, что словесный конфликт перейдет в рукопашный. Сенин, кажется, уже и сам был настроен на это, тем более что на них смотрела добрая половина гостей. Многие начали перешептываться. Сенин огромным усилием воли заставил себя сдержаться, даже выдавил подобие улыбки и отошел в сторону, решив не связываться с подвыпившим переростком.

Гуров стрельнул взглядом в сторону хозяйки. Анна нахмурилась, однако почему-то не поднялась со своего места. Она растерянно смотрела то на парня, то на Лейбмана. Лев Хаимович что-то коротко спросил у нее. Она быстро кивнула.

Тут в дело вмешалась Виктория Павловна. Сказав Анне что-то успокаивающее, она быстро подошла к парню, положила ему руку на плечо и стала что-то негромко говорить ему на ухо. Сенин тем временем вышел за дверь, на ходу продолжая разговор.

Парень слушал Викторию Павловну с крайне недовольным выражением на лице, но молчал. Потом, так же ни слова не говоря, он вдруг поднялся, залпом допил свой коктейль и порывисто последовал к двери.

— Эдик! — встревоженно крикнула ему в спину Виктория Павловна и бросилась было следом, но Лев Хаимович Лейбман задержал ее за руку и что-то сказал.

Виктория Павловна в растерянности замерла подле него. Лейбман тихонько стал ей что-то советовать, при этом постоянно бросая обеспокоенные взгляды на дверь.

Парня по имени Эдик не было минут десять. Когда он вернулся, лицо у него было совсем обычным, вполне спокойным. Он снова подошел к окну, запрыгнул на подоконник и свесил с него длинные ноги.

Виктория Павловна тут же оставила без внимания все советы Лейбмана и поспешила к нему. Она принялась с жаром поглаживать паренька по плечу и нашептывать что-то на ухо. Наконец Виктории Павловне вроде бы удалось его убедить, потому что он утвердительно кивнул и махнул рукой. Сенин, на счастье, закончил свой разговор, вернулся в зал и ушел в сторону площадки для танцев. Она находилась довольно далеко от окна, облюбованного агрессивным Эдиком.

Следом ситуация переменилась окончательно. В зал уверенной походкой вдруг вошел мужчина средних лет, державший в руках огромный букет темно-красных роз. На первый взгляд это был кто-то из особенно припозднившихся гостей, однако при его появлении произошли явные изменения в поведении некоторых присутствующих.

Лейбман первым заметил этого мужчину и коротко бросил что-то Анне. Она мгновенно встрепенулась, выдернула свою ладонь из руки брюнета, выпрямилась и нацепила на лицо приветливую улыбку. Брюнет тут же скис так, будто вместо вина принял уксуса. Парень в бейсболке, прилипший, казалось, намертво к подоконнику, вдруг завозился и слез с него. Он одернул майку, наконец-то снял свой головной убор и положил его на подоконник.

Виктория Павловна, казалось, была рада появлению этого человека. Она поспешила навстречу, приветливо кивнула ему и что-то сказала. Мужчина поздоровался с ней и двинулся в сторону госпожи Кристаллер. Та приподнялась на стуле.

— Анна, дорогая, привет! — небрежно бросил мужчина. — Рад тебя видеть. Вот решил поздравить с творческим, так сказать, почином и пожелать, чтобы все сложилось даже лучше, чем ты сейчас планируешь! — Он протянул хозяйке букет.

Та приняла его с искренней, как показалось Гурову, благодарностью и произнесла:

— Спасибо тебе! Давай-ка присаживайся, сейчас мы с тобой пообщаемся. Давно не говорили.

— Да я, собственно, ненадолго. — Мужчина пожал плечами.

— Выпьешь? — коротко поинтересовалась Анна, кивая на бутылку коньяка.

— Нет, я за рулем, — ответил мужчина.

— Тони, будь добр, подвинься немного, — проговорила Анна, глядя на брюнета. — Нам с Анатолием Петровичем нужно кое-что обсудить. Вика, распорядись, чтобы принесли еще одно горячее, — крикнула Анна лучшей подруге, и та тотчас отправилась выполнять поручение.

Вскоре перед Анатолием Петровичем появилась большая тарелка, а сама Виктория Павловна присела чуть поодаль.

Длинноволосый Тони поднялся и очень вежливо кивнул только что прибывшему Анатолию Петровичу, заставившему его покинуть законное место. При этом глаза брюнета гневно сверкали. Он гордо вскинул красивую голову и удалился в глубь зала.

Там уже полным ходом шла дискотека. При этом гости невольно разделили площадку на две части. С одной стороны чинно кружились в классическом танце оперные дивы, политики и прочие солидные люди в возрасте. С другой громко зажигала молодежь, в число которой входили спортсмены, девочки с подтанцовок и прочие люди, близкие им по возрасту. Среди них активно двигалась Жанна Саакян, высоко вскидывая свои худые ноги.

Музыка с каждой стороны тоже звучала своя. При этом все, кажется, чувствовали себя вполне гармонично.

Между двумя этими группами оказался Андрей Сенин, который, видимо, никак не мог определиться, куда же ему примкнуть, и старался быть среди тех и других. Он дергался под ритмичную музыку, после чего принимался плавно скользить под классику вальса. Его партнера Полонского почему-то не было видно нигде — ни за столом, ни на танцполе.

Тони, вежливо изгнанный со своего места, не задумываясь вклинился в молодежную среду. Он быстро и плавно подхватил какую-то девушку и стал танцевать с нею, не убирая своей ладони с ее спины.

Анна пару раз бросила в ту сторону быстрый взгляд, после чего заставила себя успокоиться. Она улыбнулась таинственному Анатолию Петровичу и вполголоса заговорила с ним о чем-то. Тот внимательно слушал ее, не забывая при этом есть.

Лев Хаимович Лейбман поднялся со своего места и вышел из зала. Виктория Павловна почему-то стрельнула по сторонам глазами и быстро отправилась следом за ним. Гуров видел, как у двери она догнала его и что-то сказала.

— Наверное, уже скоро все закончится? — спросил полковник, взглянув на часы.

— Потерпи еще немного, — сказала Мария.

Банкет продолжался уже полтора часа. По мнению Гурова, они вполне высидели тут время, предписанное правилами приличия. Ему уже хотелось домой, однако никто из присутствующих, кажется, не разделял его настроения. Все радостно предавались веселью, как и призывала в начале вечера хозяйка.

Разве что светловолосый парень по имени Эдик не хотел развлекаться, а стремился к уединению. Гуров отметил, что после прибытия Анатолия Петровича молодой человек стал вести себя намного скромнее и незаметнее. Он стал возле подоконника и поглядывал на Анну, беседующую с этим мужчиной.

Тот, кажется, заметил этот взгляд, потому что в какой-то момент вдруг оторвался от тарелки, поднял голову и поманил парня рукой. Эдик послушно подошел и присел на место, освободившееся после ухода Лейбмана. Анатолий Петрович задавал парню какие-то вопросы, тот вяло отвечал на них.

Наконец мужчина раздраженно махнул рукой и сказал молодому человеку что-то явно нелестное. Тот ничего не ответил, встал и отошел. При этом он чуть не сбил Тони, двигавшегося мимо него и придерживавшего за талию ту самую девушку, с которой только что танцевал. Они прошли к выходу и скрылись за дверью.

Анна проводила их взглядом с досадой, которую уже и не пыталась скрыть. Поиграв губами, она продолжила разговор с Анатолием Петровичем.

Гуров все чаще кидал взгляды то на часы, то на присутствующих, пытаясь определить, не собирается ли кто-либо из гостей покинуть дом Анны Кристаллер. Увы, никто не спешил этого делать. Наоборот, вечер, кажется, был в самом разгаре. Полковник кое-как подавил досаду.

Правда, один из гостей все-таки, кажется, счел свое присутствие здесь законченным. Анатолий Петрович доел ужин, поднялся, промокнул рот салфеткой и двинулся к двери. Анна встала и пошла его провожать.

— Не стоит, дорогая, дальше я сам. Возвращайся к гостям, — долетел до ушей Гурова голос Анатолия Петровича.

Госпожа Кристаллер встала подле двери, продолжая говорить. Как показалось Гурову, Анна на что-то жаловалась. Анатолий Петрович слушал внимательно, но при этом уже держался за ручку входной двери. Неизвестно, сколько продолжалось бы это странное прощание, если бы у Анны вдруг не запищал сотовый телефон. Она извинилась, достала его, нажала кнопку и тут же нахмурилась.

— Я через три дня вернусь, позвоню и тогда скажу, что надумал, — проговорил Анатолий Петрович, однако Анна слабо реагировала на его слова.

Госпожа Кристаллер явно изменилась лицом. Видимо, ей пришло какое-то очень важное сообщение. Она растерянно оглянулась, поводила блуждающим взглядом по залу, но, кажется, не обнаружила того, что искала. Затем женщина подняла глаза на Анатолия Петровича. В них застыла беспомощность.

Тот почувствовал неладное, нахмурился и спросил:

— Что-то случилось, да, Анна?

Она словно очнулась, помотала головой из стороны в сторону, приложила руки к вискам, словно пытаясь унять боль, и торопливо заговорила:

— Нет-нет, все в порядке! Через три дня вернешься, говоришь? Ну вот и хорошо, тогда и поговорим. Все, давай-давай! — Она легонько подтолкнула Анатолия Петровича вперед.

Тот пошел, потом оглянулся и бросил на Анну взгляд, в котором читалась озабоченность. Однако он все-таки вышел. Анна быстрым шагом проследовала за ним и оставила банкетный зал.

Гуров посмотрел на чуть улыбающуюся Марию.

— Черт знает что такое! — не сдержался полковник. — Извини меня, конечно, но эта хозяйка, по моему мнению, несколько не в себе. Странная, эксцентричная особа! Либо же она изо всех сил корчит из себя таковую! — не выдержал Гуров.

— Сыщик, успокойся. — Мария ласково накрыла его руку своей. — Скоро уже поедем домой, я тебе обещаю!

— Давай так, — решительно заявил Гуров. — Сейчас она вернется, мы поблагодарим ее за теплый прием, пожелаем творческих успехов и немедленно удалимся. Меня уже подташнивает от всего этого!

— Да ладно тебе. — Мария с легким беспокойством сжала его ладонь. — Не так уж все тошнотворно, не преувеличивай!

— Это ты себя чувствуешь в подобной атмосфере как рыба в воде! — резко сказал Гуров. — А мне надоело! Я уже сполна отдал дань вежливости и твоему будущему гонорару!

Мария закусила губу. По всей видимости, тон Льва Ивановича все же ее обидел, однако она не стала ничего ему высказывать сейчас. Мария вообще не устраивала сцен публично. Этого ей с лихвой хватало в профессиональной деятельности. Да и наедине с мужем она практически не закатывала истерик. Мария принялась бесцельно водить пальцем по салфетке, лежавшей на столе.

Гуров уже сожалел о своей вспышке и решил, что едва они выйдут отсюда, он ни словом не помянет ни этот прием, ни свое к нему отношение. И вообще, остаток вечера они проведут тихо-мирно дома, вдвоем, например, перед телевизором, по-обывательски, совсем простенько. Сегодня это будет только на пользу обоим.

Мария взяла сумочку, открыла ее и достала маленькое зеркало. Гуров понял, что она собирается последовать его предложению и покинуть дом Анны Кристаллер. Оставалось дождаться саму хозяйку, которая снова куда-то запропастилась.

Вскоре появился Лев Хаимович и спокойно занял свое место. Через некоторое время в зал незаметно проскользнула и Виктория Павловна. Она окинула зал каким-то отсутствующим взглядом и тихо присела на чей-то стул. Лучшая подруга госпожи Кристаллер выглядела утомленной, от макияжа не осталось и следа, а глаза были заплаканными.

Но Гуров уже не обращал внимания на все происходящее. Мыслями он уже был не здесь, а у дома.

Гости, кажется, прекрасно чувствовали себя и без хозяйки. Никто особо не переживал по поводу ее отсутствия. Все были беззаботны и веселы, раскованы от алкоголя и непринужденной обстановки.

Тем страшнее и неправдоподобнее прозвучал посреди легкой музыки вопль, полный настоящего ужаса:

— Помогите! Все сюда! Скорее! Она мертвая!

Глава 2

Крик был женским и очень громким, переходящим в визг. Он буквально пробил музыкальный фон, взорвал его беззаботную непринужденность, выдернул людей из приятной атмосферы, мгновенно дал понять: случилось что-то не просто страшное, а непоправимое. Красивое и нарядное окружение, роскошь обстановки, богатство стола и радужное настроение — всего этого больше нет. Оно зачеркнуто, перекрещено истошным женским воплем, возвещающем о какой-то трагедии.

Ступор первого момента, когда все замерли в изумлении, впитывали в сознание услышанное, постепенно сходил. Он и длился-то считаные секунды, которые только в экстремальной ситуации казались долгими. Люди стали приходить в себя.

Послышались робкие вопросы:

— Кто мертвая?

— Где?

— Да ерунда. Наверное, недоразумение какое-то!

— Плохо, видимо, стало кому-то.

Только два человека отреагировали на крик по-деловому. Оба сделали это в силу своей профессии, хотя она и была у каждого своя.

Лев Хаимович Лейбман, продюсер и руководитель, привык держать все под контролем. Он резко поднялся со своего места и торопливо зашагал к кричавшей женщине.

Она стояла в дверях, обхватив себя за плечи обеими руками, словно сильно мерзла и пыталась согреться. Ее и впрямь потрясывало, но, вероятнее всего, от пережитого шока.

С другой стороны к женщине подходил Гуров. Он даже в светской обстановке, куда был приглашен в качестве гостя, не переставал быть опером. Полковник понимал, что сейчас в его силах внести ясность и порядок в ситуацию, разобраться в ней и избежать паники. Она сейчас была совершенно ни к чему, что бы там ни произошло на самом деле.

Гуров подошел к женщине первым, положил ей руку на плечо и спросил:

— Где она?

Женщина вскинула на него широко распахнутые глаза, заморгала накрашенными ресницами, дрожащей рукой ткнула в сторону коридора и ответила:

— Там. В комнате отдыха.

Гуров успокаивающе похлопал ее по плечу и двинулся в указанном направлении. За ним, полсекунды подумав, последовал Лейбман. Дверь в комнату была приоткрыта. Полковник осторожно распахнул ее и заглянул внутрь. Там было очень светло, поскольку лампы, встроенные в потолок, сейчас работали все до единой.

Анна Кристаллер лежала на боку в центре комнаты, подвернув под себя одну ногу. Лицо ее было хорошо видно, особенно глаза, широко открытые, в которых застыло выражение какой-то горечи. Они были совершенно неподвижны. Рот ее был приоткрыт, а уголки его скорбно опущены.

Одного взгляда на госпожу Кристаллер было достаточно, чтобы понять, что она мертва, и это отнюдь не сердечный приступ. В самой середине высокого открытого лба женщины виднелось округлое отверстие с запекшейся кровью, по краям которого проходил синеватый ободок, так хорошо знакомый сыщику Гурову. Такой след оставляет на теле порох после пулевого ранения.

Гуров услышал, как протяжно вздохнул Лейбман, стоявший за его спиной, повернулся к нему и спросил:

— С кем она сюда вошла? Вы видели?

— Нет. — Лев Хаимович едва разлепил пересохшие губы.

— Вы, кажется, вернулись в зал совсем недавно?

— Да, но я был в другом месте, — пробормотал Лейбман.

Его маленькие глазки были сощурены, он сосредоточенно о чем-то размышлял.

Гуров несколько секунд наблюдал за ним, потом произнес:

— Нужно вызывать полицию.

— Именно об этом я и думаю. — Лейбман мрачно кивнул. — Видимо, придется вызывать. Тут уже никуда не денешься. — Он достал из кармана сотовый телефон, потом посмотрел на Гурова и спросил: — Может быть, вы позвоните?

— А какая разница?

— Видите ли, насколько мне известно, тому человеку, который вызвал стражей порядка, приходится отвечать на массу дополнительных вопросов. Это лишние хлопоты. У меня сейчас и так забот по горло. Представляете себе ситуацию? Похороны, нотариальные дела, рабочие моменты!.. Это же все ляжет на мои плечи!

Гуров подумал, что этот человек на удивление хладнокровно воспринял смерть своей работодательницы. Это при том, что они, кажется, сотрудничали не первый год, проводили много времени бок о бок. И вообще, наблюдая за Лейбманом и Анной во время банкета, сыщик пришел к выводу, что Лев Хаимович в доме свой человек. Он вел себя уверенно и где-то даже по-хозяйски.

Поэтому его слишком хладнокровное поведение сейчас выглядело особенно странным. Вероятно, он был настолько деловым человеком, прирожденным администратором, что рационализм и четкость всегда стояли у него на первом месте и вытесняли все остальное. То ли Лев Хаимович ожидал этой трагедии. Во всяком случае, Лейбман не рыдал, не сокрушался, даже не вздыхал, сохранял здравость и ясность мышления.

— Распорядитесь, чтобы охрана никого не выпускала из дома! — бросил полковник Лейбману. — До приезда полиции все остаются на своих местах, как бы они там ни протестовали. Объясните, что это в их же интересах. В противном случае участников мероприятия и обслуживающий персонал вызовут в полицию, не принимая в расчет, сколько времени на часах.

Лейбман кивнул и вышел из комнаты. Через пару секунд из зала донесся его голос. Лев Хаимович призывал всех гостей успокоиться и дождаться приезда полиции.

Гуров молча достал сотовый телефон и набрал свой служебный номер. Он знал, что в главном управлении сейчас находился только дежурный, но и не собирался докладывать о происшедшем генерал-лейтенанту Петру Николаевичу Орлову. Полковник вел себя как обычный человек, исполняющий свой гражданский долг, а не как оперуполномоченный по особо важным делам, прослуживший несколько десятков лет.

Лев Иванович услышал голос дежурного, представился, коротко изложил ситуацию, потребовал выслать опергруппу на место происшествия. Гуров услышал вопрос, нужно ли докладывать о случившемся Орлову, и уточнил, на месте ли тот. Он получил ответ, что генерал-лейтенант полчаса назад уехал домой, и высказался отрицательно.

— Я сам ему доложу, — добавил сыщик и разъединил связь.

Гуров задумчиво поскреб свой подбородок. Орлову, по всей видимости, сообщить все же придется. Ему так и так доложат о случившемся. Дело-то ведь не рядовое!

Анна Кристаллер — она ведь гражданка Германии? Или нет? Этого Гуров не знал. Так или иначе, но убийство известной, преуспевающей личности, к тому же накануне осуществления нового проекта, о котором уже упоминалось в прессе, незамеченным не пройдет. Орлова начнут трясти со всех сторон.

Так бывало всякий раз при совершении особо тяжкого резонансного преступления. Сегодняшний инцидент вполне подходил под это определение. Орлову ничего не останется, как оправдываться, заверять, что работа идет полным ходом. Мол, его подчиненные, да и он сам прилагают все усилия для поимки преступника.

Генерал-лейтенант в сотый раз услышит, что убийство это должно быть раскрыто в кратчайшие сроки. Ему придется соглашаться и морщиться. Потом он станет глотать валидол и вызывать своих сыщиков для отчета, доклада, раздачи профилактических оплеух и добрых советов.

Все это уже происходило неоднократно. Всегда было трудно, но в большинстве случаев дело разрешалось благополучно. Порой оно оборачивалось благодарностями и поощрениями. Только сам Петр Николаевич Орлов знал, сколько седых волос добавлено на его голову и какое количество нервных клеток убито намертво.

Но Гуров тоже не был наивным юнцом. Посему он решил не тревожить Орлова до утра.

«Пусть хотя бы ночь поспит спокойно», — подумал сыщик.

До приезда опергруппы ему нужно было управиться с одним важным делом: самому осмотреть место убийства. Нет, вовсе не потому, что ему придется над ним работать. Гуров вообще не знал, кому поручат это убийство.

Просто как прирожденный сыщик, оказавшийся на месте совершения тяжкого преступления, он не мог занять полностью стороннюю позицию. Ему хотелось вникнуть хотя бы в техническую схему этого убийства. В первую очередь его интересовало, где оружие. Возле тела ничего подобного не было.

Гуров посмотрел по сторонам, на окно, задернутое плотными шторами изумрудно-зеленого цвета. Он подошел к нему и осторожно отдернул ткань. Окно было закрыто, никаких дырок от пули в нем не имелось — отличное целехонькое стекло высотой почти во всю стену. Следовательно, в Анну стреляли не с улицы, а прямо отсюда, из комнаты. Пистолет, разумеется, был с глушителем. Но где же он?

Ответить на этот вопрос даже гипотетически Гуров не успел, поскольку со стороны коридора раздался истошный, совершенно истерический крик:

— Пустите меня сейчас же! Я все равно войду, имею право! А вы пошли все вон! Я вас всех ненавижу!

Гуров едва обернулся к двери, как та распахнулась, и в комнату, чуть не сбив с ног Льва Хаимовича Лейбмана, ворвался светловолосый парень. Гуров тут же узнал Эдика, хотя вид у парня был еще тот. Бейсболка съехала на затылок, длинная челка растрепалась, а футболка, за которую сзади его пытался удержать Лейбман, вот-вот готова была с треском порваться. Но главное состояло в том, что глаза у парня были просто дикими, почти невменяемыми.

Он невидящим взглядом поблуждал по комнате, кажется, даже не заметил Гурова и не слышал того, что настойчиво говорил ему Лейбман. Затем его взгляд упал на тело, лежавшее на полу. Парень сразу как-то сжался, обмяк, словно внутри него лопнула пружина, державшая его в напряжении. Он стал совсем растерянным, только медленно моргал ресницами.

Лейбман обреченно вздохнул, отпустил его футболку и махнул рукой. Мол, теперь уж все равно.

Эдик неуверенно сделал пару шагов, остановился возле тела и наклонился к нему. Он всматривался в лицо Анны и никак не мог поверить, что это она. Постояв несколько секунд в таком положении, он протянул руку и провел ею по лицу женщины.

— Мама, — как-то удивленно произнес Эдик и всхлипнул.

Потом парень опустился на пол. Бейсболка упала с его головы, но он даже не обратил на это никакого внимания. Эдик вдруг всхлипнул еще пару раз, а затем заревел, совсем как маленький ребенок, кулаками вытирая глаза, размазывая слезы по щекам.

Лейбман решительно шагнул к нему, с неожиданной для его комплекции силой и ловкостью подхватил Эдика под мышки и приподнял.

— Пойдем, — мягко проговорил он. — Не нужно тебе сейчас тут быть. Давай поговорим, посидим спокойно.

Он повел парня к двери. Тот послушно шагал, на ходу утирал слезы и не делал попыток воспротивиться. Вся его агрессия и напор ушли, уступили место боли и какой-то покорности. Он шел, переставляя ноги механически, как робот.

В коридоре показалась испуганная Виктория Павловна. Увидев бредущего Эдика, она тут же всплеснула руками, подхватила его под локоть с другой стороны и тоже принялась говорить что-то успокаивающее. Потом Виктория Павловна повела парня на второй этаж, а Лейбман встал у двери, преграждая посторонним личностям путь в комнату с телом покойной.

Гуров остался там один и снова вернулся к своим мыслям на тему об убийстве хозяйки дома. Он прикрыл глаза, держа в памяти положение тела Анны и пытаясь представить, как все произошло.

Анна Кристаллер вошла в эту комнату, сделала буквально пару шагов вперед и тут же получила пулю в лоб. Единственный выстрел оказался очень точным. Смерть наступила мгновенно. Анна тут же упала. Убийца, судя по всему, стрелял вот отсюда, из-за шторы.

Гуров еще раз протянул руку и потрогал плотную ткань. Никакого корявого уродливого отверстия с обуглившимися краями сыщик не обнаружил. Этого и быть не могло, потому как на лбу госпожи Кристаллер имелся характерный черный ободок.

Он понюхал штору и уловил едва ощутимый запах пороха. Полковник был прав в своих предположениях. Скорее всего, картина была именно такой, какую он только что нарисовал. Убийца спрятался за шторой, резко сдвинул ее, выстрелил в Анну, после чего сразу же вышел из комнаты.

Выбраться через окно он не мог. Оно выходило во двор, и его сразу увидела бы охрана, либо засекли камеры слежения. Значит, киллер просто вышел в коридор. Из этого факта вытекает другой. Убийца присутствовал среди гостей. Скорее всего, он вернулся за стол как ни в чем не бывало.

Так!.. Гуров открыл глаза и потер лоб. Все это только предположения, причем первоначальные. Дальнейшая проверка, конечно, многое выявит. Пока что рисовалась вот такая ситуация, но уже сейчас Гуров ясно видел в ней целый ряд нестыковок.

Стрелял, судя по всему, профессионал, то есть киллер, или же человек, деятельность которого напрямую связана с оружием и умением пользоваться им. Среди гостей Анны Кристаллер, кажется, не было никого и близко похожего на подобную личность. Разве что кто-то из спортсменов?

Гуров взял себе на заметку этот момент. Нужно будет тщательно проверить всех спортсменов, выяснить, кто из них занимается стрельбой или делал это в прошлом.

Но и это не все. Главный вопрос — куда делось оружие? Логичнее всего было предположить, что киллер просто бросит его возле тела, после того как застрелит Анну. Зачем оно ему? Ведь понятно, что труп обнаружат очень быстро. Следовательно, оружие начнут искать и непременно найдут.

Он же не полный идиот, чтобы просто сунуть ствол себе в карман! Или убийца решил его спрятать, чтобы забрать потом? Опять же зачем? Пистолет же, скорее всего, найдут при обыске! Ладно, допустим, что он сунул его в какое-то очень хитрое место, рассчитывая на тугую сообразительность полиции, и хочет взять позже, когда все немного утихнет.

Но опять же зачем? Этот тип ведь может купить себе другой ствол, если понадобится! Обычно киллеры так и делают. А если он не наемный убийца, а обладатель вполне мирной профессии, то снова непонятно, для чего ему этот ствол, который уже засветился на мокром деле, да еще таком громком? Разве что...

Гуров нахмурился. Разве что он рассчитывает подбросить его кому-то, чтобы подозрение пало на другого человека. Но тогда убийца должен был заранее все четко продумать.

«А он так и сделал, — сам себе ответил Гуров. — Убийство явно спланированное. Преступник точно был в курсе насчет многих деталей, вплоть до мелочей.

Список приглашенных, распорядок банкета, расположение комнат в этом доме, перемещения людей — все это он знал. Следовательно, этот человек должен быть довольно близок Анне Кристаллер. Теперь мне, видимо, предстоит тесно познакомиться со всеми этими людьми, выяснить по максимуму все как об этих персонах, так и об отношениях с хозяйкой дома».

Гуров задумчиво смотрел на тело. Все, о чем они говорили с Марией в начале вечера, придется повторить еще не один раз, и не только с ней, но и со всеми, кто здесь был.

Полковник посмотрел на часы. Опергруппа должна была прибыть с минуты на минуту. У Гурова не было полномочий вести это дело, однако он хотел довести до конца осмотр места происшествия.

Полковник нагнулся над телом Анны, красивое лицо которой начало тускнеть. Смерть уже стала оставлять на нем свои необратимые следы. Но тело сейчас не слишком интересовало Гурова. Он знал, что эксперты отлично поработают тут и без него.

Сыщик уже поднимался, как вдруг заметил, что левая рука женщины сжата и из нее торчит какой-то предмет. Присмотревшись, Гуров понял, что это сотовый телефон. Она так и вошла с ним в комнату, не выпуская из рук. Хотя, собственно, ей и убрать-то его было некуда. При Анне не было сумочки, на ее платье, разумеется, не оказалось ни единого кармана.

На пару секунд полковник задумался. Соблазн взять телефон и посмотреть, что за сообщение получила его владелица за несколько минут до смерти, был очень велик. Гуров не сомневался в том, что оно сыграло решающую роль. Но нет. Лев Иванович слишком давно работал опером. Такие вещи были недопустимы. Все надлежит оставить так, как есть, до прибытия опергруппы и следователя.

Гуров с сожалением разогнулся и решительно отбросил мысли об осмотре мобильника. У него была другая задача. Следовало найти гильзу, и он начал спешно осматривать помещение.

Пол был чистым, практически стерильным. Прислуга перед прибытием гостей постаралась от души. Но гильзы не было ни возле тела, ни у подоконника, где ей по логике вещей и надлежало находиться.

Гуров обвел взглядом комнату. Собственно, здесь и обстановки-то почти не было. Следовательно, и количество мест, куда она могла закатиться, было ограничено. Это помещение оказалось небольшим. В нем стоял лишь мягкий диван с журнальным столиком перед ним, да на стене красовался огромный телевизор. Вполне достаточно для комнаты отдыха.

Гуров встал на колени и заглянул под диван. Несмотря на то что в комнате было светло, он все же включил фонарик своего мобильного телефона. Это не помогло обнаружить гильзу. Зато вместо нее полковник углядел под диваном какой-то плоский предмет.

Он надел тонкие перчатки, которые всегда имел при себе по старой профессиональной привычке, протянул руку и взял его. Это оказалась бутылка из-под армянского коньяка. Гурову было совершенно непонятно, как она здесь оказалась.

На донышке плескались остатки жидкости, совсем чуть-чуть. Гуров отвинтил крышку и понюхал — пахло спиртом. Безусловно, коньяк. Но кто его здесь оставил? Неужели киллер решил хлебнуть для храбрости перед убийством?

В том, что бутылка оставлена здесь совсем недавно, сомневаться не приходилось. Уборщицы перед банкетом наверняка все здесь вычистили, просто вылизали. Гуров сунул бутылку обратно. Он знал, что ее так и так найдут при осмотре комнаты, следовательно, передадут на дактилоскопическую экспертизу, которая станет работать с отпечатками пальцев, если таковые, конечно, имеются. А Гурову очень хотелось, чтобы они здесь были.

Полковник поднялся с пола и отряхнул брюки, хотя на них и не было ни пылинки. Пресловутую гильзу и само оружие он так и не нашел, и это беспокоило его больше всего. Пусть в данном деле он был лишь свидетелем, но прирожденный талант сыщика не давал ему равнодушно отнестись к убийству, совершенному здесь и сейчас.

Он двинулся к двери, намереваясь встретить опергруппу. Тут со двора донесся шум подъехавшего автомобиля и голоса, и полковник понял, что оперативники прибыли.

Буквально через минуту они уже были в коридоре. Гуров выглянул из комнаты. Первым, кого он увидел, был майор Карасев из следственного комитета. Он был знаком сыщику.

Полковник считал его вполне достойным профессионалом и в душе был рад, что это дело поручили именно Карасеву.

Тот смерил Гурова быстрым взглядом, пожал ему руку и коротко спросил, указывая на дверь:

— Здесь?

Гуров кивнул, и майор приказал группе проходить внутрь. В комнате сразу же стало тесно. Туда прошли и оперативники, и эксперты, и следователь, долговязый мужчина с длинным унылым лицом. Гуров встречал его пару раз, но знал плохо и даже фамилию сейчас не мог вспомнить.

— Сухарев Аркадий Павлович, — сам представился тот, подавая Гурову ледяную узкую ладонь. — Мы с вами, кажется, встречались?

— Да, было дело, — подтвердил полковник.

— А вы, Лев Иванович, тоже будете работать по этому делу? — в отличие от Гурова, Сухарев прекрасно помнил его имя-отчество.

— К сожалению, нет, — ответил полковник. — Или к счастью. Я здесь, можно сказать, случайно. В качестве гостя.

Сухарев удивленно посмотрел на него из-под очков, видимо, пытаясь понять, каким ветром занесло полковника МВД в богемную среду.

— Ах, да. — Он кивнул, словно нашел ответ, и проговорил: — У вас ведь жена актриса.

Гуров не стал продолжать эту тему, вместо этого сказал:

— Кое-то из того что мне известно, могу сообщить прямо сейчас. Запишете?

Сухарев кивнул и поправил очки. Они присели прямо в коридоре, и Гуров подробно рассказал о том, что происходило в течение вечера и как был обнаружен труп. Сухарев быстро писал, опергруппа тем временем работала в комнате. Осмотр закончился довольно быстро. Майор Карасев вышел из комнаты, когда Сухарев заканчивал фиксировать показания Гурова.

— Та женщина, которая обнаружила тело, кто она? — нетерпеливо спросил Карасев.

— Не знаю. — Гуров пожал плечами. — Одна из тех, о ком я вообще ничего не знаю.

— Покажете? Она где сейчас? — быстро проговорил майор.

— Наверное, в банкетном зале вместе с остальными. Пойдемте. Если она там, я покажу.

Они двинулись к банкетному залу, дверь в который была плотно закрыта. Возле нее переминался с ноги на ногу Лев Хаимович Лейбман. Он церемонно поклонился Карасеву и посторонился. Тот походя бросил на него безразличный взгляд, на поклон не ответил, взялся за ручку двери и открыл ее.

Они вошли в зал. Гости сидели за столом с каменными лицами. Музыка была выключена, и в комнате висела тягучая, тяжелая тишина. Никто не ел, не пил и уж тем более не танцевал. Позы у всех были неестественными, зажатыми, движения скованными. Кое-кто перебрасывался между собой фразами, совсем короткими, в одно-два слова. Даже Жанна Саакян притихла. От былого веселья не осталось и следа. Атмосфера из праздничной превратилась в трагическую.

При появлении майора все задвигались на стульях, бросая на него вопросительные взгляды. Кое-где пронеслись вздохи облегчения. Так бывает всегда, когда ты сидишь в постоянной неизвестности и вдруг происходит нечто, способное сдвинуть с мертвой точки это тягостное ожидание.

Карасев бегло поздоровался с присутствующими и сухим деловым тоном заявил, что с каждым из присутствующих будет проведена короткая беседа. В связи с этим майор попросил всех оставаться на месте до официального разрешения.

— Но позвольте! Уже очень поздно!

— У меня завтра утром запись!

— А у меня репетиция!

— А мне вообще к восьми утра на самолет! — послышались реплики с разных концов стола.

Карасев с совершенно непроницаемым лицом выслушал их, после чего обвел взглядом людей, сидящих за столом, и произнес:

— Господа, вы, кажется, не отдаете себе отчета в том, что произошло.

— А кстати, что, что произошло? — с надрывом спросила какая-то дама. — Никто ничего не объясняет. Нас держат в этой комнате словно под арестом. Что случилось-то?

— Случилось убийство, — проговорил майор так резко, словно выстрелил, и за столом повисла почти такая же тягучая пауза, как и до их с Гуровым появления в зале. — Поэтому, думаю, не надо объяснять, насколько необходима беседа с каждым из вас, — продолжал Карасев. — Обещаю долго никого не задерживать. Еще вот что. У каждого из вас наш эксперт снимет отпечатки пальцев. Процедура абсолютно безболезненная, все будет сделано быстро и профессионально.

Некоторые из присутствующих аж задохнулись от возмущения. Гуров подумал, что опергруппа обнаружила пустую коньячную бутылку под диваном. Эксперт нашел-таки на ней чьи-то пальчики.

Полковник заметил, как Жанна Саакян достала из сумочки планшетник и принялась быстро-быстро печатать на нем что-то. Гуров усмехнулся. Проворная журналистка в любой обстановке оставалась верна себе. Вот и сейчас, едва опомнившись от шока, она уже строчила репортаж, что называется, с места событий.

Гуров поискал взглядом Марию. Она сидела на своем месте, стул полковника рядом с ней был пуст. С другой стороны около Марии примостился Михаил Обручев, выглядевший совсем не так бодро и самоуверенно, как в начале вечера. Видимо, он решил держаться поближе к кому-то, кто мог считаться для него своим человеком.

Лицо у Марии было усталым, однако она не протестовала, сидела молча и лишь посмотрела в сторону Гурова. Лев Иванович ответил ей едва заметным кивком, призывая потерпеть немного. Майор Карасев уже достал авторучку, готовясь переписать присутствующих поименно.

— Всех, у кого есть документы, попрошу их предъявить, — сказал он. — Да, кто обнаружил тело?

При слове «тело» Сенин вдруг ахнул и вздрогнул. Однако его коллега Полонский пихнул Андрея в бок, и тот быстро совладал с нервами. Полонский сидел мрачнее тучи и молчал. Перед ним стояла рюмка, наполненная коньяком, из которой он периодически делал небольшие глотки.

К Карасеву подошла та самая женщина, которая своим криком возвестила о гибели хозяйки дома. С нее майор и начал опрос. За остальных взялись его помощники — два проворных, похожих друг на друга оперативника в гражданской одежде.

Гуров наконец-то смог подойти к Марии.

— Ну вот, терпеть придется тебе, а не мне. А уйди мы минут на десять раньше, всего этого не было бы. Вот что значит быть непокорной женой, — пошутил он, однако тон его был совсем невеселым.

Гурову хотелось хотя бы немного подбодрить жену.

Она слабо улыбнулась и сказала совершенно серьезно:

— Тогда ты не простил бы самого себя за то, что не послушал советов своей непокорной жены.

Обручев намеревался спросить у Гурова, сколько все это продлится и чем грозит, но Карасев в этот момент позвал его, и Михаил пошел, растерянно оглядываясь на Гурова и Марию.

Полковник лишь махнул ему рукой, а сам обратился к жене:

— Маша, а ты знаешь женщину, которая обнаружила труп?

— Лариса Гололобова, модный художник, — ответила та. — Мы с ней незнакомы.

В этот момент с улицы послышался шум автомобильного двигателя, а затем голоса охраны. Через минуту на пороге банкетного зала появился Анатолий Петрович, тот самый мужчина, который беседовал с Анной в дверях незадолго до ее смерти.

Виктория Павловна увидела его, первой метнулась к нему и тут же принялась что-то быстро шептать. Однако майор Карасев на некоторое время оставил в покое Гололобову, подрагивавшую от нервного напряжения, и переключился на него. Он быстро подошел к Анатолию Петровичу и задал ему ряд уточняющих вопросов. Майор записал данные на нового гостя, попросил его подождать более подробной беседы и вернулся к знаменитой художнице.

Анатолий Петрович наконец смог осмотреться. Он прищурился и скользил взглядом по залу так, словно кого-то искал. Виктория Павловна вновь подошла к нему и что-то шепнула. Анатолий Петрович дернулся было в сторону выхода из зала, потом перевел взгляд на Карасева и остался на своем месте.

— Он только-только заснул, не надо сейчас!.. — прошелестел голос Виктории Павловны.

Мария перехватила вопросительный взгляд сыщика и сказала:

— Это муж Анны. Точнее, бывший. А Эдик, мальчик в бейсболке, их сын.

— Вот как? Это его фамилия Кристаллер? И что, они не живут вместе?

— Это первый муж, — устало пояснила Мария. — Они давно в разводе. А Кристаллер — фамилия второго мужа. Он немец.

— То есть Анна официально замужем во второй раз?

— Нет, она вдова. Герр Кристаллер умер. Ах, Гуров, я не знаю всех этих подробностей! — с просьбой в голосе воскликнула Мария. — Наверняка найдется человек, который просветит тебя гораздо лучше, чем я. Я чувствую себя совершенно разбитой и мечтаю добраться до подушки. Да и вообще, разве ты ведешь это дело?

— Прости, профессиональная привычка, — сказал Гуров.

Карасев действовал, как и обещал, быстро и четко. Опрос каждого человека длился недолго. Эксперт снимал отпечатки пальцев, напоминая хорошо налаженный автомат. Все переносили эту не слишком приятную процедуру по-разному. Кто-то брезгливо морщился, старался поскорее вытереть пальцы платком или салфеткой. Кто-то молчал и послушно подставлял руки эксперту. Оперная дива в меховом боа чуть не завизжала, боясь, что ей сломают ноготь. После снятия отпечатков гости с перепачканными пальцами подходили к двери и отправлялись мыть руки в туалетные комнаты.

Гуров знал, что всех этих людей, во всяком случае большинство из них, допросят повторно, когда следователь проанализирует полученную информацию и начнет строить версии и искать дополнительные свидетельские показания. Понимал он и то, что следователю придется нелегко. Учитывая специфику занятий этих людей, застать многих на месте просто не получится. А это, конечно, затянет расследование.

Дошла очередь до Марии. Она совершенно спокойно поднялась и направилась в сторону Карасева, держа спину прямо, а голову высоко.

Анатолий Петрович, который все еще стоял у дверей, не зная, куда сесть и, кажется, не желая ни с кем общаться, нерешительно посмотрел на освободившийся стул.

Он подошел к Гурову и спросил:

— Вы разрешите ненадолго присесть, пока ваша дама занята?

— Да ради бога. — Сыщик пожал плечами.

Неожиданное соседство было полковнику даже на руку. Оно давало ему возможность задать Анатолию Петровичу несколько вопросов.

— А вам, простите, кто сообщил о несчастье? — спросил он.

— Что? — Анатолий Петрович очнулся от своих мыслей. — Вика мне позвонила. Виктория Павловна, — поправился он. — Пришлось вернуться. Хорошо, что далеко уехать не успел. Меня, собственно, больше всего волновал Эдик. Это наш с Анной сын, — пояснил он. — Парень впечатлительный и очень ранимый. Но Виктория сказала, что ей удалось уложить его в постель. Вот и хорошо. — Он вздохнул и прошептал, качая головой: — Господи, какая нелепость! Я никак не могу отделаться от ощущения нереальности происходящего. Мне как будто снится дурной сон!

— Вы давно расстались с Анной? — спросил Гуров.

— Восемь лет назад. Она тогда уехала в Германию.

— А Эдик? — осторожно спросил Гуров.

— Поначалу отправился с ней. Ему тогда было четырнадцать. Но через четыре года он вернулся, сказал, что ему скучно в сытой благопристойной Германии. К тому же сын повзрослел и уже не так нуждался в матери. Мы договорились, что он станет жить со мной. К матери Эдик, конечно, ездил раза два в год. Да и она частенько бывала в России, так что нельзя сказать, что они надолго разлучились.

— Но вы сохранили с бывшей женой хорошие отношения?

— Да! — Анатолий Петрович закивал. — Мы с ней и расставались не врагами. Наши семейные отношения к тому времени себя исчерпали. Любовь прошла, но уважение осталось. А тут как раз подвернулся хороший человек, я имею в виду Германа. Анна приняла его предложение. Я и сам ей советовал так поступить. Мы с ней регулярно переписывались и перезванивались. У нас ведь общий сын. Такое связывает людей на всю жизнь. Так что к чему нам ссориться?

— Надо же, нечасто встретишь такие взаимоотношения между бывшими супругами, — заметил Гуров.

— Нормальные отношения, — заявил Анатолий Петрович и пожал плечами. — По-моему, именно так и должны поступать нормальные люди в случае развода. А что, было бы лучше, если бы между нами пылала взаимная ненависть, мы спекулировали бы сыном, настраивали бы его друг против друга? По-моему, это отвратительно!

Гуров помолчал, потом все-таки решился спросить:

— О чем вы разговаривали сегодня с Анной?

Анатолий Петрович впервые за время разговора внимательно посмотрел Гурову в лицо.

— Простите, а вы кто по профессии? — поинтересовался он в свою очередь.

Вместо ответа полковник достал служебное удостоверение, которое носил с собой постоянно, даже на неофициальные мероприятия.

— Но я здесь обычный гость, — пояснил он. — Просто в силу профессиональной привычки вас расспрашиваю. Если не хотите, можете не отвечать.

— Нет, отчего же! — Бывший супруг Анны покачал головой. — Тут скрывать нечего. Мы говорили об Эдике. В его поведении были моменты, которые беспокоили Анну. Сами знаете, двадцать лет — такой возраст!.. К тому же Эдик довольно инфантилен, его подростковые заскоки несколько затянулись. Это и я сам признаю. Поведение парня порой оставляет желать лучшего. Анна в этот приезд пообщалась с ним и сегодня советовалась со мной, как лучше поступить. Она даже хотела забрать его с собой в Германию после постановки мюзикла. Я обещал подумать. Мне нужно было завтра лететь в командировку. Теперь, конечно, останусь здесь.

Он словно вспомнил, что Анны больше нет. С ее смертью становятся бессмысленными размышления на тему переезда в Германию, да и вообще все, что было связано с ее планами. Анатолий Петрович впал в какое-то угрюмое настроение. Он поглядывал в окно, за которым было уже совсем темно. Время близилось к полуночи.

— А чем занимается Эдик? — спросил Гуров, заметив, что Мария уже освободилась и направилась мыть руки.

— Он поет. — Анатолий Петрович несколько оживился. — Записал два альбома, иногда ездит с гастролями по городам.

— Даже так? Талантливый парень?

Анатолий Петрович неопределенно покрутил рукой и ответил:

— Способный, я бы сказал. Но ленивый. Ведь чтобы развить талант, каким бы он ни был, нужно много заниматься. А Эдик этого не делает. Вот он и застрял на своем уровне. Ладно, это сейчас неважно!

К ним направлялась Мария, на ходу вытирая влажные руки салфеткой. До конца отмыть черную краску ей так и не удалось, да она и не пыталась это сделать. Гуров понял, что его жена и впрямь смертельно устала, и поднялся.

Анатолий Петрович тут же освободил ее стул, извинился и отошел в сторону. Гуров взял Марию под локоть и повел к двери, намереваясь отправиться домой. Отпечатки его собственных пальцев, разумеется, хранились в картотеке МВД. Да и вообще следователь и оперативники гораздо быстрее могли найти его, чем кого-либо иного из тех людей, которые сейчас здесь присутствовали.

Однако майор Карасев быстро перепоручил очередного опрашиваемого одному из своих подчиненных, догнал его возле двери и проговорил:

— Одну минуту, Лев Иванович! Мне бы хотелось кое-что уточнить.

— Маша, спускайся и жди меня в машине. — Гуров протянул супруге ключи от своего автомобиля, она молча взяла их и пошла к выходу.

— Вот какое дело, — начал Карасев. — Вы ведь были в комнате, где ее убили, верно?

В ответ Гуров лишь молча кивнул.

— Понимаете, мы так и не нашли оружие, — поделился с ним Карасев. — Да и гильзу тоже. А это значит, что они либо здесь, либо их кто-то увез. Кто-нибудь покидал дом за это время?

— Нет, — твердо ответил Гуров. — Уезжал только некий Анатолий Петрович, бывший супруг Анны Кристаллер, но это было еще до убийства. А вернулся он только сейчас.

— Это точно? — живо уточнил Карасев.

— Абсолютно, — кивнул Гуров.

— Где же он может быть?.. — пробормотал Карасев, явно имея в виду пистолет. — По-хорошему, надо бы всех обыскать, а у меня постановления нет. Я был вызван сюда спешно, по телефону. А попробуй обыщи их без постановления — такой хай поднимут! Особенно эти фифы. — Он покосился в сторону гламурных особ разного возраста.

Гуров не зря отметил, что Карасев был хорошим профессионалом в своем деле. Он не только умел собирать улики и показания. Майор был хорош тем, что не гнушался прислушиваться к советам опытных людей. Именно к таковым он относил Гурова, с которым сейчас делился и ждал от него поддержки.

Карасев не вставал в позу, не кричал с явным вызовам: «Это мое дело, и я его веду». Он вообще не совершал ошибок, свойственных людям амбициозным, претензии которых зачастую построены на комплексах и неуверенности в себе. Карасев ждал от Гурова чего-то дельного, что могло бы ему помочь. Полковник не мог этого не оценить.

— Я все же не думаю, что убийца станет держать пистолет в кармане, — сказал Гуров и покачал головой. — Он же не знает, есть у вас постановление или нет. Этот человек очень тщательно спланировал все свои действия. На такой неоправданный риск он не пойдет. Искать нужно в доме. В сложившихся обстоятельствах вы можете делать это и без постановления. Хозяйки-то нет в живых! А если уж так надо, то подобное постановление вы сможете получить хоть в два часа ночи. Убийство известной особы в разгар банкета!.. Понятное дело, что дом нужно осматривать.

Карасев внимательно слушал его, чуть сдвинув брови.

— Да, вы, пожалуй, правы, — сказал он.

— И вот еще что. Вы сотовый телефон Анны проверяли?

— Пока нет. Я его к делу приобщил, а что?

— Проверьте самым тщательным образом.

Гуров рассказал о том, как Анна при прощании с бывшим мужем получила некое сообщение, которое буквально выбило ее из колеи. Через несколько минут она была застрелена в комнате отдыха. Там ее уже поджидал киллер.

Это известие Карасев выслушал очень внимательно, потом кивнул и заявил:

— Это действительно важно. — Он протянул Гурову руку и добавил: — Спасибо!

— Одна маленькая просьба. — Полковник тронул его за рукав. — Если найдете оружие, не сочтите за труд, позвоните мне.

— Даже в пять утра? — спросил майор и улыбнулся.

— Даже в четыре. — Гуров ответил ему улыбкой и направился к выходу.

— Клаус! — Голос в телефонной трубке дрожал, словно говорившего человека бил крупный озноб. — Это ты?

— Да, слушаю, — лениво ответил Клаус.

Он только что принял дозу отличнейшего препарата, который получил на прошлой неделе. Это была новейшая штучка. Клаус не мог не отметить, что она по ощущениям превосходила все, что он пробовал до сих пор.

Он был опытным наркодилером и перепробовал практически все кроме, разумеется синтетической тяжелой дряни, от которой через год умирают мозг и тело. Клаус хорошо разбирался в подобных вещах, являлся своего рода корифеем во всех вопросах, касавшихся любых типов наркотиков.

Героин, кокаин, морфий, ЛСД — такое дерьмо он не употреблял. Клаус любил себя и знал, что лучше всего добрый старый гашиш. Его-то он и покуривал тихо-мирно, раскачиваясь в своем любимом кресле-качалке.

Но новый препарат тоже был просто изумителен. Конечно, злоупотреблять не стоит, но разок-другой в месяц можно себе позволить. Штучка хоть и дорогая, но прикольная. А в остальное время — любимая травка. Отлично, кстати, нервы успокаивает.

— Клаус, тут такое дело... — Человек, позвонивший ему, запнулся. — Короче, если к тебе придут, то мы с тобой не знакомы, ладно?

— Кто придет? — протянул Клаус, прикрыв глаза.

Он жалел, что снял трубку. Собеседник явно собирался чем-то его загрузить, а у Клауса не было никакого желания напрягаться.

— Не знаю, скорее всего, никто не придет, — торопливо начал пояснять этот тип. — Просто так, на всякий случай предупреждаю!

— Что за дела? — Клаус слегка насторожился.

— Да тут, понимаешь, насчет порошка. Короче, нашли его.

— Мой порошок? — С Клауса мгновенно слетела сонная одурь.

Он резко выпрямился в кресле, в котором возлежал, и сел, словно внезапно проглотил оглоблю. — У кого нашли? У тебя?

— Нет-нет, не у меня, вообще у левого человека, но дело в том, что!.. Черт, я не могу по телефону объяснять.

— Ты что там гонишь? — Голос Клауса зазвучал зло. — Куда ты влетел?

— Тут у нас убийство.

— Что? — Клаус аж подскочил. — И мой порошок?

— Нет-нет! — занервничал собеседник. — Все совсем не так! О тебе вообще ни слова даже не было и не будет, я тебе клянусь! Я приеду и все объясню. Я сейчас в России.

— В России? — Клаус то ли удивился, то ли обрадовался. — А я при чем?

— Ты ни при чем, разумеется, — тут же согласно закудахтал собеседник. — Я тебе и говорю: если что — ты меня не знаешь, и я тебя не знаю!

Клаус некоторое время размышлял. Мозг, настроенный совершенно на другую волну, вначале работал плохо, но потом все же справился со своей задачей.

— Значит, так! — жестко сказал он в трубку. — Твои проблемы меня не касаются, ясно? Если ко мне придут по твою душу, я первый скажу, что знать тебя не знаю! У меня бизнес налаженный, клиентура постоянная, и налоги я с доходов плачу честно! Мне неприятности из-за тебя не нужны. Мне больше не звони и не приходи сюда! Все! — Клаус с силой нажал кнопку на стареньком, но надежном «Сименсе».

Потом он некоторое время смотрел на экран, вошел в меню и удалил номер человека, звонившего ему. После чего Клаус отключил звук в телефоне, бросил его на столик, надел наушники и прикрыл глаза. Он блаженно откинулся в кресле и принялся мерно раскачиваться под любимый соул.

Его недавний собеседник горестно вздохнул, глядя на погасший экран, потом воздел руки к потолку и проговорил:

— О, мама миа! Святая Дева, помоги мне!

Он походил из угла в угол, никак не находя себе места, и выглянул в окно. Перед его глазами расстилалась Москва, шли люди, бежали машины. Все это ему нравилось, но теперь, похоже, с этим придется расстаться, причем навсегда. Как бы ни было жаль, но возвращаться сюда, наверное, не стоит. На всякий случай.

Как всякий трус, он готов был пожертвовать чем угодно, поступиться любыми чувствами, даже тем, что и кого любил, лишь бы избавиться от опасности и этого липкого, вгоняющего в дрожь страха. Данный субъект вдруг подумал, что бежать надо немедленно. То ли динамика мостовых на него подействовала, то ли ощущение, что со всем этим он прощается навсегда, только он вдруг решился.

Какая разница, что о нем подумают? Он свободный человек и имеет право поступать так, как считает нужным. К тому же в сложившихся обстоятельствах это самое разумное. Полагаться следует всегда на разум, какими бы приятными и волнующими ни были чувства.

Он подошел к шкафу, достал ярко-красный чемодан, открыл его и стал быстро собирать и складывать в него вещи. Потом этот человек опомнился, подошел к телефону, набрал номер аэропорта и уточнил расписание. Он постоял, подумал.

Все складывалось на редкость удачно. Следующий рейс будет через полтора часа. Он как раз успеет доехать и купить билет. Документы все у него в порядке, так что никаких осложнений быть не должно.

Всего через каких-то три часа он будет далеко отсюда. Все проблемы останутся черт знает где. Они ведь здесь, а не там. У него все пройдет хорошо и спокойно. Он вообще не должен знать никаких бед. Разве они его касаются? Кто он такой и почему должен страдать из-за того, что не имеет к нему никакого отношения? Пусть переживают другие!

Он решительно вернулся к сборам, подбадривая себя мыслью о том, что завтра даже и не вспомнит про все ужасы, через которые пришлось пройти. Все это будет казаться ему совсем далеким, чужим и выдуманным.

— Это все чужое, не мое, — как заклинание повторял он, подхватывая чемодан и перекидывая через плечо ремень спортивной сумки.

Приятным для Гурова моментом во всем случившемся было, пожалуй, лишь то, что следующее утро было субботним, и поэтому ему не нужно было идти на службу. У Марии, правда, был спектакль, но это вечером, так что никто никуда не спешил. Учитывая все обстоятельства вчерашнего вечера, Гуров решил поспать хотя бы часов до десяти.

Однако его планы нарушил звонок сотового телефона. Сыщик недовольно поморщился — часы показывали всего-то восемь пятнадцать! — поспешно слез с дивана и направился в кухню, чтобы не мешать Марии спокойно восстанавливаться после вчерашней нервотрепки.

Звонил Орлов. Гуров понял это по номеру, высветившемуся на дисплее мобильника.

Отвечая генерал-лейтенанту, он постарался придать своему голосу обычные нотки:

— Приветствую, Петр! Что беспокоишь в такую рань? У самого старческая бессонница, поэтому и меня решил разбудить, чтоб не обидно было?

— Привет, Лева, — спокойно ответил Орлов. — Думаю, ты и сам догадываешься, чего я тебя беспокою.

Гуров подавил вздох. Все понятно, речь идет об убийстве Анны Кристаллер, чтоб ему никогда не совершаться! Орлов, разумеется, уже в курсе. Доложили, несмотря на выходной.

— Ты не напрягайся, Лева, я еще ночью все знал, — сказал Орлов. — Из министерства позвонили. Я просто не хотел тебя раньше времени тревожить.

— Спасибо. — Гуров усмехнулся и подумал, что он тоже не хотел беспокоить Орлова среди ночи.

Выходит, они позаботились друг о друге, вот только совершенно напрасно.

— И что? Я тебе нужен в качестве очевидца?

— Ты, Лева, приезжай в главк, я тебе все на месте объясню, — сказал Орлов.

Гуров не стал спорить и пошел собираться. Он оставил Марии короткую записку «Уехал в главк» и направился к лифту.

Вскоре сыщик прибыл в главное управление и сразу же прошел в кабинет генерал-лейтенанта. Он ожидал увидеть его в одиночестве, однако Орлов сидел в компании майора Карасева. Секретарша Верочка угощала их каким-то травяным чаем, аромат которого ощущался даже в приемной.

Орлов сразу приступил к делу. Разводить церемонии и дружеские беседы при Карасеве он явно считал излишним.

— Так вот, Лев Иванович, поступило распоряжение из министерства поручить расследование убийства госпожи Анны Кристаллер вам, — сухим официальным тоном сообщил генерал-лейтенант. — Майор Карасев ознакомит вас со всеми материалами, которые ему удалось раздобыть за это время. Вы с ним пообщайтесь, поделитесь соображениями и принимайте дело. Все, можете идти. — Орлов больше ничего не стал комментировать.

Гуров поднялся и направился к двери. Он пропустил майора вперед и вышел из кабинета вслед за ним.

— Лев Иванович! — окликнул его Орлов.

Гуров обернулся.

— Когда закончите, зайди ко мне, — тихо сказал генерал-лейтенант, и сыщик молча кивнул на ходу.

Карасев держался хорошо и спокойно, хотя в глубине его души, наверное, сидела обида. Именно он начал это дело, причем хорошо. Теперь его передают Гурову только потому, что тот давным-давно успел получить звание полковника, а Карасев пока что довольствовался майорским.

Гуров отлично понимал его чувства. При этом сыщика радовало то, что Карасев, несмотря на обиду, вел себя достойно, не злился и не вынашивал мстительные планы из разряда «Погодите, вы у меня еще узнаете, с кем связались!». Ничего подобного в тоне майора не было. Обычный рабочий, деловой настрой.

Они прошли в кабинет, который Гуров делил со своим коллегой и ближайшим другом Станиславом Крячко, и уселись. Карасев тут же начал последовательно излагать факты, установленные за прошедшую ночь.

Первым из них был тот, что люди Карасева так и не нашли оружие, хотя осмотрели буквально каждый сантиметр и проверили все помещения на наличие тайников. Гильза также обнаружена не была. Однако пулю они уже извлекли из тела Анны и передали на экспертизу.

— Результатов пока нет, так же как и по отпечаткам пальцев на бутылке из-под коньяка, — сообщил Карасев. — По предварительным данным очень сложно выстроить версию, хотя бы мало-мальски похожую на верную. Если же оттолкнуться от всего, что мы выяснили, и углубиться в анализ, то бишь в выявление мотивов, то первыми на ум, конечно же, приходят конкуренты.

— Речь о постановке мюзикла? — спросил Гуров.

— О гранте, выделенном на это, — уточнил Карасев.

— А что, есть еще претенденты? Я думал, что вопрос с поручением этого проекта Анне Кристаллер был решен окончательно.

Карасев слегка замялся.

— Так-то оно так, — не слишком уверенно сказал он. — Но все же оставалась какая-то лазейка. Немцы должны были посмотреть пробный показ. Вот если бы он их устроил, то вопрос можно было бы считать решенным окончательно и бесповоротно.

— Это вам откуда известно?

— Рассказал продюсер Лейбман. Да и другие артисты упоминали. Но вы сами понимаете, что это за публика! Привыкли к игре, интригам, вот и сейчас темнят, юлят, говорят много, а по сути почти ничего. Замучился с ними. Не люблю с богемной тусовкой работать, уж лучше с бандитами, честное слово! Там хотя бы методы ясны, а этих попробуй тронь — на всю Москву раструбят, что в полиции к ним применили насильственные действия!

— Так вам надо радоваться, что вы избавились от столь неприятного дела, — пошутил Гуров и попытался улыбнуться.

— Да я особо привередничать не привык, — суховато ответил Карасев. — Что поручают, то и веду.

— А следователь остался прежним? — спросил Гуров.

— Да, Сухарев. Вы с ним пообщаетесь?

— Непременно, но сначала все же продолжим с вами.

— Хорошо. Значит, самый яркий и пока не слишком объяснимый факт выглядит так. У одной гостьи в сумочке был обнаружен наркотик. Интересно и то, что точно такая же гадость найдена в спальне Анны Кристаллер.

Гуров присвистнул и заявил:

— Ничего себе! Баловалась, значит, Аннушка наркотой, да?

— Все ее близкие начисто опровергают эти данные, — заявил Карасев. — Утверждают, что ни о каких наркотиках слыхом не слыхивали. Но я и не ожидал, что они начнут кричать, будто покойница была наркоманкой.

— Ладно, с этим я сам разберусь, — задумчиво сказал Гуров. — А у кого нашли наркотик?

— У некоей Ольги Летицкой. Все называют ее Лелей. Эта совсем молодая певичка должна была исполнять в мюзикле одну из ведущих партий. Она из филармонии.

— Как Летицкая это объясняет?

— Орет дурным голосом, что это не ее, что она впервые это видит, ей это подбросили. — Карасев усмехнулся. — Признаюсь, что за годы службы я ничего другого и не слышал от персон, задержанных с наркотой. Такое впечатление, что они в школе зазубрили на уроке: «Не мое, мне подбросили!»

Гуров побарабанил пальцами по крышке стола, потом спросил:

— Где она сейчас? Отпустили?

— Ну уж нет, — решительно возразил Карасев. — Не стал я ее отпускать, несмотря на посыпавшиеся со всех сторон поручительства и заверения в том, что это недоразумение. Закрыл барышню до выяснения. Она сейчас в КПЗ сидит. Ничего, меньше гонору будет, — неожиданно со злостью добавил он.

Гуров подумал, что певица Ольга Летицкая, по всей видимости, вела себя слишком вызывающе. Она сумела довести Карасева, обычно невозмутимого, до такого возбужденного состояния.

— Я все по закону сделал, — добавил майор, дабы Гуров не заподозрил предвзятости и превышения должностных правомочий.

— Давно сидит?

— С пяти утра, — буркнул Карасев. — Мы как раз в это время осмотр закончили и все вместе поехали.

— Понятно, спасибо, — сказал Гуров. — А что с мобильником Анны? Вы просмотрели его?

— Да, — оживился Карасев. — За несколько минут до смерти ей действительно пришло СМС-сообщение. И очень любопытное! Вот, сейчас я вам зачитаю.

Он полез в бумаги, лежавшие на столе, нашел нужную и хотел прочесть, но Гуров взял у него листок и сам посмотрел.

«Уважаемая Анна, мне жаль видеть, как столь достойную женщину вводит в заблуждение близкий человек. Это не мое дело, но молчать мне не дает совесть. Одним словом, ваш друг вас обманывает с Лелей Летицкой. Если хотите в этом убедиться, загляните в комнату для гостей».

Вот так. Послание было без подписи. Гуров внимательно прочел его несколько раз, запоминая и анализируя мелкие детали.

Во-первых, это сообщение написано было грамотно, без единой ошибки. Во-вторых, общий стиль письма свидетельствовал о том, что трудился над ним некто образованный и вполне интеллигентный. В-третьих...

В-третьих было самым интересным. Аноним намекал на то, что любовники сейчас в комнате для гостей. Следовательно, ему было об этом известно. Это, в свою очередь, говорило о том, что он был участником банкета.

Наверное, ход мыслей Гурова отразился у него на лице, потому что майор Карасев сказал:

— Скорее всего, это липа чистой воды. Если Анну Кристаллер хотели просто заманить туда, то не требовалось сообщать ей правдивые сведения. Достаточно было закинуть удочку, и она тут же попалась. В комнате могло никого не быть, только киллер.

— Тогда сообщение должен был отправить именно он. Вы проверяли номер, с которого оно пришло?

— Разумеется. Как и предполагалось, он нигде не зафиксирован. Скорее всего, тот человек, который отправил СМС, просто выбросил сим-карту.

— Вы говорили с Летицкой об этом?

— Да, она фыркнула и заявила, что все это чушь собачья.

— Друг Анны — кто имеется в виду? Выяснили?

— Его имя в сообщении не указано. Предъявлять претензии кому бы то ни было сложно, — уклончиво ответил Карасев. — Однако всем известно, что последнее время Анна открыто жила с неким Антонио Тедески, итальянцем по происхождению.

— Ага, теперь понятно. — Гуров кивнул, вспомнив томного иностранца с длинной черной гривой.

«Незадолго до трагедии, произошедшей с Анной, он покинул банкетный зал в обнимку с молодой дамой. Уж не она ли и есть Ольга Летицкая? Надо бы встретиться с ней поскорее. Пожалуй, на данный момент это задача номер один», — подумал полковник, внимательно поглядел на покрасневшие, воспаленные глаза Карасева и произнес:

— Вы, майор, работали всю ночь, так что отправляйтесь сейчас отдыхать. Вы заслужили спокойный сон.

Карасева не нужно было уговаривать, он поднялся и на прощание сказал:

— Если что-то понадобится, я всегда готов помочь.

Гуров кивнул в знак благодарности и углубился в материалы дела, оставленные майором на столе. За их изучением он провел около часа, старательно укладывая в голове все факты и пытаясь воссоздать хронологическую картину. Тут полковнику очень на руку оказалось то, что он сам присутствовал на банкете, знал хотя бы шапочно многих гостей и мог следить за их перемещениями во время вечеринки.

Гуров прикрыл глаза, напрягая память и восстанавливая в ней события, предшествовавшие гибели Анны Кристаллер. Мельчайшие подробности полковник, разумеется, забыл, однако главное вспомнить смог. Он знал, кто на момент ухода Анны из зала оставался в нем, а кто отсутствовал.

Гуров посидел еще немного, поднялся и направился в кабинет генерал-лейтенанта Орлова. По дороге он подумал, что пора, наверное, позвонить Станиславу Крячко и подключить его к делу. Намечалась работа, причем довольно плотная и напряженная. Гурову очень нужен был помощник, причем немедленно. Сейчас надо было вместе с Орловым, втроем обсудить сложившееся положение вещей, чтобы не пересказывать потом одно и то же.

Гуров достал мобильник и набрал номер Крячко, однако тот сбросил его звонок. Станислав наверняка демонстрировал, что у него сегодня вполне заслуженный выходной. Лев Иванович досадливо поморщился и пошел к лестнице.

В кабинете Орлова его ожидал приятный сюрприз. Вместе с генерал-лейтенантом, бесцеремонно развалившись в кресле и прихлебывая чай из огромной кружки, восседал Станислав Крячко собственной персоной.

Он смерил Гурова победным взглядом, подмигнул ему и с ехидцей сказал:

— Ну что, Лева, не слушаем старых друзей? Предупреждал я тебя, что богемная жизнь до добра не доведет! Что ж, теперь нам предстоит расхлебывать это дерьмо!

— Можно подумать, что если бы меня там не было, то убийства не случилось бы! — парировал Гуров, проходя в кабинет и усаживаясь на свободный стул.

— Э, не скажи, Лева! — Крячко поднял палец. — Убийство-то, может быть, и случилось бы, но не факт, что расследовать в таком случае поручили бы тебе. Вот скажи, почему нас с тобой дернули на службу в законные выходные? Потому что сам полковник Лев Гуров присутствовал при совершении этого ужасного преступления!

— Ну, положим, при его совершении я не присутствовал...

— И очень жаль! — перебил его Крячко.

— А на телефонные звонки непосредственного начальства нужно все-таки отвечать! — строго добавил Гуров.

— Зачем? Я же знал, что ты сюда идешь! Ради чего ты будешь лишние деньги тратить? — искренне удивился Крячко.

— Ну спасибо, заботливый ты мой, — притворно ласково проговорил Гуров.

— Так, хватит уже болтать. — Орлов махнул рукой. — О деле пора поговорить. Работы по горло, а у нас еще конь не валялся!

— Давайте работать. — Крячко энергично потер ладони. — Тем более что самые опытные сыщики Москвы в сборе. Лев Иваныч, конечно, лучший из лучших, но и мы с тобой, Петр...

— Хватит! — Орлов пристукнул кулаком по столу. — Стас, я тебя по-хорошему прошу, уймись ты наконец! Убийство громкое, меня среди ночи с постели подняли, а ты все резвишься. Кстати, ты прав. Льва назначили расследовать это дело во многом именно потому, что он считается одним из лучших сыщиков Москвы. Его присутствие на банкете — лишь дополнительный штрих к решению министерства. Между прочим, хочу заметить, что все шишки в очередной раз посыплются на мою больную голову, а не на твою здоровую! — Он покосился на Крячко.

Станислав приложил руки к груди и весь обратился во внимание. Сейчас был выход Гурова. Лев Иванович принялся вводить своего друга и подчиненного в курс дела.

Под конец, пресекая вопросы Орлова, он резюмировал:

— Петр, о версиях не спрашивай, их сейчас просто нет. Пока что я лишь наметил пути расследования. Они заключаются в повторном опросе свидетелей, в первую очередь тех, кто отсутствовал в зале в тот момент, когда была убита Анна Кристаллер. Я напряг память и записал имена тех, кого не было. Вот, список у меня. — Полковник вслух зачитал: — Ольга Летицкая и Антонио Тедески, Лев Хаимович Лейбман, Виктория Павловна Рудакова, Федор Полонский и, возможно, Андрей Сенин. Этого наверняка не помню. Потом еще некий простуженный сериальный актер Василий Юрьевич Завадский, который выходил в ванную прокашляться. Его, кстати, вчера отпустили одним из первых, войдя в положение больного, и допросили, как мне кажется, наспех. А ведь он по дороге в ванную мог что-то видеть. Нам сейчас позарез нужны свидетели! Ведь киллер весь вечер наверняка находился среди гостей.

— Почему ты в этом так уверен? — спросил Орлов.

— Потому что все приходили по пригласительным билетам и так или иначе были знакомы друг с другом, — пояснил

Гуров. — Ни одного постороннего лица на банкете не появилось, иначе на него непременно обратили бы внимание.

— А проникнуть тайком он не мог?

— Насколько я знаю, в доме лишь парадный вход. У ворот дежурила охрана, во дворе установлена камера. Посторонний человек был бы замечен. Но я еще раз провентилирую этот вопрос, — пообещал он. — На данный момент нужна серьезная беседа с Летицкой, потом с Тедески. Кроме них важны Лейбман и Виктория Павловна. Эти люди были очень близки Анне. Да, есть еще ее сын Эдик. Он, кстати, тоже отлучался в коридор, но это было, кажется, еще до убийства. Задолго, не меньше чем за полчаса.

— К тому же сын вряд ли стал бы убивать родную мать, — проворчал Орлов.

— Не буду утверждать на сто процентов, но в общем склонен согласиться, — кивнул Гуров. — Остальные, типа Сенина и Полонского, не к спеху, их можно оставить на потом. Проверка спортсменов — кто имеет отношение к убийству. Еще нам придется тщательнейшим образом разобраться в схеме заказа на мюзикл, выяснить технические вопросы по финансированию и выявить всех людей, заинтересованных в получении этого проекта, помимо Анны. Вот такая предварительная программа. Выполнив ее, можно будет строить какие-то версии, а пока у меня, честно говоря, голова пухнет от неразберихи.

— У меня тоже, — признался Крячко. — Так что я как лицо подчиненное предпочту не думать, а тупо выполнять указания начальства. Ты мне, Лева, четко обрисуй задачу, и я отправлюсь ее решать.

— Значит, так. Для начала переговори с Завадским...

— Так он же болен! — тут же сказал Крячко. — Как его вызывать?

— А ты не вызывай, не поленись и наведайся к нему лично. Все адреса у меня записаны. — Лев Иванович порылся в материалах. — Вот, проспект Вернадского...

— Ого! Да это ж у черта на рогах! — снова закапризничал Крячко.

— Не преувеличивай, — невозмутимо отозвался Гуров. — Заодно проветришься и познакомишься с настоящей звездой. Запасайся полезными знакомствами. Сразу после беседы с ним езжай к Тедески. Он, кстати, крутился подле Летицкой. Я сейчас с ней поговорю и поспрашиваю о нем. В случае несовпадения показаний устроим им очную ставку. Только держи ухо востро. Не забывай, что в роковом СМС-сообщении речь шла, скорее всего, о нем. Во всяком случае, намек очень красноречивый.

— Кого вы учите! — буркнул Крячко. — Можно идти?

— Нужно, Стас, — с озабоченным видом листая документы, сказал Гуров.

Крячко поднялся, небрежно отряхнул крошки с брюк и направился к двери. Орлов бросал на полковника взгляды, полные беспокойства, и тихонько вздыхал.

— Погоди умирать, — бросил ему Гуров. — Не самое мертвое дело, здесь есть над чем работать. Бывало куда хуже.

— Я на тебя надеюсь, Лева, — напутствовал его Орлов. — Я весь день буду на месте, докладывай при малейшей необходимости.

— Надеюсь, она не возникнет. — Гуров встал и отправился в свой кабинет.

По дороге он набрал номер эксперта и поинтересовался, как продвигается работа над отпечатками пальцев на бутылке из-под коньяка.

— Проверяем, — коротко отозвался тот.

— И что, вообще никаких результатов?

— Почему? Отпечатки есть, и довольно неплохие. Над ними я сейчас и работаю, — невозмутимо ответил эксперт. — Вы представляете, сколько там было людей? Попробуйте сверить такую массу отпечатков с теми, которые оставлены кем-то на бутылке! А я ради интереса засеку, сколько у вас уйдет на это времени.

— Я все понимаю, но хотелось бы все же побыстрее, — просительно сказал Гуров.

— А вам всегда только этого и хочется, — отрезал эксперт и отключил связь.

Глава 3

Станислав Крячко решил проигнорировать указание Гурова насчет того, что в первую очередь следует пообщаться с Василием Завадским.

«Что может знать этот древний старикан? — рассуждал он, шагая к своей машине. — У него от насморка поди глаза слезились! Подождет, не велика птица».

Крячко намеревался первым делом навестить дом Анны Кристаллер, где должен был проживать Антонио Тедески. Воображение Крячко уже нарисовало в голове образ мелкого пижона, альфонса, к тому же итальяшки, словом, тот самый типаж, который Крячко на дух не переносил. Посему ему подспудно хотелось разобраться с ним как можно скорее.

В отличие от Гурова в голове у Крячко уже сложилась некая версия убийства. Главным фигурантом в ней был именно Антонио Тедески. Возможно, к преступлению причастна и его вертихвостка Ольга Летицкая.

То, что их видели вместе, — это факт, его не злодей в анонимке придумал. Значит, мотивы для убийства Анны были у обоих. Надо только грамотно их расколоть. Начать с Тедески, а потом и эту певичку-наркоманку взять за жабры. И не миндальничать, как привык Гуров.

Крячко порой раздражала манера Льва Ивановича брать показания. Она казалась ему излишне интеллигентной. Иногда нужно действовать жестко, только правильно выбрать момент. Станислав Крячко по натуре был человеком довольно мягким, но нередко предпочитал совершать твердые поступки. Сейчас он принял решение и вел машину по Волоколамке в сторону МКАД.

Дом Анны Кристаллер находился в самом начале поселка. Типичный современный особняк, принадлежащий людям явно небедным. Дом, выложенный из аккуратных красных кирпичиков, был обнесен металлическим забором с изящными колышками наверху.

Двор перед домом квадратный, весьма обширный. Его большую часть занимали дорожки, выложенные плитками, и цветочные клумбы. Все было очень чисто и ухожено, практически в идеальном порядке. Видимо, не зря Анна Кристаллер много лет жила в Германии. Она и здесь устроилась с немецкой педантичностью.

Возле ворот стоял охранник. Крячко остановил машину, не вылезая из нее, показал удостоверение.

После чего он крикнул охраннику:

— Ворота открой!

Тот повиновался. Крячко пошел к дому и заметил, что этот парень достал рацию. Сейчас он наверняка докладывал кому-то о прибытии постороннего человека, представившегося полковником МВД.

Крячко, ничуть не смущаясь этим, невозмутимо, как-то вразвалочку прошествовал к двери и надавил на кнопку домофона. Ему довольно долго не открывали. Он повернулся к охраннику, намереваясь спросить, есть ли вообще кто дома.

Но тут усталый женский голос произнес:

— Да!

— Главное управление внутренних дел, полковник Крячко, — скороговоркой произнес Станислав.

Женщина ничего больше не спросила и сразу же открыла дверь. Крячко окинул ее быстрым оценивающим взглядом и решил, что это и есть Виктория Павловна Рудакова. Она тут же представилась, и Стас убедился в том, что был прав в своих предположениях.

— У меня есть несколько вопросов. Вы разрешите войти? — спросил Крячко.

Виктория Павловна закивала и тут же посторонилась. Станислав прошел в громадный холл, настолько чистый и вылизанный, что незваный гость принялся разуваться, хотя обычно не утруждал себя подобными вещами, приходя к кому-то по служебным делам. Однако Виктория Павловна остановила его и провела в гостиную, где стояли два больших кресла. Сама она сесть не спешила, стояла перед Крячко, не зная, куда деть руки, и теребила белый фартук, повязанный поверх платья.

— У вас ко мне вопросы? — спросила женщина. — Я вчера уже разговаривала с полицией.

— Знаю, но дело такое!.. — Крячко неопределенно повертел рукой в воздухе. — Одним словом, дело очень серьезное, Виктория Павловна. Поэтому вас, возможно, побеспокоят еще не один раз. Но сейчас у меня вопросы не к вам, а... — Он не успел договорить.

Со двора донесся шум подъехавшего автомобиля, а затем раздался громкий, даже пронзительный женский голос:

— Вика дома?

Ответ охранника прозвучал на несколько тонов ниже. Крячко не разобрал, что тот сказал.

Зато женщина отчетливо проговорила:

— Вот и отлично. Вы что? Я же подруга!

Затем послышался звонок в домофон. Виктория Павловна извинилась и пошла открывать. Незнакомый голос тут же зазвенел уже в холле. Он постепенно и неуклонно приближался к гостиной, в которой сидел Крячко.

— Полиция? Здесь? Так это же отлично! Я как раз собиралась задать им несколько вопросов!

Дверь с шумом открылась, и на пороге появилось создание женского пола, которое показалось Станиславу Крячко стихийным бедствием. Дамочка буквально влетела в гостиную, зыркнула по сторонам черными глазами, заметила Крячко, подскочила к нему и без особого напряжения пододвинула поближе второе кресло, хотя оно было весьма массивным. В одной руке у женщины откуда ни возьмись появился микрофон, а в другой — фотоаппарат.

— Добрый день, — протараторила она. — Уделите мне, пожалуйста, несколько минут. Я хочу задать вам пару-тройку вопросов.

Крячко молча смотрел на женщину тяжелым взглядом.

Если она и смутилась, то лишь на миг, и тут же продолжила:

— Я не представилась, простите. Жанна Саакян, специальный корреспондент газеты «Звезды наизнанку». Скажите, какая версия считается у полиции основной на данном этапе расследования? — Журналистка резко сунула микрофон под нос Крячко и чуть не задела его щеку длинным ногтем, покрытым иссиня-черным лаком.

Тут она здорово промахнулась. Мало того что Станислав терпеть не мог журналистов. Он столь же негативно относился к этакой вот фамильярной манере общения. А уж женщин, подобных Жанне, Крячко просто на дух не переносил.

Стас шумно вздохнул и произнес раздельно, едва ли не по слогам:

— Вообще-то, это у меня есть несколько вопросов к членам этого дома. Полагаю, вы к ним не относитесь, не так ли?

Жанна застыла. Она никак не ожидала чего-то подобного.

Потом журналистка быстро совладала с собой, тряхнула чернющими лохмами и сказала с достоинством в голосе:

— Я подруга Анны Кристаллер. Одна из самых близких, — подчеркнула она, покосившись на Викторию, стоявшую у дверей. — Поэтому я, конечно же, имею право знать, что случилось с моей подругой, и присутствовать при всех беседах, касающихся ее трагической гибели!

Крячко уже набрал в легкие побольше воздуха, чтобы четко и конкретно объяснить назойливой журналистке ее реальные права, но тут в разговор неожиданно вмешалась Виктория Павловна.

— Врешь ты, — спокойно и негромко произнесла она от двери.

От неожиданности Жанна раскрыла рот и повернулась к Виктории.

— Ты никогда не была ее подругой, — мрачно глядя на женщину, продолжала Виктория Павловна. — Она тебя не любила и приглашать не хотела. Ты всегда сама навязывалась, а ей не хватало духу поставить тебя на место. По правде говоря, лучше бы тебе уйти, Жанна.

Журналистка округлившимися глазами смотрела на Викторию. Она словно не верила, что эта женщина, обычно бессловесная и тихая, сейчас говорит ей такое в лицо.

— Для чего ты вообще сюда пришла? — повысила голос Рудакова. — Нашла время для собирания сплетен!

— Вика, о чем ты говоришь? Ты называешь сплетнями чистую правду, которую я преподношу своим читателям? — спросила Жанна с искренним возмущением.

Виктория Павловна не успела ответить, потому что ей пришлось посторониться. В комнату не слишком твердой походкой вошел молодой светловолосый парень. Его вполне симпатичное лицо было осунувшимся, под глазами залегли глубокие тени, не свойственные юности.

— Эдик, зачем ты встал? — встрепенулась Виктория Павловна. — Доктор сказал, что тебе нужен полный покой.

Эдик ничего не ответил. Он смотрел на Жанну, и взгляд его был полон презрения.

— Ты чего сюда явилась, пугало огородное? — спросил он хриплым голосом.

Лицо Жанны вытянулось, однако она поспешно придала ему привычное выражение, переполненное самоуверенностью.

— Послушай, мальчик! — проговорила она так, словно жалела Эдика. — Я, вообще-то, пришла не к тебе.

— А к кому?

Жанна раскрыла было рот, но поняла, что Виктория в качестве объекта для посещения вряд ли подойдет, учитывая ее настроение.

Она быстро сориентировалась и сказала:

— Я приехала собрать материал для работы.

Эдик криво усмехнулся и заявил:

— Знаю я, для чего ты приехала! Сплетни собирать, да? Чтобы потом в своей мусорной газетенке матери кости перемыть?

— Я отражаю реальные события. — Жанна захлопала глазами. — Ты должен быть мне благодарен, что я совершенно бесплатно пишу о вашей семье! Многие приносят мне деньги за то, чтобы я о них упомянула!

— Ах, деньги? — Эдик расхохотался. — Всем нужны только они! Ты тоже за ними явилась, дрянь? Хочешь возле жареных новостей покрутиться и свой кусок урвать? — Эдик сжал кулаки и стал надвигаться на госпожу Саакян.

— Между прочим, твоя мать сама очень любила читать мои новости! — выпалила Жанна. — Так что не надо тут из себя строить!

— Оставь в покое мою мать! — выкрикнул Эдик. — Пиарастка чертова!

Станислав поначалу не разобрал грубоватого неологизма, упомянутого Эдиком, потом понял, что тот имел в виду.

— Эдик!.. — предостерегающе сказала Виктория Павловна, но парня уже было не унять.

Он подскочил к Жанне и вцепился ей в волосы. Та завизжала и острыми ногтями полоснула парня по лицу. Эдик выругался, но еще крепче схватился за лохмы журналистки и стал наматывать их на кулак. Сзади к ним подскочила Виктория Павловна и попыталась прекратить безобразие.

Станислав Крячко взирал на эту сцену чуть ли не с удовольствием. Он жалел только о том, что Жанна не успела включить камеру. Вот была бы потеха, если бы она сама попала в таком виде на страницы желтой прессы.

Но все же Крячко привел сюда служебный долг, а не желание развлечься. Такую мерзость нужно было пресекать. Если бы на его глазах происходила обычная драка двух мужиков, то Станислав давно вмешался бы. Но когда сцепились женщина и мальчишка, это выглядит нелепо, комично и ужасно одновременно. Крячко даже не знал, с какой стороны подступиться к этому клубку рук, волос и ногтей.

Наконец он выбрал подходящий момент, подошел сзади, резко вывернул руку Эдика и оттолкнул от него Жанну. Та наконец-то вырвалась и отшатнулась в сторону. Крячко перехватил сопротивлявшегося парня за корпус и слегка встряхнул.

— Тише! — неодобрительно проговорил он. — Нашел с кем драться. С бабой! Тьфу!

Жанна, растрепанная и похожая на встопорщенную ворону, яростно пыталась пригладить волосы. Под правым глазом у нее размазался макияж, на левой щеке алело пятно. Это придавало ее лицу сходство с клоунским.

— Погодите! — тяжело дыша, проговорила Жанна. — Я про вас все напишу! Думаете, я не знаю про ваши грязные делишки? И про маму твою напишу, и про отчима! И про тебя! — Она ткнула пальцем в Викторию Павловну. — Тоже мне, святоша нашлась! Всю жизнь притворяешься праведницей, так я тебя выведу на чистую воду! Все у меня попляшете!

Жанна Саакян привыкла изображать из себя светскую львицу. Сейчас в ней все отчетливее проступали ее истинные черты вульгарной простушки.

Эдик сильнее забился в железных руках Стаса. Виктория Павловна молча подтолкнула Жанну к дверям и сама вышла за ней.

— Если ты еще раз появишься здесь, я вызову полицию, — проговорила она.

Жанна, громко топая каблуками, на ходу сыпала ругательствами и обещаниями всевозможных неприятностей для всех обитателей этого дома. Она с громким стуком захлопнула дверцу автомобиля и рванула с места. После этого наступила долгожданная тишина.

Крячко продолжал держать Эдика, который постепенно затихал в его руках. Тут в комнату чуть ли не вбежала Виктория Павловна, держа в руке шприц. Она быстро оттянула край спортивных брюк Эдика и с ловкостью профессиональной медсестры сделала ему какой-то укол. Парень заверещал, но было поздно.

— Вот так! — удовлетворенно проговорила Виктория Павловна. — Доктор сказал — полный покой! — укоризненно добавила она. — А ты что делаешь?

— Вика, она же тварь! Гадина! — Эдика снова начало трясти.

Виктория Павловна обняла его и как маленького принялась гладить по плечу. Тот буквально на глазах стал обмякать. Видимо, Рудакова вколола ему сильное успокоительное. Глаза его утратили безумный блеск и подернулись какой-то поволокой.

— Вот и хорошо, просто замечательно. — Виктория Павловна усадила Эдика в кресло, сама примостилась на краешке и продолжала гладить его плечо.

Крячко мрачно смотрел на эту картину и думал, что Лев Гуров считал бы это время, проведенное в доме Анны Кристаллер, потерянным. У Станислава же было другое мнение на этот счет.

Жанна Саакян своим негалантным поведением дала ему пищу для размышлений. Конечно, она вылила тут целый ушат грязи, но ведь сплетни не рождаются на пустом месте! Крячко всегда был убежден в том, что нет дыма без огня.

Сейчас, конечно, момент не совсем подходящий, но потом надо будет непременно проанализировать и проверить все то, что наговорила тут Жанна. Крячко хорошо запомнил все ее выкрики. Память у него была цепкой, ничуть не хуже, чем у Гурова.

Они обращали внимание на разные вещи, но просто потому, что не походили друг на друга по складу характера и ума. Каждый из них пользовался своими методами сыска, что отнюдь не мешало им успешно сотрудничать не один десяток лет и даже удачно дополнять друг друга. Так что Крячко запасся терпением и ждал, пока обстановка утихнет окончательно.

Эдик, кажется, начал дремать. Рука Виктории Павловны замедлила свои движения.

Когда парень совсем заснул, она тихонько поднялась и извиняющимся тоном сказала:

— Давайте перейдем на кухню. Пускай спит. Он и так на грани нервного срыва.

Крячко не стал спорить и прошел за Рудаковой в коридор.

— А вы к нему с любовью относитесь, — заметил он.

— Да, — с легкой грустью ответила Виктория Павловна. — Он ведь мне как сын. — Неожиданно из ее правого глаза выкатилась слезинка, которую она тут же смахнула и проговорила уже твердым голосом: — Прошу извинить, что вам пришлось при этом присутствовать. Но Жанна!.. Право же, сейчас не время кого-либо чернить, но она и впрямь потеряла чувство реальности! Обнаглела совсем! Ведь говорила я Анне, чтобы не приваживала ее, но та была слишком мягким человеком. А может быть, ей и льстило, что Жанна пишет о ней в своей газете. Хотя по мне лучше бы уж эта особа помалкивала!

Крячко с пониманием и сочувствием кивал, не задавал ни единого вопроса об обвинениях, которыми сыпала Жанна. При этом Стас думал, что не мешало бы почитать эти статейки, все то, что Жанна Саакян написала об Анне Кристаллер, а уже потом трезвым умом отфильтровать вымысел от правды. Истина и ложь — они ведь как две сестры, часто идут рука об руку, маскируясь одна под другую.

Однако Крячко помнил о первоначальной цели своего визита.

— Виктория Павловна, мне, вообще-то, нужны не вы. И даже не Эдик, — признался он. — Я хотел поговорить с Антонио Тедески.

Виктория Павловна нахмурилась.

— Его здесь нет, — сухо сказала она.

— Как так? — не понял Крячко. — А где же он?

— Сегодня рано утром уехал. Кажется, в гостиницу. Сказал, что ему невыносимо тяжело оставаться в доме, где была убита его любимая женщина. — Виктория Павловна не смогла скрыть злой иронии.

— А в какую гостиницу? — живо спросил Крячко.

— Не знаю, — устало ответила женщина. — Мало у меня забот! Не желаю выяснять, где он остановился. Да я и рада, что этот красавец уехал! С ним одним только и нянчишься с утра до ночи! То ему сок подай, то молока, то еще что! Как дитя малое! Анне нравилось играть в добрую мамочку. Прежде я старалась ему угодить, а теперь с какой стати? Я уж лучше за Эдиком послежу.

Крячко не стал углубляться в подробности отношений Антонио и Виктории. Гуров поручил ему лишь Тедески, а с Рудаковой намеревался побеседовать сам. Он наверняка расспросит ее и об этом. Стасу нужно было найти Тедески.

— А раньше он уже бывал здесь, в этом доме?

— Конечно. Когда Анна приезжала, каждый раз его с собой брала. Словно боялась одного оставлять. — Рудакова усмехнулась уголком рта.

«А она, похоже, не слишком-то уважала свою подругу, — подумал Крячко. — Сейчас ей не удается это скрыть. Леве как тонкому психологу и карты в руки! А мы люди простые».

— Так-так, а в каких-то гостиницах он раньше останавливался? — продолжал расспрашивать Крячко. — Или всегда здесь?

— Думаю, он поехал в «Космос», — вдруг сказала Рудакова. — Я слышала краем уха, как он вызывал такси и говорил про метро «ВДНХ».

— Ага! — загорелся Крячко. — Отлично! Спасибо вам, Виктория Павловна! Вас, кстати, полковник Гуров в ближайшее время вызовет для беседы, вот с ним и поговорите. А мне, извините, пора! — Он живо направился к выходу, не дав Рудаковой возможности начать возражать против этого, ссылаясь на занятость.

Крячко быстро прошел мимо охраны, сел в машину и направился в гостиницу. Администраторша, увидев его удостоверение, подтвердила, что Антонио Тедески действительно зарегистрировался у них в гостинице, в номере триста пятьдесят шесть.

— Только его сейчас нет, — сообщила она.

— Давно ушел? — спросил Крячко.

— Да с час назад, наверное.

— Не говорил, когда вернется? Ни о чем не просил?

Администраторша ответила отрицательно. Крячко, заметно разочарованный, вышел из гостиницы, раздумывая, что делать дальше. Ждать этого беглого итальяшку можно было до вечера. Вдобавок требуется все-таки навестить этого больного в стельку Завадского.

Однако когда Станислав Крячко приехал на проспект Вернадского, он понял, что день этот для него полон самых разных неожиданностей. На сей раз ему было непонятно, как относиться к очередной из них.

— Ничего не знаю! Не мое это! — истерично выкрикнула Ольга Летицкая и забилась в плаче.

Она сидела перед Гуровым на стуле и отвечала на его вопросы по поводу порошка, найденного в ее сумочке. Эксперты уже определили, что это наркотик нового поколения, весьма дорогой и относительно безвредный. Если, конечно, подобное определение вообще уместно, когда речь идет о наркотических препаратах.

Но, по словам эксперта, по сравнению с убойным героином этот порошочек был невинным баловством. Он появился на черном рынке не так давно, всего около года назад. Позволить себе его могли только люди состоятельные.

В принципе, в том, что у Летицкой был найден дорогой наркотик, не было ничего удивительного. В ином случае майор Карасев, скорее всего, не стал бы слишком к ней цепляться по этому поводу. В конце концов, он был из другого ведомства и занимался убийствами, а не наркотрафиком.

Но дело осложнялось, во-первых, тем, что точно такой же препарат был обнаружен в покоях покойной Анны Кристаллер. Такой вот невеселый каламбур! Во-вторых, Ольга Летицкая сама накликала на себя беду, флиртуя с сожителем хозяйки дома чуть ли не у нее на глазах. И главное — ее упоминание в таинственном СМС-сообщении.

Пока что Гуров не переходил к этим вопросам. Он вел речь лишь о наркотике, но Ольга стояла на своем. Она уперлась как ослица и только повторяла, что это не ее. Я, мол, никогда в жизни в глаза не видела ничего подобного.

— Ольга Николаевна, чем скорее вы мне скажете правду, тем быстрее я вас отпущу, — в очередной раз попытался убедить ее Гуров. — Поймите, меня наркотик как таковой не интересует. Мне важна его связь с Анной Кристаллер. Как он к ней попал, через кого? Из одного и того же источника у вас эти препараты или нет?

Летицкая в который раз вытерла слезы. Нос ее распух и покраснел. Ночь, проведенная в КПЗ, которую ей устроил Карасев, сказалась на девушке далеко не лучшим образом. В ней трудно было узнать вчерашнюю беззаботную певичку, которая кокетливо смеялась, когда к ней прикасался страстный итальянец.

— Это вам Тедески дал порошок? — прямо спросил Гуров, глядя в лицо Летицкой.

Та испуганно подняла глаза и отрицательно замотала головой.

— Нет, что вы! Я же говорю, мне никто его не давал! Я сама не понимаю, как он оказался в моей сумочке! Я никогда даже не пробовала наркотики, честное слово!

Гуров вздохнул и заявил:

— Хорошо, пойдем с другого конца. Где была ваша сумочка в тот вечер? Все время при вас?

Ольга наморщила лоб, вспоминая.

— Я повесила ее на спинку стула, — сказала она.

— А когда выходили с Тедески из зала, она была при вас?

— Да, при мне, — твердо ответила Ольга. — Я никогда не оставляю ее без присмотра. Там у меня довольно ценные вещи.

Гуров уже ознакомился с содержимым сумочки певицы. Ничего особо ценного, на его взгляд, там не было, даже денег немного — пара сотен долларов и еще какая-то мелочь. Заслуживал внимания лишь порошок, упакованный в изящную золотистую коробочку. Да и сам этот наркотик имел необычный цвет.

— Где вы были с Тедески? Что делали? Ольга, вам придется отвечать на эти вопросы, какими бы неприятными они ни казались, — объяснил он. — Ситуация не та, чтобы кричать, что это ваше личное дело.

Летицкая подергала плечиком, похмурила брови и сказала:

— Ничего особенного мы не делали! Антонио водил меня на второй этаж, показывал свою комнату и рисунки. Кстати, очень неплохие.

Гуров продолжал молча смотреть на нее, и Ольга занервничала.

— Да что вам еще нужно? Мы посидели там и вернулись в зал. Вот и все.

— Вас не было довольно долго. Такие интересные рисунки?

Ольга вскинула голову и произнесла с вызовом:

— Когда мужчина и женщина, симпатизирующие друг другу, остаются наедине, время для них движется не так, как для всех остальных людей.

— Согласен. То есть вы симпатизировали друг другу?

— Во всяком случае, он мне точно, — с гордостью ответила Ольга, и Гуров подумал, что женщина, увы, остается таковой, даже когда ей грозит уголовное наказание.

— Вы заходили в комнату отдыха?

— Это ту, где Анну застрелили? — Ольга понизила голос. — Нет! Зачем? Туда же люди могли войти, а мы!.. Ну что вы на меня так смотрите? — неожиданно разозлилась она. — Да, он меня целовал и намекал на продолжение отношений, так что? Это все не всерьез! Я отлично понимала ситуацию!

— Боюсь, что нет. — Гуров покачал головой. — Вы и сейчас, кажется, не понимаете. Вы находились в доме женщины, от которой зависело получение вами роли в готовящемся мюзикле. Вы заинтересованы в том, чтобы ее получить. Для этого вам нужно как можно лучше наладить отношения с Анной. Вы вместо этого флиртуете с ее кавалером, прямо в доме, да еще и у всех на глазах! На что вы рассчитывали? Или этот горячий южный мачо так вскружил вам голову? Ладно, если бы все закончилось мирно. Но вы не понимаете куда большего. Анна была убита. За несколько минут до смерти ей пришло сообщение. В нем говорилось, что вы с Тедески наедине находитесь в комнате отдыха. Она туда пошла и была убита. Вы опять ничего не понимаете?

Гуров в упор смотрел на Ольгу, которая вдруг начала бледнеть. Кажется, до нее стало доходить, в каком положении она оказалась. Пресловутый наркотик тут был лишь сбоку припека.

— Я... Нет, мы не заходили в ту комнату, — запинаясь, проговорила она, а глаза ее становились все больше и больше от испуга.

— Где вы были в тот момент, когда узнали о смерти Анны? — с нажимом спросил Гуров.

— В комнате Тони. Мы услышали крик, поначалу испугались, но потом вышли.

— Одновременно?

— Что? Нет, сначала я. Тони спустился чуть позже. Его комната на втором этаже. Все находились в замешательстве, и никто не обратил на меня никакого внимания.

— После этого вы общались с Тони?

— Нет. Он только сунул мне в руки сумочку и сразу отошел.

Гуров резко выпрямился на стуле.

— Что значит сунул сумочку? — спросил он, не мигая глядя на Ольгу.

Летицкая совсем растерялась, а потом заговорила быстро-быстро:

— Господи, сумочка!.. Я же забыла ее в комнате у Тони, когда выскочила в коридор! Мы были так ошарашены, что я оставила ее там. Тони, наверное, это заметил, захватил с собой сумочку, вышел вслед за мной и передал ее мне!

Гуров задумчиво посмотрел на блестящий серебристый прямоугольник с длинной цепочкой, лежавший перед ним на столе. Это была сумка Ольги — маленькая, почти плоская, в которой мало что могло уместиться.

Потом, ни слова не говоря, он достал свой сотовый телефон, набрал номер и сказал:

— Алло, Стас! Где там у тебя этот дамский угодник итальянского происхождения? Не виделся? Так. Слушай, его придется срочно найти. Он нам нужен позарез.

— Подожди, Лева, — ответил Крячко. — Я тебе сейчас для начала еще кое-кого привезу, тогда и будем разбираться, кто нам нужнее и срочнее. Все, не могу говорить, уже еду! — Станислав отключил связь.

Гуров в непонимании смотрел на экран. Тедески был нужен ему немедленно.

«Что там еще задумал этот гений сыска? Опять эта самодеятельность! — недовольно подумал он. — Не может Крячко без импровизаций!»

Ольгу Летицкую пришлось оставить в главке, хотя она и бурно протестовала против этого. Но сейчас Гуров дожидался Крячко, а еще у него была назначена встреча с Лейбманом и Викторией Рудаковой. День предстоял еще долгий и весьма насыщенный.

Станислав Крячко ввалился в кабинет, шумно топая ногами. Вслед за ним, медленно ступая, вошел человек, закутанный в теплый шарф. Глаза, видневшиеся из-за шарфа, слезились под очками.

Гуров взглянул на него и понял, что это Василий Завадский. Крячко все-таки встретился с ним. Непонятно только, для чего он притащил его сюда, да еще в таком состоянии. Гуров недовольно поморщился и посмотрел на Станислава, ожидая объяснений.

— Вот, Лева! — с торжественными нотками в голосе объявил Крячко. — Василий Юрьевич Завадский.

— Я понял, — сказал Гуров. — Здравствуйте.

Завадский кивнул, глядя на Гурова как на совершенно незнакомого человека.

— Он утверждает, что вчера не был ни на каком приеме, а лежал у себя дома с высокой температурой! — заключил Крячко.

Несколько секунд Гуров недоуменно молчал, глядя на Завадского, потом спросил:

— Это как же понимать? Ведь я сам видел вас там вчера вечером! Только шарф был другой.

— Не был я на банкете у Анны, — сиплым голосом проговорил Завадский. — Я ее заранее предупреждал, что не приду.

Несмотря на громадный опыт работы в сыске, Гуров был растерян. Он переводил взгляд с Завадского на Крячко, на ходу соображая, что за чертовщина происходит и как ее распутывать.

— Василий Юрьевич! — пришел ему на помощь Крячко, весело подмигнув Завадскому. — А у вас брата-близнеца случайно нет?

— Нет у меня ни сестер, ни братьев. Дома я сидел один. Мне так плохо было, что пришлось даже «Скорую» вызвать. Хотели в больницу меня доставить, но я отказался. Думал отлежусь, пройдет. Мне бы и сейчас из-под одеяла не вылезать, а тут вот пришлось к вам ехать, — с упреком в голосе сказал он.

— Так!.. — протянул Гуров. — Василий Юрьевич, я приношу вам свои извинения, но очень прошу задержаться хотя бы ненадолго. Попробуем быстро разобраться в ситуации, а после мы отвезем вас домой. Может быть, вызвать вам врача прямо сюда?

— Не надо, — отказался Завадский. — Давайте лучше поскорее закончим.

Гуров не был уверен, что все закончится так уж быстро, но взялся за дело с места в карьер. Он задал Завадскому несколько вопросов, потом предложил ему написать что-нибудь на листке и поставить свою подпись. После чего сыщик сравнил образец его почерка с подписью в протоколе, составленном майором Карасевым.

Разумеется, эти образцы он намеревался передать эксперту-почерковеду. Но полковнику уже сейчас было понятно, что теперешняя подпись Завадского не имеет ничего общего с той, что была оставлена вчера.

— Василий Юрьевич, а вы получили от Анны пригласительный билет? — спросил Гуров.

— Конечно, — кивнул тот.

— А он у вас цел?

На лице Завадского появилась растерянность.

— Не помню. — Он развел руками. — Я и не думал о нем! Зачем, если я идти туда не собирался? Могу, конечно, дома поискать.

— Я вас очень попрошу обязательно это сделать, — проговорил Гуров. — Если найдете, сообщите, пожалуйста, мне вот по этому номеру.

— Да незачем! — вмешался Крячко. — Пригласительный — это же не паспорт! Его подделать — тьфу! У Анны наверняка хранилась целая куча таких бумажек! Имя только вписать, и все дела! Можно и самому сделать на компьютере и распечатать.

— Для этого нужно знать, как выглядит оригинал, — возразил Гуров.

— Тоже мне, сокровенное знание! — фыркнул Крячко. — Она же не первый раз гостей собирала.

— Словом, работал человек, хорошо знакомый с укладом ее жизни, — задумчиво произнес Гуров.

— Либо же он его просто спер у вас, — сказал Крячко, повернувшись к Завадскому. — Вы недавно где-нибудь в забегаловке ни с кем не пили часом?

— Я по забегаловкам не хожу! — отрезал Завадский с оскорбленным видом.

— Или в театральном буфете? — спросил Крячко, которого сложно было пронять этическими моментами, и примирительно пожал плечами.

Он хотел было предложить еще пару вариантов, но Гуров махнул на него рукой, и Станислав смолчал.

Лев Иванович сдержал свое обещание. Он предельно оперативно опросил Завадского, а потом распорядился, чтобы артиста отвезли домой.

Оставшись наедине с Крячко, Гуров сказал:

— Кажется, наш киллер умело замаскировался под одного из гостей.

— Да, но откуда он мог знать, что Завадский не придет на вечер? — возразил Станислав.

— Ты же сам слышал, он сказал, что сообщил об этом Анне по телефону. Неизвестно, где она находилась в этот момент. Ее могли слышать десятки людей!

— А что, они специально за ней следили, по пятам ходили? — съязвил Крячко.

— Я уже давно понял, что это убийство спланировал человек, очень близкий к Анне, — сказал Гуров. — Он знает все подробности, касающиеся ее. Может быть, этот господин вовсе и не организатор, а лишь некий наводчик, но свой человек помогал убийце стопроцентно! — Сыщик встал со стула, походил по кабинету, засунув пальцы за ремень брюк, потом крутанулся на носках и сказал: — Мне нужен Карасев.

Гуров сам отправил майора отдыхать, но набрал его номер без всяких колебаний. Слишком серьезным, не терпящим отлагательств было это дело. Карасев ответил сразу, и голос его звучал вполне бодро.

— Скажите, вы вчера обыскивали всех? — спросил Лев Иванович.

— Да, я отправил одного из ребят за постановлением, и мне его привезли. В исключительных случаях этот документ можно получить не только у прокурора.

— Василия Завадского тоже осматривали? Это тот артист, что все время в шарф кутался?

— Да, помню. Конечно, им я лично занимался, — уверенно сказал Карасев. — А что такое?

— Ничего. Боюсь, что киллер провел нас как детей. Ускользнул из-под носа, причем на законных основаниях.

— Завадский? — удивленно воскликнул Карасев.

— Никакой он не Завадский! — с досадой ответил Гуров. — Ладно, всего доброго, до связи. Нам тут самим предстоит разбираться.

Карасев так до конца и не понял суть проблемы, но спорить не стал.

— Да, неплохая идейка! — заметил Крячко, качая головой. — Замаскироваться под простуженного — самое милое дело! Очки, шарф на пол-лица, умелый грим — и вот вам готовый Василий Юрьевич Завадский! Какая клевая отмазка! Дескать, у меня простуда, не приближайтесь ко мне. Говорить трудно, поэтому я все время молчу. А уж если что скажу, то голос мой скрипит как старая несмазанная телега! Выходить из зала можно запросто. Больному человеку постоянно надо то в нос закапать, то прокашляться, то порошки принять! Отлично! На пять баллов!

— Ты так восхищаешься, будто это мы на пять баллов наработали! — раздраженно заметил Гуров. — У нас пока что ноль на выходе! Кстати, где этот твой Тедески?

— Уже и мой! — Крячко хлопнул себя по колену. — Ты сам его мне повесил! Не знаю я, где он. Съехал из дома Анны в гостиницу, но и оттуда куда-то умотал. Я караулить не стал, к Завадскому поехал.

— Езжай немедленно в гостиницу и жди! — категорически заявил Гуров. — Хоть до ночи сиди, но хомутай его обязательно и вези сюда, ясно?

— Ясно. — Крячко вздохнул, нахлобучивая кепку. — Ты бы мне служебную машину, что ли, выделил, а то я своего бензина уже знаешь сколько прокатал сегодня? От ВДНХ до Вернадского — шутка ли!

— Обойдешься, — отрезал Гуров. — Все вопросы такого рода к начальству.

Когда Крячко ушел, Гуров набрал номер Орлова и сообщил ему новости. Генерал-лейтенант, кстати, обрадовался.

— Ну хоть что-то! — воскликнул он. — Дело немного сдвинулось с мертвой точки! Есть что докладывать!

По мнению Гурова, пока что почти ничего не сдвинулось, однако он не стал лишать оптимизма Орлова. Сыщик знал, что тот сидит у телефона как под обстрелом, постоянно ожидает очередного звонка из министерства и ломает голову над тем, как на него отвечать.

Гуров посмотрел на часы. До прихода Льва Хаимовича Лейбмана, вызванного телефонным звонком, оставалось десять минут.

Когда Крячко подъехал к гостинице «Космос» во второй раз, время уже перевалило за полдень.

Администраторша на ресепшене сразу узнала полковника и тут же любезно сообщила ему:

— Приезжал ваш друг. Только теперь его опять нет.

— Да что же за невезуха такая с самого утра! — сокрушенно сказал Крячко. — А он не говорил, куда подался?

— Совсем уехал.

— Как? — оторопел Крячко.

— Очень просто. Вышел с вещами, рассчитался и уехал. — Девушка пожала плечами. — В аэропорт.

— В аэропорт? — Крячко вцепился в нее глазами. — Какой? Знаете? Слышали?

— Да вы успокойтесь, пожалуйста. — Она укоризненно взглянула на него. — В Шереметьево. Он просил машину ему заказать, я вызвала.

— Когда это было? — торопливо спросил Крячко.

— Да буквально минут двадцать назад! Совсем чуть-чуть вы разминулись!

— Спасибо, милая! — крикнул Крячко, выбегая из здания гостиницы и оставляя у администраторши не самые лучшие впечатления о полковниках, служивших в главном управлении внутренних дел.

Крячко гнал свою машину к цели, сетуя на то, что поленился и не вытребовал у Орлова служебный «Форд». На нем сейчас было бы куда сподручнее, чем на старенькой машине Стаса. Он поминутно смотрел на часы, и ему казалось, что время просто летит.

Итальянец направился в аэропорт с вещами, значит, собирается улетать из России. Правильно, он имеет полное право поступить так, ему пока что никто этого не запрещал. Операм и в голову не могло прийти, что он вот так сорвется.

Надо было насторожиться еще в тот момент, когда Стас узнал, что Тедески покинул дом Анны! С чего бы ему так поспешно уезжать в гостиницу, да еще платить за номер и питание, если там он жил на всем готовом? Тяжело оставаться там, где только что убили любимую женщину? Ха!

Крячко озабоченно взглянул на спидометр и прибавил скорость. Как назло, недавно прошел дождь. Даже это незначительное обстоятельство затруднило передвижение в центральных районах. Но Станислав уже давно благополучно миновал центр и мчался теперь по трассе, изо всех сил стараясь успеть.

Он уже позвонил в аэропорт Шереметьево и узнал расписание. Ближайший рейс на Милан был через два часа. Скорее всего, итальяшка на него и метил. Дать ему уйти сейчас никак нельзя. Ни в чем не повинные люди не удирают вот так поспешно, тайком, трусливо, не дождавшись даже похорон любимой женщины.

С визгом миновав поворот, Крячко влетел на автостоянку, поставил машину на свободное место и направился в зал ожидания. По счастью, посадку еще не объявили.

Станислав Крячко никогда не видел Антонио Тедески, но это его сейчас не пугало. Гораздо больше оперативника радовало то, что этот итальянец тоже ни разу не встречался с ним, следовательно, не сможет его вовремя узнать и дать деру.

Войдя в зал, Крячко сразу перестал спешить. Он двинулся по проходу не торопясь, придав лицу рассеянное выражение, но при этом зорко осматривал все помещение.

Высокого итальянца с ярко-красной сумкой через плечо он приметил довольно скоро. Тот торчал возле кофейного автомата и потягивал горячий напиток из бумажного стаканчика. Крячко остановился чуть поодаль и занял наблюдательную позицию.

Тедески, разумеется, даже не подозревал, что за ним следят. Поглощая кофе, он, кажется, пребывал в уверенности в том, что ему удалось спокойно улизнуть от всех проблем. Во всяком случае, в аэропорту этот субъект явно чувствовал себя в безопасности, видимо, мысленно уже находился за границей.

Только здесь, в этот самый момент Станислав Крячко осознал, что оказался перед очень сложной задачей. Когда он гнал свой автомобиль в аэропорт, в его голове билась одна-единственная мысль — успеть. Надо найти Антонио Тедески и задержать его. Это соображение затмевало все остальные.

Теперь Тедески находился буквально в двух шагах от него. Полковник имел полную возможность схватить его за шиворот. Первоначальная задача была решена, но Крячко понял, что настоящие проблемы только начинаются. Попасть в аэропорт в режиме цейтнота оказалось легче, чем осуществить задержание данного господина.

Крячко смотрел на Тедески, благопристойного, мирного, и понимал, что у него нет законных оснований не то что для его ареста, а даже просто для доставки в управление. Если проверить его документы, то они все окажутся в порядке.

Протрясти багаж? Конечно, есть шанс обнаружить в его вещах что-нибудь не слишком легальное, но очень уж крохотный. Вряд ли у него там лежит пистолет. А брать итальянца надо, потому что еще несколько минут — и будет поздно. Тедески взмоет в воздух и растворится в голубых небесах.

Крячко посмотрел на часы. До посадки оставалось пятнадцать минут. Станислав мучительно соображал. Он не знал, что сделал бы на его месте Гуров, да и не полагался на методы своего друга. Если это не твоя роль, то не стоит и пытаться ее играть — все равно споткнешься и все завалишь. Надо оставаться самим собой. А поэтому...

Крячко вздохнул. Поэтому нужно брать его нахрапом, но не тупым, а психологически выверенным. Расчет должен быть очень точным — манеры, интонации, голос!.. В первую очередь нужна непоколебимая уверенность в своей правоте, но лишенная всякого апломба.

Придется блефовать так, чтобы этот итальяшка даже на миг не заподозрил, что его, грубо говоря, берут на пушку. Подобная задача была вполне по силам Станиславу Крячко. Как раз в таких психологических методах он был очень даже силен.

Крячко уже давно подсознательно проанализировал данные о Тедески, которые были ему известны. Все они отлично укладывались в схему, придуманную им на ходу, прямо сейчас. То, что он трус, альфонс, нечист на руку и прочее. Теперь нужно только решительно идти вперед и не сбиться с выбранного курса.

Крячко оттолкнулся от стены и с непроницаемым лицом двинулся в сторону Тедески. Тот уже допил кофе, скомкал стаканчик и наклонился над урной, чтобы выбросить его.

— Антонио Тедески? — твердокаменным голосом, лишенным интонаций, спросил Крячко.

Тедески вздрогнул, начал выпрямляться и кивнул в знак согласия.

— Полиция, — мрачно произнес Крячко. — Главное управление внутренних дел. Попрошу вас следовать за мной.

— Что вы говорите? — Тедески растягивал слова, отчаянно имитировал акцент, давал понять, что не разобрал ни слова из того, что сказал Крячко, хотя все отлично понял. — Я не понимать по-русски.

Крячко достал удостоверение и ткнул его в лицо Тедески.

— Полиция, — повторил он с нажимом. — Полис, ясно?

Тедески лихорадочно соображал и тянул время. Он выдавил из себя жалкую улыбочку и продолжал ломать комедию.

— А в чем дело? Я есть иностранный гражданин. Я... улетать! — Он махнул рукой в сторону окна.

— Улетать не получится, — пригвоздил его Крячко. — Сначала вы отвечать на ряд вопросов. А потом мы решать, можно ли вам улетать. Разрешите ваши вещи? И документы приготовьте, пожалуйста! — Не дожидаясь ответа, он протянул руку и сдернул с плеча Тедески спортивную сумку.

Станислав абсолютно все делал так, словно был не только убежден в том, что Тедески замешан в чем-то противозаконном, но и имел тому железные доказательства. Дело было даже не в его конкретных действиях, а в поведении в целом. Это был высший пилотаж, образец настоящего актерского мастерства. Впоследствии Крячко жалел, что не видел себя в тот момент со стороны. Но тогда он думал только об одном: лишь бы не сбиться с роли, не допустить малюсенькой роковой промашки.

Крячко выиграл и сразу почувствовал тот момент, когда Тедески сломался. Он безропотно позволил Станиславу взять его сумку и двинулся к выходу. А ведь полковник всего лишь показал ему взглядом на дверь!

«Да, он боится, — понял Стас. — Значит, знает, что у него рыльце в пушку! Но при этом господин Тедески не в курсе, что известно полиции. Посему он предпочитает пока ничего не говорить, старается выведать побольше, рассчитывает на то, что я проболтаюсь».

Итальянец на ходу продолжал что-то робко лепетать о том, что он иностранный гражданин. Тут, мол, какая-то ужасная ошибка. Но сердце Крячко билось ликующе. Боится, да еще как! Первый тайм был подчистую за Станиславом.

— В машину! — Он кивком указал на переднее сиденье рядом с водительским.

Тедески послушно опустился, куда ему было велено.

Крячко бросил его вещи назад, сел рядом и сказал:

— Надеюсь, не нужно надевать на вас наручники? Обойдетесь без глупостей?

— Нет-нет, не надо наручники! — Антонио замахал руками.

Крячко криво усмехнулся и осведомился:

— Значит, по-русски ты все-таки понимаешь?

Он смерил разволновавшегося и порозовевшего Антонио презрительным взглядом и нажал на газ.

Лев Хаимович Лейбман оказался на удивление приятным собеседником. Против ожиданий Гурова он не юлил, не уходил от ответа, не бросал сквозь зубы короткие фразы и вообще всем своим видом выражал расположение, готовность помочь и полную искренность. Просто душа человек, а не свидетель.

Однако полковник Гуров не был настолько наивен, чтобы принимать Лейбмана за невинного простачка. Это человек, который много лет подряд был продюсером международных проектов. Он сумел поднять очень и очень немалые деньги, договаривался с мировыми деятелями. Конечно же, Лев Хаимович вовсе не блаженствовал за оградой райского сада. В жизни и в людях он разбирался очень хорошо.

Гуров это учитывал. Он просто беседовал с ним, не пытался ставить ловушки, но внимательно следил за словами этого умного человека и манерой его разговора вообще.

— С Анной мы работали уже пятнадцать лет, начинали еще в России, — проговорил Лев Хаимович. — Тогда, конечно, все было не так, как сейчас. Русская культура находилась в полном упадке, равно как и экономика. Я мыкался по союзам композиторов, артистов, по различным инстанциям, пытался раздобыть хоть какие-то деньги, объяснял, убеждал, даже грозил. Увы, нам доставались лишь крохи. Тогда я решил, что нужно менять политику. Пора выходить на другой уровень, на иностранцев. Россия тогда выбиралась из глубочайшей экономической ямы, ей было не до спонсирования талантливых проектов.

— Судя по вашему нынешнему положению, вам это удалось, — вставил Гуров.

— Хвастать не стану, но без ложной скромности скажу: я удовлетворен тем, что сделал за эти годы. Да и Анна была довольна. Вас ведь, видимо, интересует прежде всего финансовый аспект наших отношений, не правда ли?

— Почему? — удивился Гуров.

— Ну как же! — Лейбман всплеснул руками. — Из-за чего совершено убийство? Разумеется, из-за денег!

Сыщик недоверчиво посмотрел на Лейбмана, лицо которого выражало полнейшую убежденность в правоте собственных слов.

— А вы не допускаете иного мотива? — спросил Гуров.

— Бросьте! — Лейбман небрежно махнул рукой. — Если бы где-нибудь в Астрахани пьяный муж ткнул ножом свою жену, тогда иной мотив был бы налицо — бытовой. А здесь ситуация совершенно не такая. Следовательно, деньги. Собственно, главных мотивов преступлений в России всего два — пьянство и деньги. Порой они перемешиваются, но это не тот случай. В остальном мире деньги лидируют.

— Вы рассуждаете довольно цинично, — заметил Гуров.

— Я реалист, — отрезал Лейбман. — За прошедшие тысячелетия род людской очень мало изменился по своей сути. Внутренняя сущность человека осталась прежней. Во все времена люди убивали ради наживы, и сейчас происходит то же самое. Деньги — это извечный мотив преступления.

— Хорошо, давайте разовьем эту тему, — предложил Гуров. — Кому было выгодно убить Анну Кристаллер? Другими словами, кто выигрывал финансово от ее смерти?

Лейбман погладил внушительную плешь, пожал плечами и сказал:

— Многие. Во-первых, те, кто получил бы грант на мюзикл вместо нее. А это не один человек. Хотя самый жирный кусок пирога, разумеется, поделится между совсем небольшой кучкой. Остальные будут довольствоваться крохами.

— Кто же эти многие? — Гуров взял авторучку. — Мне нужны не общие предположения, а конкретные имена. Иначе ваши рассуждения станут голословными и превратятся в домыслы. Вы ведь, Лев Хаимович, не можете не знать других претендентов, если вращаетесь в той среде. Я прав?

— Разумеется, я не настолько глуп, чтобы это отрицать, — заявил Лейбман. — Главными конкурентами считались итальянская студия «Соната» и наша питерская «Голден войс». Но победил «Кристалл».

— Это ваша фирма так называется?

— Да, Анна придумала как производное от своей фамилии. Она была достаточно амбициозной женщиной и не могла не отметиться в названии.

— Вы хорошо к ней относились? — неожиданно спросил Гуров.

— К Анне? — Лейбман явно удивился, услышав такой вопрос. — Замечательно. У нас с ней практически не возникало разногласий. Мы были отличными партнерами.

— Я имею ваше отношение к ней как к человеку.

— Аналогичный ответ. Видите ли, Лев Иванович, я уже немолод и далек от того, чтобы ждать от людей только хорошего. Я прекрасно знаю, что все мы в равной степени обладаем как достоинствами, так и недостатками, даже пороками. Кто-то одними, кто-то другими. Вопрос лишь в том, насколько мы принимаем минусы именно этого человека. Касаемо Анны могу сказать, что ее недостатки я вполне понимал. Я считаю их простительными. Точно так же она относилась к моим.

— Раз уж мы заговорили о пороках... — Гуров быстро взглянул на Лейбмана и поинтересовался: — Вам известно, что Анна употребляла наркотики?

Лев Хаимович нахмурился.

— Я никогда не видел ее за этим занятием, — ответил он уклончиво.

— Все же вам было это известно? — настойчиво спросил Гуров.

Лейбман не спешил отвечать.

Он спокойно разгладил ровные стрелки на безукоризненно отглаженных серых брюках, потом посмотрел на полковника и сказал:

— Я предпочитаю не лезть ни в чью частную жизнь. Анна была весьма здравомыслящей женщиной, так что я не опасался за нее в этом плане.

Гуров понял, что продолжать расспросы на данную тему неконструктивно. Было очевидно, что Лейбман не скажет ничего конкретного по этому вопросу. В то же время другие его ответы сыщик считал откровенными, пусть и до известного.

Лев Иванович решил зайти с другой стороны и спросил:

— А в другом плане опасались?

— Вы о чем? — Продюсер блеснул золотой оправой очков.

— О ее возможной смерти, — прямо заявил Гуров. — Не было таких мыслей?

Лейбман завозился на стуле, принимая удобное положение.

— Вы ведь сыщик, должны понимать, что для подобных мыслей нужны веские основания, — проговорил он. — А их не было. Ничто не предвещало такой драматической развязки. Я, конечно, предполагал, что обозленные конкуренты могут строить какие-то козни, авантюры, дабы заполучить свой куш, но чтобы дойти до убийства!.. — Он передернул плечами. — Нет, такое мне и в голову не могло прийти! Мы же все-таки не в бандитской среде вращаемся.

— Лев Хаимович, вы же сами признали, что не столь наивны, — с легким упреком произнес Гуров. — Деньги одинаково ценны как для бандитов, так и для творческих людей или тех, которые считают себя таковыми. В вашем обществе подобные вещи тоже случаются. Вам ли этого не знать? Деятели искусства частенько кислотой друг друга обливают, да и заказные убийства тут не редкость.

— Вы полагаете, что оно имело место? — Лейбман быстро стрельнул цепкими глазками на полковника.

Гуров отметил, что тот снова не ответил на его вопрос и никак не прокомментировал последнее замечание. Хитрый старый еврей!

— Полагаю, что да, — твердо сказал Гуров. — Анну убил киллер, профессионал, присутствующий в ее доме с самого начала банкета.

Лейбман вытаращил глаза. Сейчас он был искренен на сто процентов.

— Но как же мы могли его не заметить? — волнуясь, спросил он и даже подался вперед. — Куда смотрела охрана?

— На то он и профессионал. — На сей раз и Гуров не стал отвечать прямо. — Вы мне вот что лучше скажите. Кто становится наследником Анны?

Лейбман выпятил губы трубочкой и помотал головой.

— Ей-богу, не знаю, — протянул он. — Я ведь только продюсер, в конце концов! А подобными вещами занимается нотариус.

— Анна никогда не обсуждала с вами этот вопрос?

Лейбман шумно выдохнул и коротко ответил:

— Нет. — Потом он подумал и добавил: — Полагаю, что главным наследником станет, конечно, Эдик. Кому еще ей оставлять свой капитал? Возможно, что-то перепадет Виктории. Анна питала слабость к этой несчастной женщине. Не исключаю, что какая-то мелочь достанется и мне. — Последние слова он старался проговорить как можно равнодушнее. — А если и нет, я не в обиде.

«Потому что уже успел за эти годы сколотить на ней собственный капитал!» — подумал Гуров, мысленно усмехнулся, а вслух спросил:

— А почему Виктория несчастна?

— Ну так... — Лейбман вдруг замолчал, но быстро продолжил: — Одинокая женщина, не реализовавшая себя практически ни в чем. Да она и жила-то только Анной и ее заботами. Еще Эдиком, конечно. Вика привязана к нему.

— Лев Хаимович, я вот заметил, что в течение вечера вы выходили вместе с Викторией Павловной из зала. Незадолго до смерти Анны, помните?

Лейбман нахмурился и пробормотал:

— Возможно.

— А о чем вы беседовали, если не секрет?

— Да какие тут секреты! — Лейбман снова принял удобное положение. — Она спрашивала меня, стоит ли отправить Эдика вместе с отцом домой. Он что-то не слишком хорошо себя вел, но вы, наверное, не заметили этого.

— Почему же, очень даже заметил. Просто не придал значения. А чем вызвано такое его поведение?

— Эдик вообще парень с характером! — Лейбман махнул рукой. — Причем со скверным. Капризный, избалованный, при этом довольно инфантильный паренек. Живет на деньги то папы, то мамы, катается как сыр в масле и почему-то считает себя обиженным и обделенным.

В голосе Лейбмана прозвучали плохо скрываемые нотки раздражения, и Гуров понял, что продюсер не слишком-то симпатизирует сыну Анны Кристаллер.

— А в каких отношениях он был с матерью?

Лейбман помолчал, потом проговорил куда-то в сторону:

— В неоднозначных. Нет, мать он, конечно, любил, но в то же время постоянно ею манипулировал, мастерски вызывал в ней чувство вины.

— Да? По какой же причине она должна была чувствовать себя виноватой перед ним?

— Это он так считал. Потому что развелась с его отцом, вышла замуж повторно и посмела быть счастливой. По мнению Эдика, все вокруг должны жить исключительно его заботами и интересами.

— А с отцом?

Лейбман наморщил лоб.

— Знаете, с отцом, пожалуй, лучше. Им не повертишь так, как матерью. Анатолий по характеру жестче Анны, хотя он Эдика не просто любит, а обожает.

— Чем он занимается?

— Какой-то бизнес, я точно не знаю. Я с ним деловых отношений никогда не имел. Что-то строительное, кажется.

— Он меня уверял, что они с Анной сохранили дружеские отношения.

— Так и есть, — кивнул Лейбман. — Их ведь связывал Эдик. От этого никуда не денешься.

— Анатолий Петрович говорил, что Эдик занимается музыкой.

— Ой, я вас умоляю! — Лейбман презрительно фыркнул. — Музыкой! Эдик всю жизнь занимается ерундой! А в музыку подался только для того, чтобы ничего не делать. Так ему проще было сшибать у матери деньги! Он же понимал, что подкупает ее этим. Мать сама в этой сфере. Ей было приятно слышать, что сыночек хочет развить свой талант, которого там и в помине не было! Вот она и спонсировала его проекты, оплачивала записи, студии, договаривалась о концертах, рекламе. А он записал парочку ерундовых песенок и щеголяет ими третий год! Рот под фонограмму открывает.

— А Анна не предлагала ему принять участие в мюзикле?

Вопрос Гурова во второй раз заставил Лейбмана удивиться.

— Да вы что? Разумеется, нет! Тут уж я сам воспротивился бы насмерть! — категорически заявил он.

— Понятно. Эдик не обижался?

— Может, и было такое, но это его проблемы! — резко ответил Лев Хаимович, на покатом лбу которого выступили бисеринки пота.

Гуров подумал, что юная звезда по имени Эдик основательно потрепала нервы этому человеку. Ему, в принципе, было ясно, что собой представлял парень. Но полковника волновала еще одна личность, появления которой в своем кабинете он очень ждал и надеялся, что Крячко сумеет-таки ее разыскать.

— А что насчет Антонио Тедески? Он мог рассчитывать на какую-то долю в наследстве Анны?

— Господи! — Лейбман закатил глаза. — Еще один нахлебник! Лев Иванович, со стопроцентной откровенностью скажу вам — не знаю! Я не одобрял их связи и неоднократно говорил об этом Анне в глаза. Но это была ее блажь, прихоть стареющей женщины. Надеюсь, у нее все-таки хватило ума не вводить его в список наследников.

— Кто он вообще и как давно появился в жизни Анны?

— Чуть больше года назад, — буркнул Лейбман. — По жизни — никто. Перекати-поле. Исколесил всю Европу, автостопщик, кажется. Последние годы жил в Турции, набрался там у местных умения очаровывать женщин. Да он, я думаю, и так им прекрасно владел. Этот Антонио пристраивался к богатеньким дамочкам, познакомился с Анной, когда та отдыхала в Греции. Подкатил на пляже, осыпал комплиментами, погладил плечико, поцеловал ручку — и все! Она его! С тех пор он жил за ее счет. Она повсюду таскала его за собой и внушала самой себе, что абсолютно счастлива!

— Неужели столь здравомыслящая женщина могла так легко поддаться?

Лейбман посмотрел на Гурова тяжелым взглядом.

— Баба есть баба! — произнес он с интонациями, свойственными Станиславу Крячко.

Гуров постукивал авторучкой по записной книжке. Лейбман, конечно, осветил ему ряд вопросов. Больше, пожалуй, на сегодняшний момент им говорить почти не о чем. Осталась разве что пара деталей.

— Еще несколько вопросов, Лев Хаимович, и я вас отпущу, — сказал полковник. — Теперь, после смерти Анны, будет ли реализован проект с участием актеров, выбранных ею?

Лейбман помрачнел. Гуров явно задел его больную мозоль.

— Надеюсь, — не слишком уверенно сказал он. — Немцы, разумеется, уже в курсе случившегося. Звонил герр Штальман, это хозяин конторы, спонсирующей проект. Он выразил соболезнование, сказал, что деловые вопросы мы обсудим позже. Надеюсь, это трагическое обстоятельство не повлияет на наши отношения и планы. — Лейбман отвел в сторону карие глаза, наполненные какой-то тоской.

Гуров видел, что он боится, в душе понимает, что, скорее всего, никаких совместных планов с немцами больше не будет. Следовательно, можно забыть и о мюзикле, и о деньгах.

— Средства немцы еще не перечисляли?

— Нет, — медленно ответил Лейбман. — Их должны были перевести после первого репетиционного просмотра.

— Еще один вопрос. Когда Анна составляла завещание?

Лейбман развел руками и ответил:

— Увы, об этом ничего не могу сказать. Вам лучше обратиться к ее нотариусу.

— Непременно так и сделаю, только кто он?

— Аркадий Вениаминович Корзун, — ответил Лейбман.

— Гражданин Российской Федерации? — уточнил Гуров.

— Да. У Анны было двойное гражданство — немецкое и российское. Вопросы подобного рода она предпочитала решать на родине.

— Понятно. Спасибо за откровенный разговор, Лев Хаимович. Возможно, вы мне еще понадобитесь.

— Ради бога, — ответил Лейбман, поднимаясь. — Я теперь здесь надолго застряну. — Он пошел к дверям.

Глядя на его сгорбленную фигуру, полковник подумал, что этот человек действительно уже немолод и утомлен жизнью. На склоне лет ему стоило бы уйти от финансовых дел и обрести покой.

После ухода Лейбмана Гуров посмотрел на часы. Он подумал, что наметил встречу с Викторий Павловной Рудаковой, но до сих пор так и не позвонил ей. А вдруг она откажется? Конечно, можно перенести разговор на завтра, а остаток сегодняшнего дня посвятить Тедески, но вот вопрос — удастся ли его найти?

Зная Крячко, Гуров почти не сомневался в том, что Станислав откопает итальянца из-под земли, но все же ничего нельзя исключать. Подумав, Гуров решил не спешить и не стал звонить Рудаковой. Вместо этого он набрал номер Крячко.

— Да, господин полковник! — Голос Станислава звучал совершенно не так, как обычно в разговоре с ним. — Ваш приказ выполнен. Задержанный скоро будет доставлен. Слушаюсь!

Связь разъединилась. Гуров удивленно хмыкнул. Что за игру ведет там Станислав? Но Лев Иванович доверял ему почти как самому себе и решил просто дождаться его. Пока что он открыл Интернет и набрал в поисковике: «Корзун Аркадий Вениаминович».

Всемирная путина не подвела. Нашлось несколько сайтов, где упоминалось это имя. В сети имелась информация о конторе нотариуса. Она находилась на Ленинградском проспекте. На сайте были указаны телефоны и часы приема. О самом Корзуне люди отзывались только положительно, рекомендовали его как опытного профессионала с безупречной репутацией.

Гуров, не теряя времени даром, набрал один из указанных номеров, который вывел его на секретаршу Корзуна. На просьбу пригласить самого Аркадия Вениаминовича она попросила представиться. Названная Гуровым должность, кажется, слегка ее напрягла.

Она слегка замялась, после чего спросила:

— А вы уже обращались к Аркадию Вениаминовичу?

— Нет, девушка. Но обратиться придется обязательно. Поэтому будет лучше, если вы ему это передадите прямо сейчас, дабы мне не вызывать его в свой кабинет.

Эта фраза возымела действие, и меньше чем через минуту в трубке зазвучал глухой баритон. Корзун в отличие от секретарши удивлен не был. Разумеется, ему было известно о смерти Анны Кристаллер. Конечно, он будет рад помочь следствию всем, чем может, за исключением нарушения вопросов деловой этики. Да-да, подробнее они это обсудят при встрече. Конечно, вопрос об этичности в данных обстоятельствах не совсем уместен, но все же... Хорошо-хорошо, полковник может подъехать к нему в удобное время, до шести часов вечера. А пока Корзун пожелал ему всего доброго.

Положив трубку, Гуров улыбнулся. С этим нотариусом придется побиться, прежде чем он раскроет все свои карты. С юристами и психологами вечно беда! Надувают щеки и твердят о профессиональной этике. Хотя в конечном итоге они все равно вынуждены сдаваться. Ведь у Гурова, оперуполномоченного по особо важным делам, возможностей куда больше, чем у них.

Понятно, что при его нажиме они сдадут своих клиентов с потрохами, поскольку добрые отношения с представителем закона для них важнее всех этических норм. Вот так, как бы цинично это ни звучало. Лев Хаимович Лейбман сейчас наверняка согласился бы с такими мыслями.

Но развить свои философские рассуждения Гуров не успел. Дверь кабинета распахнулась, и он увидел раскрасневшееся, но довольное лицо Станислава. Крячко подталкивал перед собой высокого брюнета, в котором сыщик сразу же узнал Антонио Тедески.

Итальянец был напрочь лишен той томности, которая не покидала его весь вчерашний вечер. Гурову даже показалось, что и роскошные волосы его как-то потускнели и висели безжизненными сосульками. Тедески был растерян и держался как-то подобострастно. Крячко же явно оказался хозяином положения. В руке Станислав держал ярко-красную спортивную сумку и чемодан, которые поставил перед Гуровым у стола.

— Вещдоки, — многозначительно сказал он.

Лев Иванович показал на стул перед своим столом, и Тедески несмело опустился на него. Гуров не знал, почему тот ведет себя так, чем именно сумел зацепить его Крячко, поэтому не торопился начинать разговор, чтобы не допустить ошибки. Он взглянул на Антонио. Тот ерзал на стуле, однако протестовать или жаловаться, кажется, совсем не собирался.

— Подождите одну минутку, — обратился к нему Гуров. — Вы хорошо понимаете по-русски?

Тедески открыл было рот, но за него ответил Крячко:

— Он отлично все понимает и готов принести чистосердечное признание, которое в нашей стране существенно смягчает вину. На суде оно часто становится главным доводом в пользу обвиняемого.

Тедески заморгал длинными ресницами, а Крячко, не желая выпускать инициативы, навис над столом и грозно спросил:

— Вы признаете свою вину?

Наверное, Станислав с первого же момента до смерти напугал Антонио своей манерой разговаривать. Тот закивал, но все же остатки разума, видимо, у него имелись.

Он повернулся к Гурову и спросил, растягивая слова:

— Вину в чем я должен признать?

Тут уже сыщик был наготове и спокойно сказал:

— У знакомой вам Ольги Летицкой в сумочке была обнаружена коробочка с наркотическим веществом. Довожу до вашего сведения, что препарат этот в нашей стране запрещен. Его распространение, равно как и хранение, карается по закону. Так вот, на сумочке Ольги обнаружены ваши отпечатки пальцев. Но самое неприятное, что они найдены и на коробочке. Как вы это объясните?

Антонио совсем поблек, но признавать свою вину не спешил. Он закатил глаза и задумался, но тут снова вмешался Крячко.

— Признаешь, что подбросил порошок Летицкой? — спросил он. — Между прочим, отпираться не советую, поскольку видеокамера зафиксировала этот момент. Тебя, наверное, удивляет, что она была установлена в твоей комнате? Наверное, доверие хозяйки ты давненько утратил, да? — Крячко будто по-дружески подмигнул Тедески, однако его лицо тут же снова приняло жесткое выражение. — Если сейчас будешь отрицать очевидное, то это станет серьезным фактом, действующим против тебя! У нас, знаешь, не Германия, и условия в тюрьме совсем другие.

Гуров внутренне оторопел от беспардонной лжи Крячко. Ему ли было не знать, что никакой камеры в комнате Тедески не было в помине! Станислав сейчас просто шел напролом, блефовал напропалую. Гуров не одобрял подобных методов. Сам он поступал так редко, лишь в тех случаях, когда был стопроцентно уверен в том, что блеф удастся. Но Крячко разошелся, и сейчас Гуров уже не мог его остановить.

Тедески вздернул голову и посмотрел на Гурова так, словно искал у него защиты. Наверное, он боялся его куда меньше, чем Крячко. Полковник нажал кнопку и вызвал дежурного.

— Останьтесь с задержанным. Я вернусь через несколько минут, — распорядился он, и дежурный встал у двери.

Гуров протянул Тедески чистый лист бумаги и сказал:

— Вы пока можете написать свои объяснения по изложенному факту.

После этого он кивнул Крячко и потащил его в конец коридора.

Там Гуров решительно набросился на Станислава:

— Слушай, а на каком основании ты вообще его задержал? Ты ведь не знал про отпечатки на коробочке?

— Так я его просто на пушку взял. — Крячко невозмутимо пожал плечами.

— Да ты что, с ума сошел? Он иностранный гражданин! По закону ты не имел права на его задержание и на изъятие вещей! Ты что беспредел творишь?

— Лева, да брось ты! — снисходительно заявил Крячко. — Неужели думаешь, что он жаловаться побежит? Да этот красавец и так уже полные штаны наложил!

— Это пока в себя не пришел. А когда опомнится...

— А когда опомнится, нам нужно будет иметь против него железные улики, — перебил его Крячко.

— А если их не будет? — продолжал бушевать Гуров.

— Тогда придется быстренько его отпустить и дать хорошего пинка! И вообще, Лева, я тебя не понимаю! — обиделся Крячко. — Не ты ли велел мне его доставить сюда любым способом? Что я еще мог сделать? Ты мне про отпечатки ничего не сказал, даже не позвонил! Я и так выкручивался как мог, а вместо благодарности получаю от тебя втыки!

Гуров немного поостыл, к тому же нужно было возвращаться в кабинет. Признаться, ему не хотелось оставлять Тедески без личного присмотра. Надо было контролировать его поведение.

— Смотри, если об этом узнает Петр, он головы оторвет нам обоим, — пригрозил Гуров, но Крячко лишь тряхнул своей целехонькой разудалой головой и поспешил за своим другом обратно в кабинет.

К удивлению Гурова, Тедески уже успел написать несколько предложений. Лев Иванович взял у него лист и прочитал, что он, Антонио Тедески, находясь в состоянии глубокого стресса, вызванного трагической смертью любимой женщины, и не отдавая отчета в своих действиях, машинально сунул коробочку с неким препаратом в сумку Ольги Летицкой, с которой в тот момент любовался живописью.

Гуров подавил усмешку, читая эти формулировки. Но они как таковые были ему не важны. Главное, что Тедески признал, что это именно он подкинул Ольге наркотик. Теперь сыщик перешел к настоящему допросу.

Тедески, юля и извиваясь, все-таки рассказал, что раза два или три пробовал этот порошок. Это средство очень хорошо успокаивает его расстроенные нервы, которые врачи настоятельно рекомендовали ему лечить. Антонио выслушал замечание Крячко, что медики не прописывают наркотики в качестве успокоительного средства. Он заявил, что обязательно прислушается к этим словам и больше никогда не станет употреблять ничего подобного, не говоря уже о том, чтобы подсовывать эту гадость кому бы то ни было.

На вопрос Гурова, откуда у Анны взялся такой же порошок, итальянец ответил, что дал ей совсем чуть-чуть. Она в последнее время тоже сильно волновалась и чувствовала себя утомленной.

Слушая весь этот детский лепет и старательно записывая его в протокол, Лев Иванович думал, что дальше делать с Тедески. Сам наркотик Гурова не слишком интересовал. Его волновал вопрос о причастности Тедески к убийству Анны. Он постепенно выводил беседу на эту тему.

Антонио категорически отрицал свою причастность к столь страшному преступлению, вздымал руки к небу, клялся Мадонной и Святым Николаем. Он уже не растягивал фразы, напротив, говорил быстро-быстро. Слова сыпались из него словно горошины из прохудившегося пакета. Кажется, способность мыслить, прибитая напором Крячко, все-таки вернулась к нему. Теперь он отчаянно пытался оправдать себя, подбирая новые и новые аргументы.

Антонио говорил, что все время был вместе с Ольгой, и она может это подтвердить. Итальянец упирал на то, что у него никогда не было оружия, и он совершенно не умеет с ним обращаться. Тедески доказывал, что никакого мотива убивать Анну у него не было. Наоборот, с ее смертью он вынужден был покинуть дом и вообще теперь не представляет, как ему жить дальше и улаживать свои дела.

— А чего так спешно улетать-то собрался? — бросил из своего угла Крячко. — На похороны не остался даже. Не по-человечески это.

Тедески покосился в его сторону, но отвечать поостерегся. Гуров понял, что в присутствии Крячко полной откровенности от итальянца ожидать не приходится. Поэтому он отдал распоряжение Станиславу связаться с Викторией Рудаковой и спросить, когда она сможет подъехать в главное управление.

Крячко удалился, и Гуров возобновил допрос. Наедине с ним Антонио отвечал охотнее. В частности, Гурову удалось восстановить последовательность событий и их мотивы.

Когда Лариса Гололобова обнаружила тело Анны и закричала, Тедески находился в своей комнате вместе с Ольгой. До какой стадии дошла их страсть, Гурова не волновало. Только по громким фразам снизу они сразу сообразили, что случилась трагедия.

О чем думала Ольга, непонятно, а вот Тедески сразу же побеспокоился о себе. Ему стало ясно, что вскоре сюда прибудет полиция и станет обыскивать дом. У него в комнате находился запас наркотика.

Сперва он совершенно не переживал, что его могут заподозрить в убийстве любовницы. Такое ему просто в голову не приходило. Антонио с начала вечера находился под действием нового препарата, посему мозги его соображали не совсем адекватно. Да он и вообще не обладал слишком уж высоким интеллектом.

Так или иначе, но этот герой-любовник заметил сумку, впопыхах брошенную Ольгой, и не нашел ничего лучшего, как сунуть весь запас порошка в нее. На замечание Гурова о том, что он подставил женщину, Тедески простодушно ответил, что не хотел ничего плохого и готов принести ей свои извинения. Улететь же из России Антонио решил потому, что не хотел дальнейших объяснений с полицией, которые неизбежно начались бы. Расследование убийства может затянуться надолго.

Гуров слушал его, а сам думал, что Тедески решил уехать еще и потому, что в России его больше ничего не держало. Анна Кристаллер сыграла свою роль в его жизни и ушла со сцены. Больше ему от нее ничего не светило, следовательно, не стоило тратить время даже на то, чтобы проводить ее в последний путь. Обычный неприкрытый цинизм. Ничего другого от Тедески ждать не стоит. В этом вся его жизненная философия.

При этом полковник размышлял о том, что делать дальше. По всей видимости, Ольгу Летицкую нужно отпускать. Но вот как поступить с Тедески? Задержать за хранение наркотиков?

— Кстати, я осмотрел ваш чемодан и нашел еще запас препарата, — сказал полковник. — Откуда он у вас взялся? Или вы припрятали?

Антонио замотал головой.

— Нет. Я сегодня съездил и купил. У меня есть... — Он запнулся, не желая выдавать сбытчика, но Гуров и не интересовался им.

— Вы плотно сидите на наркотиках? — спросил сыщик и нахмурился.

Тедески изменился в лице и принялся сбивчиво доказывать, что нет-нет, ничего подобного. Просто время от времени он вынужден расслабляться, снимать напряжение и просто отдыхать. Но Гуров не верил ему. По характерному взгляду, дрожи в руках, по зрачкам опытному человеку было ясно, что Тедески употребляет наркотики давно. Пожалуй, он уже не может без них нормально жить. Но это не доказывает его причастность к убийству Анны Кристаллер.

— Наркотики для Анны вы доставали? — строго спросил Гуров.

Тедески начал было отрицать, но потом с оговорками и оглядками все-таки признался, что Анна действительно получала препарат от него.

— То есть у вас имеется постоянный поставщик в Германии, — сделал вывод Гуров.

— Есть, — подтвердил Тедески. — Клаус. Но фамилия его мне неизвестна. Я вообще не знаю о нем ничего!

Гуров поморщился.

— Слушайте, не нужно лишнего вранья! Меня ваш Клаус совершенно не интересует. Неужели вы думаете, что я поеду в Германию, чтобы привлечь его к ответственности? Пусть этим занимается немецкий наркоконтроль. Меня волнует убийство, понимаете, и только в связи с ним я трачу на вас время.

— Но я не убивал Анну! — воскликнул Антонио. — Зачем мне это? После ее смерти я остался без средств к существованию! У меня практически ничего нет, даже своего дома. Анна полностью обеспечивала меня!

Гуров уже принял решение, прервал возбужденного Антонио и сказал:

— Значит, так. До выяснения обстоятельств гибели Анны вы остаетесь в России. Я выпишу специальное постановление об этом. Заодно и на похороны сходите, а то действительно совсем некрасиво будет. Вы постоянно должны быть доступны, то есть не выезжать за пределы Москвы и жить в определенном месте — в гостинице или в доме Анны. Кстати, я бы советовал вам последнее, учитывая обстоятельства, а также то, что с деньгами у вас негусто. Пока я вас отпускаю. Все поняли?

До Тедески дошло не сразу. Но он все же сообразил, что сейчас выйдет на свободу, радостно затряс головой и принялся осыпать Гурова благодарностями. Тот уже не слушал его и подписал пропуск. Тедески подхватил его и молниеносно исчез из кабинета.

После его ухода появился Крячко и сразу начал наезжать на товарища:

— Ты что, отпустил его?

— Под подписку, — лаконично ответил Гуров.

— Ну ты даешь, Лева! Я его ловил-ловил, и все насмарку, да?

— А что прикажешь делать? Для чего мне его здесь держать? Нам надо убийство раскрывать, а не с наркотой возиться! К гибели Анны Кристаллер он, по всей видимости, не причастен. Его показания не расходятся с тем, что говорила Ольга Летицкая. Да и другие свидетели подтверждают, что они поднимались в комнату Тедески, из которой вышли по очереди уже после того как Анну убили. И вообще, посуди сам. Какой у них мотив совершать это преступление?

Крячко закатил глаза и принялся фантазировать:

— Влюбились, решили избавиться от престарелой соперницы...

— Слушай, мы не женский роман пишем, — перебил его Гуров. — Какой соперницы? Если бы Анна узнала о романе Антонио, то она сама дала бы ему пинка под зад. Он это отлично понимал! Ему быть вышвырнутым никакого резона нет! Этот тип — профессиональный жиголо. Он живет за счет таких дамочек, как Анна. Зачем ему эта певичка? Та сама ищет, к кому бы пристроиться. Этот их флирт — тьфу, ерунда! И потом, куда бы он дел пистолет? Это уже просто дополнительный контраргумент вкупе со всеми предыдущими.

— Ладно-ладно. — Крячко досадливо махнул рукой. — Я и сам признаю, что он не убивал. Но просто обидно! Я так спешил, чтобы его задержать, старался сделать все, чтобы он со мной поехал!

— Тебе просто повезло, что ты нарвался на такого слизняка! С другим человеком подобный номер не прокатил бы. Будь на его месте кто поумнее, просто спокойно заявил бы, что у тебя нет никаких прав на его задержание, и сделал бы тебе ручкой на прощание, — заметил Гуров.

— С иным человеком я и вел бы себя по-другому, Лева! — снисходительно сказал Крячко и подмигнул лучшему другу, блеснув глазами. — А согласись, что все-таки здорово все получилось!

— Здорово-то оно здорово, но мы вернулись к тому, с чего начали. То есть у нас по-прежнему ноль.

— Не скажи. По крайней мере, эту версию можно считать отработанной и не касаться больше ни Тедески, ни Летицкой. А кто у нас там дальше на очереди?

— Конкурирующие фирмы, разработку которых я хочу поручить тебе. Начать, конечно, нужно с питерской, поскольку итальянская «Соната» для нас пока недосягаема.

— Эх, я бы лучше в Италию смотался! — Крячко сладко потянулся, хрустнул костями. — Там тепло и море. А Питер я не люблю. Там вечно слякотно и холод.

— Если тебе удастся выбить у Петра оплату заграничной командировки — на здоровье. Но боюсь, что он станет решительно возражать.

— Вот и мне почему-то так кажется. — Крячко вздохнул. — А жаль. Можно подумать, в министерстве денег нет!

— Наверняка есть. Да не про нашу честь. Ладно, давай снова к делу. Ты до Рудаковой дозвонился?

— Да, она сказала, что может прийти сегодня, потому что более-менее свободна, а потом начнутся хлопоты с похоронами.

— Отлично, звони, пусть приезжает, — заявил Гуров и направился к экспертам.

Дактилоскописта, к сожалению, на месте не оказалось, баллистик же не сообщил ничего нового. Пуля, извлеченная из тела Анны Кристаллер, была выпущена, скорее всего, из пистолета системы «беретта». Большего эксперт сказать не мог.

— Пистолет нужен, — резюмировал он.

Аргумент был убойным. Гуров и сам понимал, что без пистолета пуля сама по себе мало что значит. Но вот где его искать, этот пистолет? Сыщик вообще был почти уверен в том, что ему никогда не удастся увидеть этот ствол. Убийца, скорее всего, от него уже избавился.

Глава 4

— Артем, закрывай двери! — крикнула из-за кассы Наташа, посмотрев на часы.

Работа магазина заканчивалась через десять минут. В такое время новых посетителей уже не пускали, как раз успевали обслужить тех, кто уже находился в торговом зале.

Наташа выглянула из-за кассы. Слава богу, всего двое. Пожилая женщина и молодой парень. Они неторопливо сновали по магазину, переходили из отдела в отдел, брали с прилавков разный товар, подолгу вертели, рассматривали.

Женщина то приближала к лицу очки, сжатые в руке, то отдаляла их, пыталась разглядеть дату изготовления. Парень вообще, кажется, не знал, чего хотел.

Все это жутко раздражало Наташу, потому что мыслями она была уже дома. Ей нужно было еще успеть приготовить обед на завтра, потому что она снова просидит за кассой целый день, с восьми утра до десяти вечера. А там наконец-то придет и выходной. Она хотя бы отоспится как следует.

Наташа постукивала длинным ногтем по кассовому аппарату. Господи, да что же они там возятся? Надо бы поторопить. Парень вообще выглядел подозрительно. В другое время Наташа приняла бы его за воришку. Но такие ребята обычно шустрят днем, когда магазин полон народу. Сейчас все на виду, ему трудно будет незаметно сунуть что-то в карман. Да и охранник Артем запер двери и ходил невдалеке, будто бы просто так, но зорко следил за покупателями.

Вот, кажется, выбрали. Женщина везла каталку, в которой сиротливо лежали пакет молока, банка каких-то консервов и батон. У парня не было ни каталки, ни корзины. В левой руке он держал бутылку пива.

«Стоило из-за этого столько времени бродить!» — подумала Наташа.

Женщина должна была подойти к кассе первой. Однако парень на ходу обогнал ее и ловко нырнул вперед.

«Типичный наглец, — подумала Наташа. — Глаза у него какие-то полоумные. Надо рассчитывать их поскорее, и пусть идут отсюда!»

Наташа протянула руку к бутылке с пивом, которую парень поставил на движущуюся ленту, и прижала ее к экрану. Тот пикнул и высветил стоимость.

— С вас сорок пять рублей тридцать копеек, — механическим голосом произнесла Наташа, а парень друг хрипло выкрикнул:

— Деньги из кассы, живо!

От неожиданности Наташа выронила бутылку, и та со звоном упала на пол. Она оторопело подняла глаза. Парень смотрел прямо на нее. Его зрачки лихорадочно блестели. В правой руке он сжимал пистолет. Ствол был направлен прямо на Наташу.

На некоторое время она перестала соображать. От страха сердце екнуло, а ноги стали ватными. Девушка молча смотрела на парня, и тот начал нервничать.

— Деньги, я сказал, быстро! — прокричал он, взмахнул пистолетом и ткнул его Наташе в лицо. — Ну! Стрелять буду!

— У нас мало денег, мы уже сдали всю выручку. — Наташа даже не поняла, что это сказала она сама, собственный голос звучал как чужой.

Парень выругался и закричал:

— Давай сколько есть, только быстрее!

Женщина с каталкой, стоявшая позади него, стала отступать, а затем побежала, присела за ящиками с фруктами и прикрыла руками голову. При этом она тонко визжала.

Парень направил пистолет в ее сторону и крикнул:

— Сиди там, старая мымра, и не рыпайся! Пуля тебя и за деревяшкой достанет, если что!

Наташа трясущейся рукой стала открывать кассовый ящик, где хранилась выручка. Денег и правда оказалось немного. Она готова была отдать их, только боялась, как бы этот придурок не выстрелил в нее.

«Вон как руки у него трясутся! Пистолетом размахивает направо-налево. А если он потом все равно всех нас перестреляет, чтобы свидетелей не было? Не зря я заметила, что он странный и глаза у него полоумные. Артему надо было сразу вывести его из магазина! А где Артем?»

Мысли Наташи крутились отдельно от нее, руки продолжали доставать купюры и складывать их в стопку. Краем глаза она видела, как Артем осторожно, медленно приближался к кассе с левой стороны. Парень то и дело оглядывался на него, не забывал вскидывать ствол в сторону охранника и ждал, когда Наташа достанет все деньги.

Руки словно нарочно не слушались ее. К тому же теперь она увидела, что Артем пытался выполнить свои обязанности и обезвредить грабителя. Наташа сознательно начала медлить. Только бы Артем успел!..

Парень уставился на деньги, приготовленные Наташей, и схватил первую пачку. Рука охранника осторожно скользнула к пистолету, висевшему на боку. Он уже достал оружие, как грабитель резко обернулся в его сторону. Стволы они вскинули одновременно.

— Ах ты, сука! — воскликнул парень. — Брось пистолет!

Но Артем уже выстрелил. Женщина за ящиками в ужасе завизжала. Наташа инстинктивно пригнулась и свалилась со стула на пол и скрючилась в тесном пространстве кассы. Грянули еще два выстрела, а потом послышался громкий крик. Следом раздался звук падения чего-то тяжелого. Звякнуло разбитое стекло. Наташа уже ничего не соображала. Она полулежала на полу и тряслась от страха.

Крик, звенящий прямо над ее ухом, перешел в протяжный стон. Затем рядом упало что-то металлическое. Наташа локтем открыла дверцу с правой стороны кассы и буквально выкатилась из нее.

Она осторожно высунула голову и увидела, что парень сидел с другой стороны кассы, сжимая левой рукой правую. Пистолет его валялся чуть поодаль. Из правой руки на пол, выложенный светлой плиткой, стекала кровь. Рядом валялись осколки бутылок с минеральной водой, которые грабитель задел, когда падал.

Артем стоял у дальней стены, сжимая рукой плечо, которое тоже кровоточило. Он был бледен, однако кое-как нашел в себе силы совершить два прыжка и ногой отшвырнуть пистолет преступника. После этого охранник стал буквально на глазах бледнеть и оседать на пол.

Тогда Наташа закричала. Она боялась, что остается наедине с этим страшным безумным парнем. Ведь старуха, спрятавшаяся за ящиками, была явно не в счет.

Нужно было выскочить, подобрать пистолет, но ноги не слушались Наташу. Парень продолжал голосить от боли. Артем лежал на полу и не подавал признаков жизни.

Только вой полицейской сирены на улице, а затем громкий стук в стекло вывели ее из оцепенения. Она быстро помчалась к дверям, отперла их. В магазин ворвались вооруженные полицейские. Они сразу ринулись к грабителю, а Наташа бессильно села на пол и наконец-то дала волю слезам.

Виктория Павловна выглядела усталой и постаревшей. Казалось, она действительно переживает глубокое горе. На вопросы женщина отвечала вяло и односложно. Она очень хотела, чтобы ее встреча с полковником завершилась как можно скорее. Тем более что день уже заканчивался, и Рудакова приехала в управление почти к вечеру.

Гуров понимал, что сейчас не самое подходящее время для расспросов, но другого варианта у него не было. Лучше бы допросить ее, когда она придет в себя, отдохнет и оживится, но сейчас дорог каждый день, даже час.

— Виктория Павловна, вы где находились, когда услышали о смерти Анны?

— На кухне, — механически отвечала та. — Смотрела, все ли готово к подаче десерта.

— А до этого? — терпеливо спросил Гуров.

Рудакова вздохнула.

— Да не помню я. — Она развела руками. — Это гостям хорошо, сидят себе да веселятся, а у меня знаете сколько забот? Ведь практически весь банкет на мне был. Нет, повара, официантки — это само собой. Но ведь я должна была все организовать, проследить, чтобы девушки вовремя подавали горячее, не забывали подносить напитки, даже за аппаратурой смотреть. Это со стороны кажется, что все само собой происходит, а на самом деле!.. — Виктория Павловна махнула рукой.

— Тяжело вам работалось у Анны? — с сочувствием в голосе спросил полковник.

Женщина будто опомнилась, выпрямилась и сухо ответила:

— Я не жалуюсь. Вы о чем-то еще хотели спросить?

— Да, о многом. Но вы, кажется, не слишком расположены сейчас разговаривать?

— А вы спрашивайте. Я ведь и завтра не буду расположена. — Виктория усмехнулась.

Гуров внимательно посмотрел на нее и спросил доброжелательным тоном:

— А почему такая странная позиция? Разве вы не хотите помочь найти убийцу вашей подруги?

— Так если бы я могла! — Женщина вздохнула. — А я ведь ничего не знаю. Только о банкете и думала, хотела все до конца довести как положено. Убийцу с пистолетом не видала, а сама и стрелять-то не умею, — добавила она, усмехнувшись.

— Да я и не думал обвинять вас в том, что вы стреляли в Анну, — сказал полковник и улыбнулся. — Я просто хотел вас расспросить об отношениях, которые были у Анны с ее окружением.

— Я сплетен не переношу, — отрезала Виктория. — Если вам об отношениях интересно узнать, вы лучше у Жанны Саакян спросите. Вот уж она-то вам много чего расскажет! Тогда любого можете арестовывать. Всякий под убийцу подойдет!

— Мне не нужны сплетни, Виктория Павловна, я и сам их ненавижу, — терпеливо продолжал Гуров, досадуя, что никак не может установить контакт с Рудаковой. — Мне требуются факты.

— А факты мне неизвестны. Это вон Лев Хаимович вам лучше расскажет, — сказала она, вдруг прикусила язык, окинула Гурова медленным, словно оценивающим взглядом и сцепила руки на коленях.

— А вы с Львом Хаимовичем в хороших отношениях? — задал полковник отвлеченный вопрос.

— В нормальных. — Виктория пожала плечами. — А с чего нам с ним в плохих-то быть? Дела у них с Анной были, которые меня не касались. Мне своих выше головы.

— Я просто заметил на банкете, что вы с ним выходили из зала, — сказал Гуров. — Советовались о чем-то?

— Ах, это, — равнодушно протянула Рудакова. — Да, я просто спрашивала его, достаточно ли вина на столе и не высказывает ли кто недовольства.

— Понятно. — Гуров улыбнулся. — То есть вы были всецело поглощены своими обязанностями. А Анна с Львом Хаимовичем тоже хорошо ладила, да?

— Раз столько лет вместе с ним проработала, то, наверное, хорошо, — равнодушно проговорила Рудакова.

— Неужели за все время между ними не возникло ни единого малейшего конфликта? — удивился Гуров.

— В работе без этого не бывает конфликтов? Случалось, что Лев Хаимович хотел по-своему сделать, а Анна возражала. Спорили они, такое бывало, но потом все равно договаривались. Но чтобы какие-то ссоры или скандалы!.. Если вы на это намекаете, то знайте, что никогда ничего подобного не было.

— А вы сколько лет работаете у Анны? — спросил Гуров.

— Да уже годков двадцать будет. Как Эдик родился, она меня к себе пригласила. Я с ним маленьким нянчилась, он на моих глазах рос. Потом я уже им так не занималась. Другие заботы прибавились.

— А теперь что вы будете делать? Уже решили?

Рудакова не успела ничего сказать. У нее зазвонил сотовый телефон.

Она извинилась и ответила на звонок:

— Да. Кто? Когда? Зачем?

Голос ее звучал неприязненно. Она говорила коротко и явно хотела поскорее отделаться от собеседника. Потом женщина вдруг умолкла довольно надолго. Человек, который позвонил ей, наоборот, что-то говорил и говорил. По мере этого монолога выражение лица Виктории Павловны быстро менялось. Уголки ее губ принялись дрожать, в глазах зажглось что-то непонятное, то ли страх, то ли ненависть. Этот разговор повлиял на нее не лучшим образом.

Гуров не знал, о чем идет речь. Он видел лишь, что Виктория Павловна очень сильно разволновалась. Она все время перекладывала телефон от одного уха к другому, словно тот обжигал ее.

Под конец женщина проговорила:

— Да, поняла. Хорошо. Буду. — Она даже не нажала кнопку разъединения, опустила руки, с полминуты сидела молча, глядела перед собой и, кажется, забыла, где находится.

— Виктория Павловна! — вернул ее из небытия Гуров,

— Да? — Рудакова встрепенулась и поспешно убрала телефон в сумку. — Извините еще раз.

— Что, неприятный звонок?

— Да так, ерунда, — отмахнулась она и вдруг заторопилась. — Лев Иванович, если у вас нет вопросов, я поеду. Дел у меня еще полно, а скоро похороны. Поймите, я и так вам все рассказала.

— Виктория Павловна, но мы ведь только начали разговаривать, — попытался уговорить ее Гуров, но Рудакова уже стояла возле его стола.

На ее лице хорошо читалось сильное волнение.

Гуров внимательно посмотрел на женщину и произнес:

— Хорошо, я вас не задерживаю. Можете идти.

Рудакова метнулась к двери, на ходу проговорив благодарность. Лев Иванович выглянул в окно. Виктория Павловна чуть ли не бегом выскочила из здания главного управления, встала у дороги и начала ловить такси. Гуров уже принял решение.

Крячко находился где-то здесь, в этом же здании.

Сыщик набрал номер его сотового и сказал:

— Стас, от меня только что вышла Рудакова. Сейчас она ловит такси. Давай быстро дуй за ней и проследи, с кем она встретится. Если будет возможность, хорошо бы послушать, о чем пойдет разговор.

— А еще лучше записать на видео, — хохотнул Крячко. — Ладно, понял тебя.

Через минуту Гуров в окно увидел, как Крячко вышел из здания. Он прошагал мимо Рудаковой не спеша, с совершенно равнодушным видом, и скрылся в толпе. Виктория Павловна села в остановившуюся светло-бежевую «Ауди». Лев Иванович нисколько не сомневался в том, что Крячко не выпускает ее из вида.

«Значит, советовалась с Лейбманом, хватает ли вина на столе? — вспомнил Гуров ответ Рудаковой. — А вот Лев Хаимович сказал, что речь шла об Эдике. Мол, не отправить ли его домой с отцом?»

Он вернулся к своему столу и хотел было еще раз навестить эксперта-дактилоскописта, но ему помешал телефонный звонок. Сняв трубку, он услышал мужской голос, показавшийся ему знакомым.

— Лев Иванович? Это Носков беспокоит, — отрекомендовался мужчина, понял, что полковник не реагирует, и пояснил: — Анатолий Петрович, бывший муж Анны Кристаллер. Мы с вами немного беседовали, помните?

— Да, Анатолий Петрович, разумеется. Просто я не знал вашей фамилии. Что вы хотели?

— Да у меня тут... — Носков чуть запнулся, подбирая формулировку. — Точнее, у меня-то ничего, а вот Эдик хочет вам что-то сообщить.

— Замечательно. Пусть сообщает, — разрешил Гуров.

— Понимаете... — Носков снова замялся. — Он по телефону не хочет.

— Ничего страшного, пусть приезжает ко мне в кабинет. Я все равно допоздна буду здесь.

— А давайте лучше встретимся с вами на нейтральной территории? — предложил Носков. — Вы не сердитесь на Эдика. Он парень вздорный, со своими вывертами. Таков уж характер. Ехать к вам не хочет ни в какую. Заодно и поужинаем вместе. Разумеется, за мой счет.

— Благодарю покорно. Я пока в состоянии себя прокормить. — Гуров усмехнулся и взглянул на часы.

— Тогда давайте через полчаса в кафе «Арго» у Красных Ворот. Там отличная греческая кухня.

— Договорились. — Сыщик убрал телефон.

Потакать капризам избалованного переростка он отнюдь не собирался. Если бы Эдик позвонил сам, принялся ломаться и ставить условия, то Гуров просто послал бы его подальше и не стал бы слушать. Но к нему обратился его отец.

Лев Иванович хотел задать ему несколько вопросов насчет Рудаковой. Да и по поводу наследства не все было ясно. Надо выяснить те детали, о которых умолчал Лейбман.

Крячко вряд ли вернется скоро. Так что встреча с Носковыми подвернулась очень кстати. Гуров поднялся, направился вниз, сел в машину и поехал в сторону станции метро «Красные Ворота».

Отец и сын Носковы уже сидели за столиком. Эдик устроился у стены, привалившись к ней. На голове его была нахлобучена та же желтая бейсболка. Сейчас она выглядела несколько грязноватой и потрепанной. Да и сам Эдик был не в лучшем виде. Наверное, сказывалось действие транквилизаторов, которые ему щедро вкатывала Виктория Павловна.

Анатолий Петрович выглядел бодро. Он приветливо помахал Гурову и пожал ему руку, когда полковник подошел к столику. Лев Иванович сел и обратил внимание, что отец и сын еще ничего не заказали. На столе стоял только графин с соком.

— Если не возражаете, я бы рекомендовал вам заказать запеченные кальмары, утиную грудку и греческий салат, — сказал Носков-старший. — Право, они здесь хороши.

Гуров не стал спорить, только присовокупил к этому еще и две чашки крепкого кофе с куском творожного пирога. Он успел устать и проголодаться за день, которому конца-края не было. Полковник вообще не знал, попадет ли сегодня домой. Когда ему подворачивалось такое дело, как нынешнее, впору было ставить в кабинете раскладушку.

Обед и впрямь оказался очень сносным. Полковник и Носков-старший ловко орудовали вилками. Эдик вяло ковырялся в тарелке, жевал медленно. Взгляд его плавал, ни на чем не задерживаясь.

Быстро выпив кофе, Гуров сказал:

— Я оценил ваш совет, Анатолий Петрович, спасибо. Но времени у меня в обрез, поэтому давайте перейдем к делу. — При этом он посмотрел на Эдика.

Отец тут же подтолкнул полусонного сына в бок и сказал:

— Давай, Эдуард, время не ждет. Полковник специально приехал из-за тебя. Надеюсь, твое сообщение действительно окажется важным. — Он с извиняющимся видом повернулся к Гурову и пояснил: — Сын даже мне не захотел говорить, в чем дело. Эдуард, если это конфиденциально, я могу уйти из-за стола.

— Не надо. — Эдик махнул рукой. — Ничего конфиденциального, пускай все знают! — Глаза его вдруг вспыхнули злобным огоньком. — Я вчера выходил из зала. Это было минут за двадцать, до того как мама... — Он захлебнулся и судорожно сглотнул слюну.

Отец на всякий случай придержал сына за плечо, но Эдик сбросил его руку и продолжил: — В общем, минут за двадцать до ее гибели я видел, как в комнату отдыха заходил Федор Полонский!

Гуров нахмурился, несколько секунд сидел в задумчивости, потом спросил:

— Ты это точно знаешь?

— У меня зрение стопроцентное! — злым голосом сказал Эдик.

— Может быть, он просто зашел передохнуть? — предположил сыщик. — Устал, выпил лишнего?

— Да? — Эдик резко повернулся к нему, чуть не сбив стакан с соком. — А куда же он тогда делся? Вы его видели в зале?

Гуров молчал, вспоминая. Нет, пожалуй, Федора Полонского в зале не было. Его партнер Сенин зажигал на танцполе, а Федора полковник там не видел. Но Полонский — киллер? Странно. С другой стороны, он ведь зачем-то заходил в комнату отдыха?

— А ты не видел, как Полонский оттуда вышел? — спросил Гуров.

— Нет, — сказал Эдик. — Я расспросил кое-кого, у Вики поинтересовался. Она его тоже не видела! Понимаете, он долгое время находился вообще непонятно где! На виду его не было! Это я уже потом сообразил.

Это был еще не факт. Чтобы разобраться в том, действительно ли Полонского никто не видел, сыщику предстояло снова опросить всех. Господи, десятки людей! Куча потраченного времени, когда оно и так на вес золота.

— Одним словом, я вам сказал, что видел, а вы уже сами решайте, что с этим делать! — резко резюмировал Эдик, допил свой сок и отодвинул стул. — Добавить мне нечего, я хочу домой.

Носков-старший поморщился и посмотрел на Гурова так, словно хотел сказать, мол, не сердитесь на сына. Он ведь и правда перенес стресс, давайте снисходительно отнесемся к его капризам.

Гуров спокойно поблагодарил Эдика, после чего поднялся и сказал:

— Я тоже не стану задерживаться. Информацию твою, Эдуард, мы, разумеется, проверим самым тщательным образом.

Эдик кивнул, а потом неожиданно с пафосом в голосе сказал:

— А если не проверите, то я сам это сделаю! Я лично найду того негодяя, который убил мою мать!

— Так, ладно, герой! — прикрикнул на него Носков-старший, которому тоже порядком надоело детсадовское поведение сына. — Давай шагай в машину. Я отвезу тебя домой, и чтобы никаких глупостей! Или лучше поехали со мной, а то ты Вике уже все нервы вымотал!

Эдик набычился и пошел за отцом, бормоча себе под нос что-то не слишком любезное. На улицу они вышли втроем и зашагали к автостоянке по дорожке, выложенной кирпичиками. Отец шел справа от сына, Гуров держался слева и чуть впереди. Неожиданно полковник обратил внимание на малюсенькую яркую точку, которая мелькнула перед его глазами и тут же исчезла.

Интуиция опытного сыщика не позволила ему пропустить эту мелкую деталь. Гуров мгновенно охватил взглядом пространство. Неожиданно в этом ему помог Анатолий Петрович, который шел рядом с сыном и что-то наставительно ему выговаривал.

— Подожди, что это у тебя такое? Майонезом измазался, что ли? — ворчливо спросил он, протягивая руку к груди Эдика.

Гуров увидел, что блестящая точка переместилась туда же, и среагировал моментально. Он с силой отбросив руку Анатолия Петровича, заодно оттолкнул подальше его самого, всем корпусом навалился на Эдика, уронил парня на землю и закрыл собой.

— Лежать, не двигаться! — заорал сыщик. — Голову руками закрыть!

Полковник чуть повернул лицо в сторону. Яркая точечка немного попрыгала по дорожке, не нашла своей цели и исчезла.

— Лежать, не подниматься! — продолжал командовать Гуров. — Не шевелиться вообще!

Он видел, как Анатолий Петрович, ошалевший от происходящего, с перепуганными глазами лежал неподалеку, неуклюже скрючившись на земле и послушно прикрывая голову руками. Эдик копошился где-то под сыщиком. Он ничего не понимал и пытался выбраться из-под Гурова, но полковник тяжело давил на него, не давая пошевелиться.

— Пустите! — послышался глуховатый голос Эдика. — С ума, что ли, сошли?

Однако полковник Гуров был в своем уме. Он выждал еще не менее трех минут, а потом осторожно поднялся, коленом придерживая Эдика.

Носков-старший отважился повернуть к нему голову и спросить:

— Что происходит, Лев Иванович?

— Лежите и не двигайтесь! — бросил ему Гуров, а сам короткими перебежками бросился обратно в кафе.

Заметив охранника, он на ходу выхватил свое удостоверение, сунул тому под нос и крикнул:

— Там на улице двое ваших клиентов! Не отходить от них ни на шаг!

— А в чем дело? — недоуменно спросил охранник.

— Покушение, — на бегу бросил Гуров. — Быстрее!

Он бежал по дорожке от кафе и видел, как охранник вышел из дверей заведения и направился к Носковым, по-прежнему лежавшим на земле. Теперь они находились хоть под какой-то защитой.

Гуров немного успокоился, осмотрелся вокруг и сориентировался. Через дорогу от кафе, прямо напротив, находилось высокое здание, на первом этаже которого располагался супермаркет. Едва дождавшись зеленого сигнала светофора, сыщик быстро пересек дорогу и бросился к нему, вздернув голову.

С фасадной стороны здания делать было нечего. Гуров обежал его и попал во двор. Здесь находился запасной выход. Сыщик бросился к нему и обнаружил, что дверь заперта на замок. Снова подняв голову, он увидел, что к крыше тянется пожарная лестница.

Недолго думая, Гуров начал взбираться по ней. На все это у полковника ушло меньше минуты. Благо здание имело всего четыре этажа.

Он не слишком рассчитывал на то, что застанет здесь кого-то или что-то. Так оно и получилось. Когда полковник взобрался на крышу, там было пусто. Никаких следов того, что здесь недавно кто-то побывал. Лишь сор, сбитый в одном месте в кучу, говорил, что его совсем недавно тронули ботинками.

Полковник подавил вздох и начал спускаться. Теперь ему была ясна хотя бы техническая сторона этого инцидента. Все остальное пока что было покрыто туманом.

Он перешел дорогу и вернулся к кафе «Арго». На дорожке уже никого не было. Гуров вошел внутрь. Отец и сын сидели за столиком. Охранник топтался рядом, держа в руках оружие, а над Носковыми хлопотали девушки-официантки. Одна из них прикладывала лед к распухшему носу Эдика, другая обрабатывала водкой ссадины на лице и руках Анатолия Петровича. Эдик постоянно морщился и вскрикивал, его отец вел себя куда более сдержанно.

Едва увидев Гурова, Эдик завопил:

— Это что за шутки такие? Вы мне нос сломали!

Гуров молча подошел к нему, мягко отодвинул девушку в сторону и потрогал нос парня.

— Ничего страшного, — резюмировал он. — Это тебе с перепугу показалось. Цел твой нос. Скоро заживет.

— Да вы что вообще творите-то? — продолжал разоряться Эдик.

Анатолий Петрович ничего не говорил, но в его взгляде откровенно повис вопрос.

Гуров опустился на стул рядом с ним и спокойно сказал:

— Вы видели точечку, сверкающую на груди сына?

— Да. Я подумал, что это он чем-то заляпался...

— Так вот, это был след от лазерного прицела винтовки, — так же невозмутимо пояснил Гуров. — Таким обычно пользуются киллеры.

У обоих Носковых округлились глаза. Они испуганно переглянулись.

— К-как это? — заикаясь, спросил Эдик. — Какие киллеры?

— Обыкновенные. Один из таких вот убийц несколько минут назад прятался вон на той крыше. — Гуров показал туда, где недавно побывал.

Носковы смотрели то друг на друга, то на полковника, не в силах что-либо понять.

— Это что же? — первым обрел дар речи Анатолий Петрович. — В нас стрелял киллер?

— Не успел. Хорошо, что я тоже заметил эту точку на груди Эдика.

— Так он что?.. — голос Носкова сел. — Хотел убить моего сына?

— По всей видимости, да. Извините, но подробного объяснения этому инциденту у меня нет. Я знаю столько же, сколько и вы. Единственное, что могу сказать определенно, — вам нужно соблюдать осторожность. Вы можете воспользоваться услугами охранного агентства, чтобы вас доставили домой?

— А вы не отвезете нас? — растерянно спросил Анатолий Петрович.

— Увы, у меня другая работа. И вот еще что. Не отправляйте Эдика в дом матери и вообще не оставляйте его одного. Вам сейчас нужно находиться рядом с ним. На улице желательно не показываться, к окнам не подходить. Охрану оставить дома, организовать круглосуточное дежурство. Средства на это у вас есть?

— Да уж найдутся, — проговорил озадаченный Носков-старший, а его сын громко возмутился:

— Черт знает что происходит!

— Завтра нам обязательно нужно будет встретиться с вами и все обсудить, — сказал Гуров. — Кстати, когда состоятся похороны Анны?

— Через пять дней.

— Захоронение на каком кладбище?

— Не захоронение, — поправил его Носков. — Кремация.

— Это чье решение? — поднял брови Гуров.

— Анна так хотела и отдала соответствующее распоряжение. Она почему-то всегда испытывала чувство брезгливости, когда речь заходила о покойниках. Не раз говорила, как ей отвратительна мысль о том, что ее тело станет гнить в земле и его будут поедать черви.

— Что ж, у каждого свои предпочтения, — пробормотал Гуров. — На вашем месте я не стал бы присутствовать на похоронах, учитывая сегодняшние обстоятельства.

— Но это мать моего сына! — запротестовал Носков-старший.

— Решать вам. — Гуров поднялся. — Вызывайте охрану, а мне надо ехать.

Когда Гуров вернулся в управление и прошел в свой кабинет, часы показывали без четверти десять вечера. Собственно, работу здесь на сегодня можно быть считать законченной — все допросы завтра, действия тоже. Однако полковнику необходимо было подумать, чтобы правильно провести их. Полученная информация требовала анализа.

Хорошо бы получить какие-то дополнительные факты. Крячко почему-то не звонил, и это было странно. Гуров решил, что через несколько минут позвонит ему сам, и прикрыл глаза.

«Итак, что мы имеем на сегодняшний момент? — рассуждал сыщик. — Во-первых, странное поведение Виктории Павловны Рудаковой. Что за ним стоит? Что-то важное для расследования или чисто личное, не имеющее никакого отношения к смерти Анны Кристаллер? Я очень рассчитываю, что Крячко поможет хоть как-то пролить свет на эту линию. Важны расхождения в показаниях этой дамы и Лейбмана.

Во-вторых, Эдик Носков. Он дал показания против Федора Полонского, и тут же произошло покушение на жизнь парня. Это событие по степени важности полностью заслоняет собой весь наш предыдущий разговор.

Хотя покушение произошло сразу после моей беседы с Носковыми. То есть киллер знал, что отец и сын направляются в кафе? Тогда действительно получается, что он очень близок этой семье, не только Анне Кристаллер, но и остальным ее членам. Или им руководит такой человек. — Гуров перебрал в голове целый ряд фамилий: — Рудакова, Лейбман, Тедески. Кто еще?

Пожалуй, Лейбман и Рудакова ближе всех, — прикинул сыщик. — Пусть не к Носкову-старшему, но хотя бы к Эдику и его покойной матери. Не установить ли слежку за достопочтимым Львом Хаимовичем?

Но личность киллера?.. Если Лейбман — организатор преступления, то он должен иметь человека, который с блеском выполнил его задумку, на банкете сыграл роль Василия Завадского. Это означает, что проверку гостей-спортсменов на умение стрелять можно отменять.

Личность киллера вычислена. Это тот человек, который пришел на банкет под видом Завадского. Но кто он? Наемник, сделавший свое дело и скрывшийся? Таких гениев можно найти далеко не всегда. Единственная зацепка — ствол, так до сих пор и не найденный. Остается надежда на то, что киллеру все же удалось его забрать. Следовательно, он может засветиться в другом преступлении.

Да уж, радостная перспектива! — подумал Гуров и усмехнулся. — Мало того что произойдет еще одно убийство, так неизвестно когда оно случится! А искать человека, стрелявшего в Анну, надо уже сейчас, как и того, кто его нанял.

Почти нет сомнений в том, что убийство заказное. В противном случае в нем должен быть заинтересован сам стрелок, который все спланировал и осуществил. Значит, он должен иметь для этого мотив и, следовательно, быть хорошо знакомым Анне.

Но трудно представить, чтобы в числе ее близких знакомых был киллер. Это маловероятно. Хотя не стоит сбрасывать со счетов все варианты, нельзя зацикливаться на одном. Довольно часто первый ложный след, основанный на собственном неверном толковании того или иного факта, может увести очень далеко в сторону. Потом придется начинать все с самого начала.

Гуров набрал номер Крячко.

— Я только сейчас освободился, Лева! — сообщил тот.

По рассказу Крячко выходило, что Рудакова вышла из такси на Садовом кольце, где ее подхватила машина. За рулем сидела Жанна Саакян. Женщины поговорили, потом Рудакова вышла. Саакян помахала ей рукой как лучшей подруге и уехала.

— Что теперь делать-то? — спросил Стас.

— Да, пожалуй, ничего. Езжай домой.

— А ты? — осведомился Крячко.

— Я скоро тоже отправлюсь. Давай, до завтра. Не опаздывай, пожалуйста, с утра много дел будет.

Гуров убрал мобильник в карман и подумал, что на сегодня, наверное, и правда все. Завтра с утра нужно будет плотно заняться Рудаковой и Лейбманом, встретиться с нотариусом Корзуном. Да и вообще не мешало бы побольше узнать о наследственных делах. Ведь кто-то собирался убить Эдика Носкова! Вряд ли это был чокнутый тип, завидовавший певческому таланту парня.

Гуров встал, выключил настольную лампу и начал собираться. Тут зазвонил рабочий телефон.

— Лев Иванович! — Сыщик услышал голос эксперта-дактилоскописта. — Мне сказали, что вы меня искали, да?

— Было дело, — подтвердил Гуров.

— Меня вызвали срочно в суд. Там надо было разобраться с отпечатками, и в главк я вернуться не успел. Так что звоню вам уже из дома. Даже не надеялся застать вас.

— Нет, время-то еще детское, — успокоил его Гуров, взглянув на часы, которые показывали одиннадцать вечера.

— Вот и хорошо. Мне все-таки удалось идентифицировать отпечатки на бутылке из-под коньяка. Они совпали с пальчиками одного из гостей.

— Кого?

— Федора Полонского! — сообщил эксперт.

Гуров неожиданно для себя протяжно свистнул.

— Вы удивлены? — осведомился эксперт. — Ожидали чего-то другого? Я вас разочаровал?

— Честно говоря, сам не знаю, — признался Гуров. — Надо подумать хорошенько. Ошибки нет?

— Исключено!

— Ну что ж, спасибо.

— Всегда рад помочь. Удачи вам в мыслительном процессе!

Гуров присел на краешек стола. Он уже надел плащ и стоял у дверей кабинета, когда раздался звонок. Но все равно надо ехать. Подумать можно и в машине, по дороге домой. Да и там тоже.

Гуров решительно направился к двери. Однако попасть домой в этот вечер ему так и не удалось. Едва полковник перешагнул порог кабинета и уже стал запирать его, как зазвонил сотовый.

— Лев Иванович, вы в кабинете? — спросил дежурный офицер.

— Уже нет, — коротко ответил тот.

— У меня для вас сообщение. С посыльным прислать или по телефону?

— Я сейчас сам к тебе спущусь, — сказал Гуров, идя к лестнице.

При его появлении дежурный поднялся и быстро заговорил:

— Чуть больше часа назад было совершено нападение на продуктовый магазин в Медведкове. Грабитель был вооружен, ранил охранника. Тот сейчас в больнице. Но и налетчик получил...

— А мы тут при чем? — перебил его Гуров. — Это не по моей части.

— Из плеча охранника вынули пулю. Так вот, наш баллистик просил вам передать, что она выпущена из того же пистолета, который фигурирует и в вашем деле!

— Что? — невольно воскликнул Гуров. — Где он?

— Кто? Пистолет?

— И он, и баллистик!

— Эксперт у себя. Его из-за этого происшествия специально вызвали. Думаю, что ствол тоже у него.

Гуров ничего не сказал и быстро направился в кабинет баллистика. Эксперт нисколько не удивился его визиту, когда сыщик прямо в плаще ввалился в его кабинет.

— Ну что, Лев Иваныч? Интересная задачка тебя ждет! — усмехаясь в усы, проговорил эксперт.

— В чем она заключается? Давай только быстрее, пожалуйста, — торопливо проговорил Гуров, присаживаясь на стул.

— Я ведь только эксперт, — напомнил тот. — Но даже мне интересно, каким образом из одного и того же ствола вчера была выпущена пуля опытным стрелком-профессионалом, а сегодня — сопливым щенком, напавшим на магазин.

— Так кто он?

— Понятия не имею. — Эксперт пожал плечами. — Нарик какой-то, судя по всему.

— Час от часу не легче, — пробормотал Гуров. — Пистолет у тебя?

— Да вот он, родимый. Можешь взглянуть. — Эксперт достал небольшой пистолет с блестящим стволом. Это действительно была итальянская «беретта», на вид почти новая.

Гуров взял его и стал осматривать. Теперь, когда все отпечатки с оружия уже сняты, это можно было делать безопасно. Пистолет оказался почти новым. Сыщику предстояло проверить, кому он принадлежал, то есть установить первого и последнего владельцев.

Гуров записал номер оружия и снова обратился к эксперту:

— Ты уверен, что ствол один и тот же в обоих случаях?

— Обижаешь, Лев Иванович! — заявил тот, покачав головой. — Да там все как на ладони!

— Кто ведет дело этого стрелка?

— Ицхаков из управления Северо-восточного округа, — ответил эксперт. — Он как раз этого деятеля собирается допрашивать, так что...

— А что до сих пор не допросил?

— Так говорю, ранен налетчик. Охранник ему руку прострелил. Пока врач им занимался, время прошло.

— Ладно, спасибо, всего доброго. — Гуров поднялся, вышел из здания и поехал в Северо-Восточный округ.

Ицхаков не удивился приезду полковника. Видимо, эксперт уже доложил ему, что пистолет, изъятый у незадачливого грабителя, засвечен в деле, которым занимается главк. Кажется, майор даже обрадовался ему.

Видимо, это дело мало интересовало его, и он нисколько не возражал бы, если бы Гуров забрал арестованного в свое ведомство. По-человечески Лев Иванович его прекрасно понимал. Время перевалило за полночь. Ицхакову гораздо приятнее было коротать время в отделе за чашкой чая в ожидании новых вызовов, чем заниматься допросом.

— Ты успел что-нибудь выяснить о нем? — спросил Гуров.

— Пока только имя и фамилию. Насчет ствола и ограбления не работал. Налетчика доктор перевязывал. Хорошо еще, что пуля охранника навылет прошла, возни меньше — выковыривать не пришлось. Обработали ему рану, накачали чем-то, чтобы сознание не потерял.

— Ясно. Так как его фамилия? — мимоходом поинтересовался Гуров.

Ицхаков подавил зевоту и заглянул в свои записи.

— Рудаков Сергей Николаевич, — проговорил он, и Гуров почувствовал, что этот день, уже закончившийся, не устает преподносить ему ошеломляющие сюрпризы.

Глава 5

Допрос Сергея Рудакова Гуров закончил только к утру. Ехать домой уже не было никакого смысла, поэтому коротать время до начала рабочего дня ему пришлось в кабинете Орлова.

Гуров рассказал генерал-лейтенанту об аресте Рудакова и о пистолете. Орлов понимал, что дальнейшая работа по этому делу затянется, и сам предложил Гурову арендовать на время его апартаменты. Там было гораздо удобнее, чем в помещении, которое Гуров делил с Крячко. В кабинете генерал-лейтенанта имелся шикарный диван, на котором можно было поспать нормально, а не скрючившись в позе эмбриона, как в кресле Крячко.

Проснулся Гуров не от шума и не от телефонного звонка, а от весьма приятного запаха. Ноздри ему щекотал восхитительный аромат свежего кофе. Полковник открыл глаза и по звяканью посуды за стенкой понял, что секретарша Орлова Верочка готовила кофе для своего шефа. Однако через пару минут она постучала в дверь и вошла с подносом в кабинет. Оказалось, что кофе предназначался для него.

— Петр Николаевич меня предупредил, — заявила Верочка и улыбнулась. — Там, говорит, у меня Лева в кабинете отдыхает, так ты уж проследи, чтобы он с голоду не загнулся.

К кофе Верочка присовокупила два бутерброда с нежно-розовой ветчиной, и Гуров подумал, что утро начинается гораздо лучше, чем он мог представить.

— Спасибо, Верочка, — поблагодарил сыщик и принялся за завтрак.

Когда он почти закончил с этим, в кабинет вошел Орлов. Следом за ним появился и Крячко.

Он тут же опустился в кресло, бодро потер руки и провозгласил:

— Ну что, лучшие сыщики Москвы снова в сборе? Каковы будут наши дальнейшие планы?

— Для начала послушаем рассказ о том, что уже произошло, — заявил Орлов.

Гуров подробно, с самого начала пересказал все вчерашние события, и сам удивился, насколько длинным и насыщенным получился этот день. Правда он захватил и большую часть ночи.

— Итак, на повестке дня у нас несколько фигур, — резюмировал он. — Виктория Рудакова — раз, Лев Хаимович Лейбман — два, Федор Полонский — три.

— Ну и, разумеется, герой минувшей ночи Сергей Рудаков, — заключил Орлов.

— Конечно, — подтвердил Гуров. — Но его можно связать с личностью под номером один.

— Давай подробно про его допрос, — потребовал Орлов.

У Гурова в голове были свежи все показания Сергея Рудакова. Этот двадцатичетырехлетний парень, наркоман, сидевший на героине уже девятый год, оказался сыном Виктории Павловны Рудаковой. Поначалу он начисто отрицал этот факт, хотя смешно не признавать очевидное. Гурову сразу была понятна причина его отказа признавать, что он сын Рудаковой. Незадачливый налетчик не хотел быть связанным с именем Анны Кристаллер.

Рудаков тут же принялся клясться и каяться. Мол, с этим ограблением его бес попутал. Если бы не проклятая наркота, ни в жизнь не пошел бы на такое!

Он постоянно заглядывал в лицо Гурова возбужденными бегающими глазками и повторял:

— Вы мне верите? Верите?

Гуров смотрел на его худое лицо с резко обозначенными скулами, на черные тени, залегшие под потухшими глазами. Полковник видел запястья парня, по которым тянулись дорожки из черных точек от постоянных инъекций, и думал, что этот парень, по всей видимости, законченный наркоман.

Это обстоятельство наверняка было одной из причин странного, непонятного поведения его матери. Но только ли оно? С Викторией Павловной Рудаковой Гурову по-прежнему не все было ясно. Он рассчитывал встретиться с ней сегодня, чтобы обсудить все уже с учетом того, что ее сын арестован за попытку грабежа и причинение тяжкого вреда здоровью.

Охранник из продуктового магазина, к счастью, остался жив. Его благополучно прооперировали, так что этот доходяга хотя бы избавил себя от статьи за убийство.

— Мне просто нужно было на дозу, только на нее! Я умирал, понимаете? Вы мне верите? — долетел до Гурова задыхающийся голос Рудакова.

— Откуда у тебя пистолет? — не отвечая на его риторический вопрос, заявил сыщик.

— Пистолет... — Рудаков запнулся. — Я его нашел.

Гуров едва заметно усмехнулся.

— Где? — поинтересовался он, держа наготове авторучку, чтобы записать показания в протокол.

— Я не помню, — ответил Сергей.

Лев Иванович отложил ручку, внимательно посмотрел на него и осведомился:

— Слушай, ты что, за дурака меня держишь?

— Не помню, честно. Я тогда под кайфом был. Ничего не помню!

— Хорошо. Скажи, когда это случилось?

— Это?.. — Рудаков закатил глаза. — На прошлой неделе, кажется. Вы мне верите?

— Нет, — с усмешкой ответил Гуров. — Ты врешь и делаешь это потому, что знаешь, что позавчера из этого пистолета застрелили человека. Насмерть. А это уже серьезнее неудавшегося ограбления магазина, хотя и оно — не детская шалость. Так что на тебе очень много дерьма. Надо быть совершенно больным на голову, чтобы еще больше усугублять свое положение и рассказывать мне сейчас сказки, в которые не поверит даже пятилетний ребенок!

Гуров бился с Рудаковым долго, несколько часов. Про ограбление тот рассказывал подробно и даже охотно. Когда же речь заходила о пистолете, парень тут же принимался твердить, что нашел его где-то, но где и когда — совершенно не помнит.

Его поведение вызывало у сыщика огромное желание просто взять его за шкирку и хорошенько набить ему морду, чтобы был откровеннее. Но полковник Гуров являлся противником таких методов. Никогда, ни единого раза он не ударил задержанного в своем кабинете, какой бы мразью тот ни был. При этом Лев Иванович не записывался в кроткие агнцы. Кулаки и даже оружие за годы службы он пускал в ход очень много раз. Но не при таких обстоятельствах.

Сыщик применял разные методы. Он то вроде бы совершенно забывал о пистолете, беседовал вообще о другом, а потом резко вдруг спрашивал про ствол или, наоборот, в течение долгого времени повторял один и тот же вопрос, при этом не сводя глаз с лица Рудакова.

В конце концов Сергей стал жаловаться на то, что у него начинается ломка. Его и правда трясло, на лбу выступили крупные капли пота, он тяжело дышал. Конечно, это был удобный момент, чтобы надавить на него и выбить показания насчет пистолета. Но у Рудакова начались судороги, он совершенно утратил способность что-либо говорить. Гурову ничего не оставалось, как вызвать ему местного врача и отложить допрос.

— Вот на этом все и закончилось, — сказал он Орлову и Крячко. — Посему вскоре я жду его мать, буду раскручивать ее. Не может она не знать, откуда у ее сына взялся пистолет. По крайней мере, обязана догадываться. — Он задумчиво постучал костяшками пальцев по столу генерала, потом повернулся к Крячко и спросил: — Говоришь, Саакян помахала ей как лучшей подруге?

— Ну да. Еще и улыбалась.

— А она?

— Она — нет. Наоборот, зубы стиснула и пошла вперед быстро, не оборачиваясь.

— Так-так. Это уже лучше.

— Тебе что-то понятно, Лева? Что связывает Рудакову и Саакян?

— У меня есть только предположение, причем использовать его нужно очень осторожно. Вдруг я не прав? Тогда могу и не добиться откровенности Виктории Рудаковой.

— Ради сынка она будет откровенна! — уверенно заявил Крячко.

— А если эта откровенность ему отнюдь не на пользу? — заявил Гуров. — Не все так однозначно, Стас! Ладно. — Он посмотрел на часы и увидел, что время приближается к девяти. — Давайте переходить к делу. Значит, я занимаюсь Рудаковой, а ты, Стас, во-первых, позвони Полонскому и пригласи прийти к нам. Но не говори, по какому поводу. Скажи, что всех вызывают для повторного допроса. Разобраться и с Рудаковой и с Полонским нужно как можно скорее. Если я не успею, ты, Стас, возьмешь его на себя. Дальше. Нотариус Корзун. С ним я хотел бы сам побеседовать.

— А Лейбман? — спросил Крячко.

Гуров задумчиво поскреб подбородок.

— Лейбман пускай подождет окончания беседы с Рудаковой, — решил он. — Этот разговор должен многое прояснить. Ну что, братцы-сыщики? За работу?

— А то! — Крячко, поднимаясь, хлопнул себя по бедру. — Куда ж мы без нее, родимой?

Виктория Павловна Рудакова сидела в кабинете перед Гуровым с совершенно бескровным лицом. Ей уже было известно, что натворил ее сын минувшей ночью. Видимо, мать, зная о его многолетнем пристрастии к наркотикам, всегда ждала чего-то подобного.

Теперь, когда беда случилась, она, с одной стороны, находилась в шоке, а с другой — даже испытывала облегчение. Ожидание несчастья всегда мучительнее его самого. Гуров видел это по выражению ее белого как мел лица, по рукам, которые не дрожали, а спокойно, безжизненно лежали на коленях. То, чего она ждала и боялась, уже произошло. Нервничать не было смысла. Она сидела молча, погруженная в собственные мысли и чувства.

Гуров вывел ее из этого оцепенения вопросом:

— Виктория Павловна, вы сейчас думаете о том, что грозит вашему сыну за ограбление?

Женщина подняла на него взгляд, и Лев Иванович понял, что она смертельно устала.

— Да, именно об этом я и размышляю, — проговорила она. — Вы, может быть, считаете, что я сейчас соображаю, как его от тюрьмы отмазать, где деньги достать, адвоката и прочее? Нет! — Виктория Павловна покачала головой, вздохнула, провела руками по волосам, снова сложила их на коленях и неожиданно спросила: — У вас дети есть?

— Нет, — не стал врать Гуров.

— Тогда вам сложно будет меня понять, — констатировала она. — Знаете, когда узнаешь, что твой единственный сын — наркоман, поначалу испытываешь шок и отчаянное желание помочь ему выбраться из этой ямы. Ты хватаешься за нелюбимую работу, которая приносит деньги, терпишь унижения, не спишь ночами, забываешь о себе и думаешь только об одном — как спасти своего ребенка. Ты занимаешь деньги, когда он корчится от боли, платишь врачам, чтобы они привели его в чувство, иногда даже сама достаешь ему наркотик, только чтобы не умер. Это страшно. Если бы мне лет десять назад сказали, что придется пройти через такое, я бы не поверила.

Женщина умолкла, но Гуров чувствовал, что она еще не выговорилась до конца, и не торопил ее.

Скоро Виктория Павловна продолжила:

— Я все время боялась, что с ним что-то случится: он умрет от передозировки, его убьют или же приключится еще что-нибудь. Я видела, что время идет, а ничего не меняется. Сын оставался прежним, деньги и нервы уходили впустую. Я нанимала врачей, устраивала его в хорошие клиники. Они помогали, но лишь на время. Потом все начиналось заново. Я постоянно ждала конца, даже не знаю, какого именно. Поэтому теперь, когда сына арестовали, я не паникую по этому поводу. Если ему грозит тюрьма — пусть. Я не стану вмешиваться. Не потому, что мне на него наплевать. Может быть, хотя бы там, пусть в жутких условиях, но он научится наконец-то жить без этих проклятых инъекций. — Мать смотрела в пространство сухими жгучими глазами.

Гуров понимал ее. Но, кажется, она не до конца уяснила всю сложность ситуации.

— Виктория Павловна! — снова заговорил полковник. — Возвращаюсь к своему вопросу. Возможно, я не совсем удачно его сформулировал. Вы думаете, что Сергея обвиняют в ограблении магазина?

— А разве нет? — Она первый раз за время беседы взглянула в лицо сыщику.

— Не совсем. Совершая ограбление, он применил оружие. У него был когда-нибудь пистолет?

— Да что вы! — испуганно сказала Рудакова. — Никогда! Откуда?

— Вот и меня занимает тот же вопрос. — Полковник в упор посмотрел на нее. — Откуда у вашего сына пистолет, из которого была убита Анна Кристаллер?

С полминуты в кабинете висела тишина. Виктория Павловна смотрела на полковника. По мере того как до нее доходило осознание сказанного им, глаза ее становились все больше и больше.

— Как? — наконец выдохнула она. — Такого не может быть!

— Ваш сын когда-нибудь бывал в доме Анны?

— Да, он иногда заходил ко мне.

— А в вечер убийства?

Глаза Виктории стали бегать из стороны в сторону, и Гуров понял, что он на верном пути.

— Ваш сын был там, — убежденно сказал Лев Иванович. — Именно о нем вы говорили с Лейбманом, а вовсе не о вине. Что вы хотели от этого человека? — Поскольку Виктория молчала, Гурову пришлось осторожно достать из рукава еще один припрятанный козырь, который он остерегался показывать раньше времени. — Жанна Саакян в курсе того, что вы принимали Сергея у Анны?

Рудакова вздрогнула, будто ее ударили по лицу. Для Гурова это было лучшим ответом.

Теперь он продолжал смелее:

— Вы, Виктория Павловна, боитесь того, что это станет известно. Но я уже все знаю, понимаете? В отличие от других я не стану вас шантажировать этим обстоятельством, более того, могу вам помочь. Что хотела от вас Саакян в обмен на сохранение этой тайны? Денег?

Рудакова судорожно сцепила руки на коленях и выговорила:

— Если бы денег! Да она отлично знает, что у меня их нет! Саакян хотела, чтобы я поставляла ей сведения о личной жизни покойной Анны и добавляла туда побольше всякой грязи. Она потом могла бы писать свои поганые статейки, основываясь на данных, полученных из «компетентного источника».

— И что, вы согласились?

— Я сказала, что мне надо подумать. Она посоветовала размышлять побыстрее, сказала, что свяжется со мной, и высадила меня. Пока не звонила. Я просто не знаю, что мне теперь делать! — в отчаянии воскликнула она.

— Вам нечего бояться Саакян. Ваш сын так и так в полиции. Так что если она позвонит, можете спокойно посоветовать ей обратиться со своими сведениями о нем непосредственно ко мне. Дайте этой даме мой телефон. — Гуров улыбнулся. — А если серьезно, то Саакян я беру на себя. Вам категорически не следует идти у нее на поводу.

— Да я бы и не смогла, — сказала Рудакова. — Испачкаться этой грязью — увольте!

— Вот и хорошо. А теперь расскажите мне подробно о визите вашего сына в дом Анны, — сказал Гуров. — Во сколько это было?

— Около десяти, — тихо сказала Виктория.

— А как он прошел? Почему его никто не видел?

— В доме есть второй выход. С тыльной стороны. О нем мало кто знает, он удачно замаскирован. Охраны там нет, в него практически никто не входит. Он служил для личных целей. Например, через него выходила Анна, когда не хотела, чтобы об этом знали. Ключи от него имеются только у очень узкого круга лиц. Они были у самой Анны, у меня и у Эдика. Сергей позвонил мне, я велела ему подойти к заднему входу и впустила его. Он себя чувствовал совсем плохо и просил денег.

— На дозу?

— Да, — еле слышно ответила Виктория.

— И что же вы?

— Я сначала сказала, что у меня нет. Но он чувствовал себя совсем плохо. Словом, я решила их раздобыть.

— И обратились к Анне?

— Что вы! Она ни за что не дала бы. Хотя сама!.. — неожиданно зло сказала Виктория.

— Что сама? — переспросил Гуров.

— Ничего, — сухо заявила Виктория. — Только наркотики-то у нее в туалетном столике не случайно нашли.

— Она их употребляла?

Виктория вздохнула и ответила:

— Наркоманкой Анна не была. Так, баловалась, позволяла себе иногда. Денег-то у нее хватало! Это мой Сережа всякую дрянь колет, от которой все внутренние органы разваливаются, а она вообще до шприца не дотрагивалась. Нюхала что-то, какие-то таблетки иногда пила. Но нечасто. Все эти штучки, конечно, стоили дорого.

— Как это отражалось на ее настроении, самочувствии?

— По-разному. Когда веселая становилась, буквально летала, новыми идеями всякими брызгала. Иногда наоборот, вся расслабленная, спокойная. Но чтобы дурная стала — никогда такого не было.

— Понятно. Так что же вы сделали?

— Я подумала, что можно попросить у Льва Хаимовича. Он в курсе моей семейной истории, знает про Сережу. Я у него даже как-то на лечение в германской клинике занимала деньги, потом постепенно рассчитывалась. Работать приходилось как лошади, весь дом на себе везла, только чтобы Анна не выгоняла. Она вычитала у меня из зарплаты в счет долга. Так удобнее рассчитываться. Тем более что жила я при ней бесплатно, и питание тоже дармовое. А что мне еще надо-то? Даже одеждой она меня снабжала. — Виктория окинула саму себя с головы до ног, и Гуров увидел, что ей очень неприятны эти наряды с барского плеча.

Анна небрежно кинула ей подачку, которой Виктория вынуждена была довольствоваться.

— Одним словом, Лейбман мне денег не дал, — продолжала Рудакова. — Отказал наотрез. На лечение, говорит, дал бы, а на дозу — нет. Предложил налить Сереже водки — якобы она ломку снимает. Я уж почти было согласилась, но тут мне пришла идея получше. — Рудакова вдруг замолчала и отвела взгляд.

Гуров понял, что ей очень стыдно рассказывать о том, что произошло дальше.

Полковник решил прийти ей на помощь и спросил:

— Вы поднялись в комнату Анны?

— Да, — твердо ответила она. — Ключи у меня есть. Я помнила, что она хранит свои коробочки в туалетном столике, не знала только, что у нее там есть на тот момент. Да и не разбираюсь я в наркотиках! Нашла порошок, взяла один пакетик, чтобы она не заметила, и пару таблеток отсыпала. Я отнесла все это Сереже и спровадила его поскорее от греха подальше.

— А Сергей все это время был внизу?

— Да. Но если вы думаете, что он убил Анну, то это неправда! — Рудакова испуганно прижала руки к груди. — Украсть Сережа может, это да, но вот убить!..

— Люди под влиянием наркотиков становятся способными на многое, — возразил Гуров. — Но меня волнует только один вопрос. Откуда у него взялся пистолет?

— А сам-то что он говорит? — спросила мать.

— Да врет. — Гуров махнул рукой. — Врет. Говорит, что нашел.

— Может, и правда нашел? На улице? Вдруг убийца его в окно выкинул?

— Туда, куда выходит задняя дверь? Нет. Окно комнаты отдыха находится на боковой стороне дома, не тыльной и не фасадной. И потом, зачем убийца стал бы выбрасывать пистолет в окно, если бы его все равно там нашли?

Виктория растерянно развела руками. Она не знала, что на это ответить.

— Может быть, мне стоит с ним поговорить? — предложила женщина. — Я постаралась бы убедить его сказать правду.

— Попробуйте, — разрешил Гуров. — Я узнаю у врача, в каком он состоянии.

Через пару минут сыщик выяснил, что врач ночью напичкал Рудакова всякими препаратами и остановил приступ. Парень еще не в полной форме, но на вопросы отвечать уже вполне способен. Тогда полковник провел к нему мать, оставил их наедине, а сам встал за дверью в ожидании.

Пока длился диалог между Викторий и Сергеем, Гуров набрал номер оперативника, отличавшегося тем, что он был напрочь лишен каких бы то ни было этических порывов. Ему был присущ здоровый цинизм. Именно этому ценному кадру полковник поручил заняться Жанной Саакян, дабы пресечь ее возможные попытки шантажа. Самому Льву Ивановичу возиться с ушлой журналисткой было некогда. У него имелись дела поважнее.

— Скажи, что ее беседа с Рудаковой зафиксирована, напугай уголовным преследованием, — сдерживая злость, говорил полковник. — Вообще пригрози прикрыть газетенку, скажи, что у МВД на них зуб. Настращай так, чтобы она до конца дней зареклась сплетни публиковать!

— Будет сделано, Лев Иваныч! — В голосе оперативника слышалось удовлетворение.

Этот человек тоже очень не любил шантажистов.

— Пригрожу так, что дамочка начнет писать милые рассказики для детских журналов.

Скинув с плеч одну проблему, далеко не самую важную, Гуров стал дожидаться результата беседы между матерью и сыном Рудаковыми.

Сергей Рудаков чувствовал себя просто ужасно. Ему казалось, что сегодня наступает последний день его жизни. Впрочем, теперь он умирал часто, всегда, когда начиналась ломка. Денег у него не было совершенно, и раздобыть их парень не мог. Поэтому оставался единственный вариант — мать. Она должна была помочь. Если даже у нее нет денег, их можно попросить у этой своей богатенькой подружки.

Мать, разумеется, сказала, что денег у нее нет, но по ее взгляду Сергей понял, что она попытается их раздобыть. Это сразу подбодрило его. Мать усадила сына в темном коридорчике, строго-настрого наказала никуда не выходить отсюда и обещала, что скоро вернется.

Сергей сел и закатил глаза. Ему было очень плохо, тело начинало трястись, но мысль о том, что скоро он примет вожделенную дозу, согревала и придавала сил. Если, идя сюда, он не думал больше ни о чем, кроме как о дозе, то сейчас способность соображать стала в нем просыпаться. Сергей осознал, что находится в доме очень богатых людей и никто не знает о его присутствии здесь.

«А добра-то дорогого тут должно быть немало», — подумалось ему.

Он осторожно высунул голову в проход. Там никого не было. На кухне продолжались какие-то приготовления, но она располагалась за поворотом, за дверью. Из банкетного зала доносились музыка и смех. Мысль о том, что здесь можно разжиться и потом несколько дней не ломать голову над тем, где достать денег на дозу, усмиряла страх, лишала парня чувства опасности.

Сергей вышел в коридор и зашагал по нему. По обеим сторонам в стенах располагались небольшие ниши. В каждой из них стояли великолепные вазы в форме изящных женских фигурок в шляпках.

«Да если одну такую штуковину загнать, то на пару-тройку доз точно можно выручить», — прикинул он.

Но вазу не утащишь так просто. Она большая, в карман не засунешь. Жажда наживы уже полностью овладела им, и Сергей совершенно не думал о риске. Он подошел к какой-то двери и дернул за ручку. Створка распахнулась, и парень вошел в небольшую комнату.

Она была освещена мягким светом, падавшим с настенных ламп. Взгляд Сергея, брошенный по сторонам в поисках ценных вещей, упал на пол. Там находилось то, что пропустить оказалось просто невозможно, — тело женщины.

Сергей узнал ее. Это была давняя подруга его матери, хозяйка дома Анна Кристаллер. Судя по ране во лбу, она была мертва. Подтверждением тому, что в нее выстрелили, являлся пистолет, лежавший возле тела.

В первый миг Сергей подумал, что это такой розыгрыш. Богатеи с жиру бесятся, не знают, что бы придумать почуднее для развлечения. Они уже все перепробовали и ищут что-нибудь новое, чтобы нервы щекотало!

Он неуверенно сделал шаг вперед, коснулся рукой тела Анны и тихонько позвал:

— Эй!

Женщина не ответила и не отреагировала на его прикосновение ни малейшим движением. Сергей понял, что это не розыгрыш, а правда.

Ноги его похолодели, в голове мелькнула одна-единственная мысль — бежать! Он уже повернулся обратно к двери, сделал шаг, взялся за ручку, но не стал поворачивать ее, отступил назад. Уходить несолоно хлебавши ему не хотелось. Парень уже настроился на несколько дней «безбедного» существования! Тем более сейчас, когда Анна мертва, она, во-первых, не сможет его застукать, а во-вторых, никто и не поймет, что что-то исчезло!

Но что тут можно взять? Сергей лихорадочно блуждал глазами по комнате. Вот черт, как неудачно его занесло! Забрать-то нечего, комната почти пустая! Только мебель да телевизор на стене. Он, конечно, стоит кучу денег, но не сунешь же его под мышку!

В отчаянии Сергей уставился на пол. Пистолет! Вот это точно вещь дорогая. Тут, пожалуй, будет не на пару-тройку доз, а побольше. Особенно если действовать аккуратно, через знающих людей. Они помогут толкнуть ствол подороже.

Он больше не колебался, шагнул, поднял пистолет с пола и быстро сунул его в карман. Потом Сергей тихо подкрался к двери, надавил на ручку и высунул голову. Вроде никого.

Парень выскользнул за дверь и направился туда, где велела ему сидеть мать. Сергею показалось, что сзади промелькнула какая-то тень с длинными волосами. Он быстро нырнул в темноту и снова сел.

Его уже не трясло, что было удивительно. Все симптомы ломки куда-то ушли. Теперь он уже не с таким нетерпением ждал мать и даже подумал было уйти потихоньку. Но нет, пока еще ствол продашь!.. Доза все равно нужна!

Вскоре появилась мать. Денег она, правда, не нашла, зато притащила какой-то порошок и таблетки. Ерунда, с герычем никакого сравнения. Таблетки он заглотнул сразу, и ему вроде бы полегчало. Нужно было уходить.

Сергей наскоро пробормотал матери слова благодарности, не упомянул об убийстве, совершенном в комнате отдыха, поднялся и пошел. Мать выпроводила его через черный ход. Она что-то говорила ему на прощание, но он уже не слушал ее. Парень, сутулясь, шел по дороге и все время сжимал в кармане холодный ствол.

Уже дома Сергей прикончил порошок и задумался. Наркотики, которые достала мать, кончились. Как только такое случалось, он тут же начинал размышлять, где бы достать еще.

Сбыть пистолет быстро не получилось. Единственный человек, который имел знакомых, интересующихся оружием, сказал, что такие дела за полчаса не решаются. Ему надо кое с кем поговорить, закинуть удочку и вообще!.. Так что пусть Сергей подождет.

А терпеть уже было нельзя. На следующий день ломило все тело, началась рвота. К тому же матери было явно не до его проблем. На нее навалились собственные. Сергей промучился целый день и решился использовать пистолет по прямому назначению.

Все это полковник Гуров услышал от Виктории Рудаковой после того, как она побеседовала с сыном с глазу на глаз. Сам Сергей, которому врач вколол большую дозу успокоительного, заснул сразу после этой исповеди. Гуров решил пока оставить его в покое и проанализировать услышанное. Допросить Рудакова ему придется еще не раз. А пока он решил обсудить эти новости с Крячко.

— И что, ты ему веришь? — спросил Станислав.

— Скорее да, чем нет, — ответил Лев Иванович. — А ты уже уверен в том, что это он застрелил Анну?

— Это вряд ли, — ответил Крячко. — Во-первых, у него, законченного нарика, руки ходуном ходят. Удивительно, как он охранника в магазине ухитрился зацепить. Во-вторых, убийство было тщательно спланировано, это мы уже определили. А кто доверит исполнение такого тонкого дела этому доходяге? Если только он сам решился, без заказчика.

— Тогда где бы он взял пистолет? — заметил Гуров. — Нет, его слова похожи на правду. Вот почему ствол и не нашли. Киллер не собирался его уносить. Он просто бросил «беретту». Конечно, я еще сам поговорю с Рудаковым, когда он чуток оклемается. Но нужно отрабатывать другие версии. Не забывай о покушении на Эдика Носкова! Между прочим, в этот момент Рудаков готовился к ограблению магазина, так что это явно не он. Да и винтовки с лазерным прицелом у него точно нет. А еще я все время думаю о том, что мне сказал Эдик перед покушением. Про Федора Полонского. Ты, кстати, до него дозвонился?

— Нет, — сказал Крячко. — У него вообще телефон отключен.

— А домой ты ему звонил?

— Да, но там никто не подходит.

— В общем, ничего удивительного. Он вполне может быть на телевидении. Неужели придется откладывать встречу с ним? Ладно, я попробую связаться с Сениным и через него передать. Заодно попрошу прийти и самого Сенина, чтобы Полонский не думал, будто против него возникли подозрения.

— А сейчас ты что собираешься делать?

— Побеседовать с Корзуном, — сказал Гуров.

Однако эти планы сыщику пришлось изменить, поскольку зазвонил его телефон. На связи был Анатолий Носков.

— Лев Иванович, у меня к вам огромная просьба, — заговорил он. — Вы не могли бы подъехать ко мне для беседы?

— Что-то случилось? — спросил Гуров.

— Пока нет. Не хочу говорить об этом по телефону.

— А вы сейчас где? — спросил Гуров.

— Я в студии, с которой работает Эдик. Собственно, вопрос касается его.

— Где находится студия?

— На улице Правды.

Полковник подумал, что это совсем рядом от телестудии, где снимается ток-шоу Сенина и Полонского, и решил заехать туда по дороге.

Надевая плащ, он давал указания Крячко:

— Если Рудаков очухается, запротоколируй его показания насчет пистолета. Сейчас уже можно на него давить. Скажи, что в противном случае он пойдет на зону еще и за убийство Анны Кристаллер. Приставь кого-нибудь к Лейбману, если сам не сможешь.

— А Лейбман-то тебе чем не угодил? — поинтересовался Крячко. — Или ты просто тайный антисемит?

— Не пори чушь. Я пытаюсь определить, кто тот человек, который так хорошо знает привычки Анны и много выигрывает от ее смерти.

— Рудакова, — тут же сказал Крячко. — Между прочим, ты зря списал ее со счетов. То, что у нее сын наркоман, лишнее тому подтверждение. Деньги ей нужны были постоянно, а Анна...

— А Анна периодически ее кредитовала, — перебил Гуров. — Какой ей резон ее убивать?

— Не скажи, Лева! Ты же не знаешь всю подноготную их отношений! Ты слышал только то, что говорила Рудакова, а ее слова некому ни подтвердить, ни опровергнуть. Ты принимаешь их на веру. Вдруг она задолжала Анне Кристаллер крупную сумму? Такую, которую вовек не смогла бы отработать? Да вообще ей стало трудно ишачить на Кристаллер, поскольку годы уже не те?

— Все может быть. Но чтобы нанять киллера, тоже нужны деньги, и немалые. А у нее их нет. Или ты хочешь сказать, что она сама стреляла?

— Я хочу сказать, что те люди, которым было выгодно убить Анну, могли использовать ее в качестве информатора. За деньги, разумеется. Она озвучила им список приглашенных, знала, когда Анна выйдет из зала, могла подать знак.

— Да, вполне могла, — согласился Гуров. — И я ее со счетов не сбрасываю.

— Кстати, что с этим роковым СМС-сообщением? — спросил Крячко. — Не удалось установить, кто его послал?

— Нет. Этот номер нигде не зарегистрирован. Я склонялся к одной мысли, но...

— Кто? — в упор спросил Крячко.

— Жанна Саакян, — признался Гуров. — Вполне в ее стиле. Но теперь не уверен. Ладно, мне пора ехать. Не забывай периодически набирать Полонского.

— Слушаюсь! — рявкнул Крячко и щелкнул каблуками.

Гуров поехал на улицу Правды. Именно там находилась студия «Нота».

Анатолий Петрович Носков встретил его у входа и провел на второй этаж, в комнату, в которой было много музыкальной аппаратуры и мощный компьютер. Видимо, именно здесь и происходили записи песен Эдика Носкова.

Когда они вошли, в помещении находился мужчина лет сорока пяти с крупной красивой головой. Седина совершенно не тронула его волнистые каштановые волосы. Да и вообще этот человек выглядел довольно моложаво.

— Толя, привет! — сказал мужчина и шагнул навстречу Носкову, протягивая ему руку.

Анатолий Петрович ответил на приветствие. Потом человек, находившийся в студии, автоматически поздоровался и с Гуровым. Было видно, что у него какой-то срочный вопрос к Носкову.

Он торопливо заговорил в присутствии сыщика:

— Толя, так мы договорились. Диана тоже едет, две песни в середине концерта...

Носков-старший поморщился и сказал:

— Саша, я тебе уже говорил, что репертуар Дианы не слишком вписывается в этот концерт. Да и публика у них разная! Поклонники Эдика — это в основном молоденькие девчонки. А у твоей дочери наоборот, понимаешь? — Носков засмеялся.

Однако этого самого Сашу не так просто было остановить.

Он решительно встал на защиту своей позиции и заявил:

— Так это же только к лучшему! Поднимутся кассовые сборы. На концерт придут не только девочки, но и мальчики!

Носков молчал с недовольным видом, а мужчина, явно обладающий энергией танка, продолжал:

— Билеты я уже заказал, насчет рекламы договорился, плачу из своего кармана. Разумеется, дорожные расходы на Диану тоже за мой счет. Чего ты так противишься? Жалко десять минут в середине уделить, что ли? Вы свои деньги так и так получите!

— Это деньги Эдика, — сказал Носков-старший. — Концерт тоже его. А он не предполагал, что Диана поедет.

— Вряд ли твой сын станет сильно возражать.

— Ладно, хорошо. — Носкову уже не терпелось завершить этот спор, и он был готов пойти на уступки. — Давай, Саша, у меня еще много дел. Мне с человеком поговорить надо.

Настырный Саша, получивший то, что хотел, не стал задерживаться в комнате и пошел к двери. На прощание он с нажимом сообщил, что сейчас займется приготовлениями в дорогу. Носков облегченно вздохнул и вытер лоб.

— Ух ты, — выдохнул он. — Мертвого уговорит!

— Кто это? — мимоходом поинтересовался полковник.

— Александр Милютин, папа Дианы Милютиной, не слышали?

— Нет.

— Начинающая певичка. — Носков поморщился.

Сыщику было ясно, что Анатолию Петровичу не слишком приятна вся эта семейка Милютиных.

— У папы денег куры не клюют, — продолжил Носков. — Он меховой фабрикой руководит. Вот дочурка и развлекается. Поет, записывается. Но певческого таланта там кот наплакал, честно говоря. Девочка выезжает на папиных деньгах и красивой фигурке.

— Вы говорили, что у вас ко мне дело, — напомнил Гуров.

— Да, — спохватился Носков. — Этот Милютин меня просто из колеи выбил! Собственно, дело-то мое как раз связано с тем, о чем мы говорили. Понимаете, у Эдика должна была состояться гастрольная поездка, запланированная уже давно. Когда Анна погибла, я поначалу решил, что ее придется отменить, однако теперь думаю, что не стоит. Эдику это пойдет на пользу. Если он будет сидеть здесь и киснуть, то у него надолго затянется это депрессивное состояние. Работа — лучшее средство от душевной боли и тоски.

— Согласен с вами, только как же быть с угрозой для его жизни? Я не советовал бы вам легкомысленно относиться ко вчерашнему эпизоду.

— Так я как раз к этому и веду! — воскликнул Носков. — Во-первых, я усилил охрану. Во-вторых, я просил бы вас отправиться в эту поездку вместе с Эдиком.

Гуров изумленно посмотрел на него и спросил:

— Вы это серьезно говорите?

— Разумеется, — подтвердил Носков.

— И речи быть не может, — решительно возразил Гуров. — Я расследую убийство. Какие поездки, о чем вы?

Носков посерьезнел. Он явно подбирал слова для продолжительного монолога.

— Поймите меня, Лев Иванович! — начал он. — Я ведь прошу ради не только Эдика, но и вас самого!

— Не понял, — заявил Гуров и нахмурился.

Носков вздохнул и закурил.

— Вы ведь сыщик-профессионал, — выпуская в сторону дым, отметил он.

Гуров не стал комментировать эти слова.

— А я всего лишь дилетант, волею судьбы вынужденный напрягать мозговые извилины, — продолжал Анатолий Петрович. — Так что вы уж простите, если мои аргументы покажутся вам наивными и неубедительными. Я много времени потратил, размышляя о вчерашнем инциденте и о смерти Анны, и пришел к выводу, что они неразрывно связаны.

— Возможно, вы и правы. — Полковник задумался, пытаясь понять, к чему клонит Носков-старший.

— Но давайте анализировать ситуацию вместе, чтобы понять, так это или нет. Смотрите, на Эдика покушались почти сразу после убийства Анны. Человек, который все это затеял, хорошо знал Анну, следовательно, и Эдика. То есть он знаком с его привычками, характером, осведомлен о планах. В первый раз попытка убийства не удалась. Он непременно станет искать новые пути для устранения моего сына. Следовательно, узнав, что Эдик все же едет с концертом, он обязательно отправится вслед за ним, чтобы попытаться довершить начатое.

— Можно подумать, что вы хотите ему в этом помочь. — Гуров усмехнулся. — Не разумнее ли все-таки отменить концерт?

— Нет-нет! — Носков замахал руками. — Это мы уже решили. Поймите, появляется отличный шанс поймать этого гада. Лев Иванович, подумайте сами. Он обязательно будет где-то поблизости! А вам с вашим опытным глазом профессионала нужно просто зорко следить за всем происходящим. Не беспокойтесь, вы там будете не один. Об охране я уже позаботился. Так что ваше присутствие не только не помешает расследованию, но и может помочь его успешно завершить. Какой толк от того, что вы станете искать убийцу в Москве в то время, когда он отправится убивать моего сына?

Носков был возбужден. Он настолько увлекся своей идеей поимки убийцы через сына, что даже не думал о том, что Эдик все же вынужден будет сильно рисковать. Охрана охраной, но и убийца не лыком шит. Опасно использовать пацана в роли живца! Сыщик знал, что если Эдик все-таки поедет на эти гастроли, то он сам, полковник Гуров, места себе не будет находить, пока тот не вернется домой.

Однако Лев Иванович не спешил отвечать, долго молчал, обдумывая ситуацию, потом спросил:

— А сам-то Эдик в курсе вашей затеи?

— Разумеется. — Носков с серьезным видом кивнул. — Он ее полностью одобряет и даже просил меня переговорить с вами.

— А сам что же не решился?

Носков доверительно склонился к уху полковника и проговорил:

— Если честно, он стыдится своего поведения. Эдик, вообще-то, совсем не такой заносчивый, каким старается себя показать. Он парень ранимый и чувствительный. Иногда его заносит, но потом он всегда переживает из-за этого. Вот и сейчас.

— А контролировать свое поведение он не пробовал? — спросил Гуров и усмехнулся.

— Научится, — не слишком уверенно сказал Носков.

— А где он сейчас?

— Да уже должен подъехать. Нужно тут кое-что свести в записи.

Гуров покосился на аппаратуру и спросил:

— Этим вы занимаетесь?

— Нет-нет, я выполняю чисто спонсорскую функцию. — Носков рассмеялся. — И поэтому считаю, что имею право кое на что. Например, выбирать город, куда Эдику ехать, а также решать, брать кого-то ему в партнеры на концерт или же нет. Вот как с Милютиным. — Он снова помрачнел.

— Такое впечатление, что между вами кошка пробежала, — заметил Гуров.

Носков скривил губы, потом сказал:

— Раз уж Диана отправится в эту поездку, да и вы, надеюсь, тоже, то я вам скажу. У ее папы имеются матримониальные планы в отношении моего сына. А мне это, естественно, не нравится!

— Почему естественно? — спросил Гуров.

— Да потому и не нравится, что это чушь полная! — раздраженно отозвался Анатолий Петрович. — Им всего по двадцать лет — это раз. Они сами друг друга, мягко говоря, терпеть не могут — это два. Ну и в-третьих, столь откровенный расчет!.. Трезвый рассудок, конечно, должен присутствовать в любом союзе, но тут налицо явный и прямолинейный поиск собственной выгоды! И вообще, этот брак не нужен никому, кроме отца Дианы.

— А ему-то он зачем? О какой выгоде вы говорите? — не понял Гуров.

— Саша хочет упрочить положение своей дочери на эстраде, — ответил Носков с легким недоумением, словно это было очевидно для всех. — Оно пока, честно говоря, довольно слабенькое. А как жена Эдика она сразу повысит свою популярность, ее рейтинг возрастет. Милютин убежден, что это сыграет на пользу и Эдику, поскольку их имена долго будут пестреть на страницах прессы.

— А вы так не считаете?

— Я не хочу повышать популярность своего сына таким путем! — резко ответил Анатолий Петрович. — В конце концов, это просто недостойно!

Он закурил еще одну сигарету. Видимо, данная тема была для него совершенно неприятна и волнительна.

Носков-старший наспех сделал несколько крупных затяжек, вдруг спохватился, затушил сигарету в пепельнице и спросил:

— Ну так что, вы поедете? Вылет завтра из Москвы в Самару. Вечером концерт, потом поезд до Саратова, там еще одно выступление, потом в Волгоград и оттуда самолетом в Москву. Лучшие гостиницы. Поезд фирменный, вагон СВ. Через три дня вы будете дома. — Он вопросительно посмотрел на Гурова.

— Пока не могу дать вам ответа, — сказал Лев Иванович. — Чтобы определиться, мне нужно выяснить сегодня еще ряд вопросов. Потом будет видно. Я позвоню вам вечером.

Сыщик спустился на первый этаж и увидел, что Эдик Носков уже приехал. Он стоял возле двери рядом со стройной девушкой с волнистыми каштановыми волосами, такими же, как у Александра Милютина. Гуров понял, что это и есть его дочь.

Девушка, надо признать, была очень симпатичная, даже красивая. Однако Эдик Носков смотрел на нее довольно безразличным взглядом. Да и она отвечала ему тем же. Они почти и не разговаривали между собой.

Гуров не стал задерживаться, мимоходом поздоровался с Эдиком, кивнул Носкову-старшему, вынырнувшему откуда-то из коридора с кипой бумаг в руках, и вышел из здания студии звукозаписи. Он сел в машину и проехал по улице Правды еще один квартал.

На Ленинградском проспекте находилась нотариальная контора Аркадия Корзуна, чуть дальше — студия Носкова, а еще через квартал — телестудия, где проходили съемки программы «Сенин и Полонский». Гуров решил воспользоваться моментом и одним выстрелом убить даже не двух, а сразу трех зайцев. Покончив с Носковыми, он через две минуты был уже у телестудии и для начала все же набрал номер Федора Полонского. Когда ему в очередной раз никто не ответил, сыщик позвонил Андрею Сенину.

К его радости, вскоре он услышал знакомый эмоциональный тенор:

— Да, слушаю. Алло, говорите! Кто это?

— Полковник Гуров, МВД. Добрый день, Андрей Денисович.

— Добрый день. — Сенин, видимо, на ходу пытался сообразить, кто такой полковник Гуров из МВД.

У столь популярной персоны наверняка имелось множество знакомых в самых разных сферах.

— У нас опять возникли некоторые вопросы к людям, присутствующим на банкете у Анны Кристаллер, — помог ему Гуров.

— Да-да! — тут же затараторил Сенин. — Спрашивайте, я отвечу!

— Хотелось бы не по телефону, Андрей Денисович.

— Но я никак не могу подъехать к вам, потому что сейчас занят на работе и буду загружен до позднего вечера. — Сенину явно не хотелось никуда ехать, и он, судя по тону, нашел очень удачную отмазку.

— То есть вы сейчас на телестудии? — чуть разочарованно спросил Гуров.

— Да! — радостно сообщил Сенин.

— Ну так это ж просто отлично! — Лев Иванович сменил тон. — Я как раз рядом. Сейчас я к вам поднимусь, и мы все уладим. Вам не придется терять время.

Сенин попытался было протестовать, но Гуров не дал ему такой возможности, спросив:

— В какой вы комнате?

Сенин вынужден был назвать свои координаты. Через пару минут Гуров поставил свой автомобиль на стоянку и уже поднимался в лифте телецентра.

Сенин сам вышел к нему в коридор. Он был без грима и своего шикарного костюма, в котором обычно блистал перед камерой.

Андрей стремительно подошел к полковнику, пожал ему руку, улыбнулся и сказал:

— Выкроил ради вас несколько минут.

— Весьма благодарен. А где ваш друг Федор Полонский? Было бы удобнее поговорить сразу с вами обоими, чтобы не терять время.

Сенин снова замялся и, как показалось Гурову, испугался. Глаза его почему-то начали бегать.

Он закашлялся, достал платок, долго и старательно сморкался в него, потом сказал:

— Здесь его нет. Я тут по своим делам.

— Андрей Денисович, а как бы мне найти его? Я звоню на сотовый и на домашний, а он не отвечает. Где может быть Федор?

Сенин нахмурился, потом торопливо начал оправдываться:

— Не знаю. Мы, собственно, не столько друзья, сколько коллеги, партнеры! У него свои дела. Мало ли где он может быть.

— А я уж подумал, не заболел ли он. — Гуров внимательно следил за реакцией Сенина.

— Не знаю, не знаю, не знаю! — нервно постукивая ногой, несколько раз повторил Андрей как заклинание, натянуто рассмеялся и заявил: — Да что вы так переживаете? Федя большой мальчик. Он найдется!

Однако Гуров понял, что Сенин знает, где находится Полонский и почему тот недоступен для оперативников. Но вот почему скрывает? И по какой причине шифруется сам Полонский? Этот момент обязательно нужно было прояснить. Какова роль телеведущего в убийстве Анны Кристаллер? Если он не имеет к нему отношения, то почему такая реакция?

Но давить сейчас на Сенина было не только бессмысленно, но и неблагоразумно. Он, разумеется, тут же сообщит Полонскому, что полковник Гуров сильно им интересуется, и тот может вообще уйти в тень. С такими финансовыми и профессиональными возможностями он вполне мог себе это позволить. Значит, надо действовать по-другому — хитрее, тоньше.

Гуров задал Сенину ряд дежурных вопросов, дабы у того не возникло подозрений в том, что сыщик приехал лишь ради того, чтобы выяснить местонахождение Полонского. Минут через десять полковник закончил, и Сенин с облегчением протянул ему руку.

— Андрей Денисович, вы, пожалуйста, передайте Полонскому, чтобы он связался со мной, как только освободится, или хотя бы ответил на мой звонок, — на прощание сказал Гуров. — Мне не хотелось бы затягивать наш разговор надолго, тем более что он, в общем, формальный.

— Непременно, конечно же! — Сенин затряс начесанной головой. — Обязательно все передам! — Он круто развернулся на каблуках и пошел к какой-то двери столь быстро, что Гурова обдало ветром.

Полковник немного постоял, потом двинулся к той же двери. Из-за нее доносились голоса — как приглушенные, так и довольно громкие. Судя по всему, там шло что-то наподобие репетиции. Однако Федора Полонского полковник так и не услышал. Это могло ничего и не значить, но караулить под дверью, а уж тем более подглядывать в щелку, было совсем глупо. И Гуров направился к лифту.

Теперь путь сыщика лежал на Ленинградский проспект, где трудился нотариус Корзун. Его контора, оборудованная на первом этаже жилого дома, не грешила помпезностью. Все в ней было удобно и функционально.

Аркадий Петрович, человек с небольшими усиками, среднего роста и возраста, встретил полковника вежливо, но держался сдержанно, так, чтобы сыщику сразу было понятно, что он собирается быть откровенным до определенного предела. Но Гуров сам знал, как глубоко он мог вникать в нотариальные дела, и не собирался отказываться от своего намерения.

— Я, Аркадий Вениаминович, решил сэкономить ваше время и заехал к вам сам, — начал он, сев в кожаное крутящееся кресло напротив Корзуна.

— Весьма любезно с вашей стороны. — Нотариус чинно склонил голову.

— Речь пойдет, как вы понимаете, об Анне Кристаллер. В первую очередь меня интересует наследство, которое она оставила.

Корзун надул щеки и хотел было что-то сказать, но Гуров его опередил:

— Только не горите мне про профессиональные тайны. Не надо, сейчас не та ситуация. Речь идет не просто о смерти, а об убийстве. Я имею право знать все о том, кто распоряжался состоянием Анны и будет это делать. Важно также, насколько оно велико.

Состояние Анны оказалось весьма внушительным. Корзун сообщил это, когда понял, что отделаться общими фразами не удастся. Гуров недвусмысленно дал ему понять, что может просто изъять документы Анны для изучения нотариусом, работающим в МВД. Таким образом сам Корзун будет избавлен от необходимости что-то объяснять.

— А откуда у нее эти деньги? — поинтересовался Гуров. — Она сама их заработала?

— Таковых средств относительно немного. Большую часть Анна получила после смерти своего мужа Германа Кристаллера, — ответил Корзун. — Он умер четыре года назад, и вдова оказалась единственной его наследницей. Своих детей у него не было, а старшей сестре он ничего не завещал, поскольку та замужем. Кристаллер, видимо, считал, что женщину, состоящую в браке, должен содержать супруг. — Он слегка усмехнулся в усы. — Впрочем, это его личное дело, — тут же добавил Корзун. — Воля покойного — это закон.

— А сестра не обижалась на него за это? — полюбопытствовал Гуров.

— Если такое и было, то мне об этом ничего не известно. Она и Анна никогда даже не виделись и жили в разных городах. Сестра господина Кристаллера не пыталась опротестовать завещание.

— А когда Анна составила его?

— Да вскоре после того как вступила в права наследования. Это было в Германии. У Кристаллера, разумеется, там имелся личный нотариус. Он предлагал ей свои услуги, но она предпочла решить такие вопросы здесь, в России. Общие знакомые рекомендовали ей меня, она обратилась, я охотно помог.

— Завещание еще не вскрывали?

— Конечно, нет.

— И кто наследует состояние?

Корзун несколько раз надул щеки, решил, что отвечать все равно придется, и сказал:

— Основным наследником является ее сын Эдуард. Правда, с одной оговоркой. Он имеет право распоряжаться наследством по своему усмотрению лишь по достижении тридцатипятилетнего возраста. До этого момента Эдуард может получать не больше миллиона в год.

— Не самые плохие условия, — заметил Гуров. — С голоду мальчонка не умрет.

— Да, конечно. Однако Эдик, насколько я знаю, привык к другим масштабам. — Корзун усмехнулся. — Видимо, его мать очень хорошо знала об этом, поэтому и подстраховалась. В сущности, она была права. В противном случае от ее состояния ничего не осталось бы года через три!

Гуров внимательно посмотрел на нотариуса, позволившего себе такую откровенность, и спросил:

— Это вы ей посоветовали?

— Да, я. — Корзун посмотрел в глаза полковнику. — Считаю, что мой совет был дельный. По миру Эдику идти не придется. Есть еще двухэтажный дом в Германии, не очень новый, но добротный. Раньше он принадлежал Кристаллеру. Да еще и московский особняк Анны. Это все тоже достается Эдику. Правда, без права продажи — опять по той же причине. Он может там только жить. Но и этого вполне достаточно. Как вы считаете?

Гуров полагал, что более чем, однако обсуждать этот вопрос не стал и поинтересовался:

— Кто-нибудь еще получает что-то?

— О да! — как-то торжественно произнес Корзун. — Виктории Павловне Рудаковой отходит часть денег, Лейбману тоже, но ему скорее символически.

Он назвал обе суммы. Они были, конечно, приличными, но как-то несерьезными для того, чтобы из-за них пойти на убийство. Впрочем, сын Рудаковой выхватил пистолет вообще ради нескольких тысяч рублей. Хотя это особый случай.

— А Лейбман знал, что ему полагается символическая сумма? — спросил сыщик.

— Я ему не сообщал, но думаю, что он знал. — Нотариус пожал плечами. — Они с Анной были очень близки.

— В каком смысле? — уточнил Гуров.

— Нет, совсем не в том, в каком вы думаете. — Корзун засмеялся как-то странно, почти беззвучно, словно шепотом. — Они были скорее друзьями. Эти одинокие и не слишком счастливые люди относились друг к другу бережно. Я вообще думаю, что ближе Лейбмана у Анны никого не было. Да и у него тоже. У нее хотя бы сын, а Лев Хаимович вообще один. Его отношение к Анне порой было трогательным, каким-то отеческим. Я не знал Германа Кристаллера, но полагаю, что в браке с ним больше присутствовал расчет. Со стороны Анны, разумеется. А Лейбман!.. Знаете, думаю, что если бы Анна согласилась выйти за него замуж, то он был бы счастлив.

— А Лейбман делал ей такое предложение? — поинтересовался полковник.

Нотариус снова тихо засмеялся и ответил:

— Если и да, то не в моем присутствии. Я просто видел его со стороны. Он старше Анны лет на двенадцать-пятнадцать, и она ему казалась чуть ли не девочкой. Я помню, как Лейбман на нее смотрел, говорил, давал советы. Возможно, спустя некоторое время именно это и произошло бы. Может быть, их брак стал бы оптимальным для обоих. Анне противопоказано было жить одной. Не такая она женщина.

— Но рядом с ней в последнее время был мужчина. — Гуров помнил об Антонио Тедески.

— Ой, не смешите меня. — Корзун поморщился. — Эта игрушка уже начала надоедать Анне. Ей был нужен мужчина, а не второй ребенок.

— Кстати, Тедески не включен в завещание?

— Упаси боже. — Нотариус махнул рукой. — Анна не была столь глупа и деньгами распоряжалась трезво. К тому же завещание было составлено, как я говорил, четыре года назад, и с тех пор Анна не вносила в него изменений. Что-то она, конечно, тратила на этого итальянца, но это были мелочи. Эдик съедал у нее стократ больше.

— Кстати, а Анна не пыталась восстановить брак с первым мужем? Мне показалось, что их отношения были хорошими, даже дружескими.

— Кажется, не пыталась. Да и он вроде бы не настаивал.

— Все-таки у них общий сын. Носков, кстати, так и не женился после развода с Анной. Не знаете почему?

— Нет, я с ним мало знаком. Он все время в разъездах, занят своим бизнесом. Может быть, у него кто-то есть? Мы же не в курсе.

— Он не упоминается в завещании?

— Нет, — ответил Корзун. — Все-таки дружить с первым мужем и оставлять ему деньги второго — это чересчур. Многих ли вы знаете женщин, которые отписывают наследство бывшим мужьям? — Нотариус скептически посмотрел на Гурова.

— Если честно, не припоминаю таких случаев, — с улыбкой ответил полковник.

— Так что если вы предполагаете, что Анну застрелили из-за наследства, то зря. Оставьте эту версию. Ее просто некому убивать по этой причине. Эдик наследник лишь условно, Лейбман и Рудакова получают не так много, да и вообще люди преданные. Носков и Тедески не будут иметь вообще ничего. Я ведь вас сразу предупредил о профессиональной этике, потому что знал, что не смогу помочь. — Корзун вздохнул. — Я, вообще-то, склонен считать, что дело в этом пресловутом мюзикле, о котором было так много разговоров. Деньги там обещали большие, даже слишком, а на жирный кусок всегда находится много желающих. Есть люди, которые готовы выдрать его из чужого горла!

Гуров, разумеется, работал над этой версией. Ему уже было известно, что никто из представителей фирм, которые тоже рассматривались в качестве потенциальных получателей гранта на постановку мюзикла, в Москву не приезжал.

Это, конечно, ничего не означало. Ведь убивать Анну своими руками никто из них не стал бы. Они могли быть лишь организаторами, завербовать в качестве информатора кого-то из людей, близких Анне.

Возможные связи сейчас тщательно проверялись оперативниками. Отработкой этой версии плотно занимался не один человек. Результаты должны были появиться вскоре, во всяком случае к возвращению Гурова из гастрольной поездки. А полковник уже склонялся к мысли о том, что она состоится.

Теперь же он сказал:

— Вы очень тщательно подготовили все пункты завещания, Аркадий Вениаминович, хотя речь шла о довольно молодой, цветущей женщине.

— Ей было сорок пять лет, — подтвердил Корзун. — На момент составления завещания и того меньше — сорок один.

— У вас возникала мысль о том, что она может умереть?

— Мы все когда-то умрем, — философски заметил Корзун. — Я занимаюсь нотариальными делами не один десяток лет. Такова моя работа. Я привык не задумываться над тем, умрет мой клиент завтра или проживет еще лет пятьдесят. Я готовлю завещание, исходя из соображений, разумных на момент его составления, при этом неукоснительно следую воле самого завещателя. Я же не могу сказать: «Знаете, вы еще молоды, вам жить да жить. Зачем вы думаете о каком-то завещании? Бросьте это дурное дело, оно подождет!»

Собеседники улыбнулись.

— Аркадий Вениаминович, вы ведь довольно хорошо знали Анну. Можно ли сказать, что она считала вас своим человеком?

— Если вам угодно. — Корзун кивнул.

— Вы были вхожи в ее дом? — продолжал Гуров.

— Да, — подтвердил нотариус.

— А почему вы не присутствовали на банкете? Вас не пригласили?

— А что мне там делать? — удивился Корзун. — Я к мюзиклу отношения не имею, никаких документов по нему не оформлял. Это вообще не в моей юрисдикции.

— Но там было много людей, не имеющих к нему отношения.

— Нет! — Корзун махнул рукой. — Там был бомонд, а я все-таки не по этой части. На таком мероприятии я чувствовал бы себя не в своей тарелке. Анна это знала, поэтому и не позвала меня.

— Что ж, понятно. — Гуров поднялся. — Кажется, я выяснил у вас все, что собирался. Вынужден буду попросить у вас копию завещания.

— Это можно. — Корзун сам отксерокопировал завещание и протянул теплые бумаги Гурову.

Полковник аккуратно сложил их и попрощался с нотариусом.

В машине он набрал номер Носкова и сказал:

— Анатолий Петрович, я согласен. Во сколько вылет?

Под конец дня Гуров сидел в кабинете Орлова вместе с Крячко и самим генерал-лейтенантом, который только что выслушал их отчет о работе за день.

— Лева, ты что, с ума сошел? — набросился он на Гурова, едва тот высказался о своих дальнейших планах. — Какая поездка, что за гастроли?

— Я вернусь через три дня, — твердо сказал Лев Иванович. — За меня здесь будет Стас. Работает еще целая группа оперативников. Все указания я уже дал, к тому же постоянно буду на связи.

— Да это детский сад какой-то! — сердился Орлов. — Ты как будто в отпуск собираешься удрать!

— Петр, я еду работать, — отчеканил сыщик. — Поверь мне, я знаю что делаю!

Генерал сокрушенно развел руками и потряс головой. Крячко молчал, но по его виду было ясно, что он на стороне Гурова.

Орлов посмотрел на них обоих, потом обратился к Льву Ивановичу:

— Почему ты решил, что это необходимо?

— Меня убедил разговор с Носковым. — ответил Гуров. — Я все обдумал и понял, что это действительно нужно сделать. Для скорейшей поимки убийцы.

— Надеешься, что он выведет нас на заказчика? А вдруг нет? Даже если ты его возьмешь, он уйдет в глухую молчанку. Ты что, первый год в розыске? Киллеры сдают заказчика только в исключительных случаях.

— Значит, надо постараться, чтобы этот случай стал исключительным! — сказал Гуров. — Вот этим как раз здесь займется Станислав. Я его проинструктировал самым тщательным образом.

— Ой, темнишь ты, Лева! — Орлов погрозил ему пальцем.

— Ой, не лги, Лева, царю-батюшке! — тут же подхватил Крячко, которому надоело сидеть молча в унылой обстановке.

— А тебе все повеселиться хочется, да? — вздохнул Орлов. — Или старый друг втянул тебя в свои интриги?

— Когда это Лева был интриганом?! — укоризненно сказал Крячко.

— Всегда, — констатировал Орлов. — Он постоянно мысленно выстраивает целую стратегию и никому до конца не говорит, что у него на уме! Если бы я с начала знал, что он задумал, то в большинстве случаев просто запрещал бы ему это делать!

— Тогда глухарей у нас было бы в пятьдесят раз больше, — заявил Крячко. — Он потому и не ставит тебя в известность, что ты раскудахтаешься и сперва запретишь, а потом будешь требовать раскрытия убийства. Так что скажи спасибо Леве. Он бережет твои нервы. И мои тоже.

— Лева, ты понимаешь, что я могу просто не разрешить тебе ехать? — Орлов явно обиделся на слова Крячко о кудахтанье.

— Понимаю. Но так как ты доверил это дело мне, а меня знаешь, то разрешишь, — твердо сказал Гуров.

Орлов помолчал немного, поцокал языком, потом надел очки, опустил глаза в свои бумаги и процедил:

— Идите оба. Делайте все, что хотите, но если через три дня дело будет стоять на том же месте, то я с вами поговорю по-другому. Вы меня тоже знаете.

Гуров с Крячко синхронно поднялись и вышли из кабинета. В коридоре они хлопнули друг друга по ладоням и направились к лестнице на выход. Рабочий день давно был закончен, скоро сменится и календарный.

Легкий ветерок, совсем не холодный, приятно освежал. Сыщики шли к своим машинам, не очень торопясь и обсуждая последние детали.

— Людей, думаю, у тебя достаточно, — проговорил Гуров. — Только прошу, не бери кого попало. Лишь самых лучших и опытных. Мы не имеем права ошибиться.

— Да понял я все, Лева! — лениво отвечал Крячко, поднимая голову к небу, усыпанному звездами. — Блин, с этой работой такие отличные дни упускаешь! — Он тяжело вздохнул. — Скоро дожди зарядят, холод, слякоть, и прощай, теплые солнечные денечки, до самой весны! Тебе хорошо — в круиз едешь. По Волге!

— Боюсь, я ее даже не увижу. Стас, я в управлении завтра уже не появлюсь, так что если возникнут вопросы, звони.

— Давай! — Крячко снова стукнул Гурова по ладони и вдобавок легонько толкнул в бок. — Удачи!

— Кручин! Слава богу, ты на месте! — Андрей Сенин, прокричавший эти слова в микрофон мобильника, был на грани истерики.

— Что такое? — недовольно отозвался Юрий Кручин.

Он только что принял ванну и собирался спокойно полежать на постели. После горячей воды этот человек всегда чувствовал себя расслабленным.

— Кручин, у нас проблемы! — затараторил голос. — Срывается субботний эфир!

— Что? — Кручин поднялся. — Почему?

— Да все потому же! Потому что эта свинья... — Дальше последовал отборный мат. — Приезжай немедленно! Я тут без тебя не управлюсь. Но и это еще не все. Полонского ищут менты и обязательно найдут!

— Господи, этого еще не хватало! — испугался Кручин. — В связи с чем?

— Кручин, миленький, ты приезжай быстрее. Я тебе все на месте объясню. Ведь надо что-то делать, причем срочно!

— Ты сейчас где? — спросил Кручин, барабаня кончиками пальцев по телефону.

— У Полонского. Давай быстрее сюда.

— У меня волосы мокрые. Не раньше чем через час...

— Да ты с ума сошел! — взвыл Сенин. — Говорю тебе, дело срочное.

— Тьфу!.. — Кручин выругался. — Ладно, жди. Постараюсь поскорее.

Юрий натянул штаны, матерясь сквозь зубы, воткнул фен в розетку и стал сушить волосы. Он почему-то всегда боялся простудиться, даже летом, и никогда не выходил на улицу с влажными волосами, хотя их на его голове осталось не так и много. Струя теплого воздуха быстро высушила редкие пряди. Кручин осмотрел себя в зеркало и пошел к двери.

Доехав до дома Полонского, он сразу увидел красный спортивный автомобиль Сенина перед подъездом. Юрий поднялся, позвонил, и Андрей тут же распахнул дверь.

— Проходи, — буркнул он, высунув голову и осмотрев лестничную клетку на предмет наличия соседей.

Она была пуста.

Кручин прошел в гостиную. Там царил полный беспорядок, но самого хозяина не было.

— Там он! — Сенин махнул рукой в сторону дальней комнаты и первым побежал туда.

Андрей второй день названивал Полонскому, своему партнеру по ток-шоу. Нужно было готовиться к очередному выпуску, но тот не отвечал на вызовы. Последний раз коллеги виделись на банкете у Анны Кристаллер, и Сенин вообще уже жалел о том, что они туда пошли.

Наконец он не выдержал и направился к Полонскому домой. Андрей несколько раз позвонил в домофон, не дождался ответа и открыл дверь своим ключом. Полонский на всякий случай вручил ему его довольно давно. Андрей уже догадывался, что произошло, и готовился пережить неприятные минуты. Ожидания, увы, его не обманули. Войдя в комнату, он увидел именно то, чего так боялся.

На постели лежало безжизненное тело Федора Полонского. Однако популярный ведущий был не мертв, а всего лишь мертвецки пьян. Когда Андрей увидел такое, ему захотелось набить Полонскому морду. Он быстро подошел к кровати и начал отчаянно трясти его за плечо.

Когда это не помогло, Андрей стал кричать Полонскому в ухо:

— Федор, это я, Андрей! Ты слышишь что-нибудь? Да открой же глаза, твою мать!

Полонский не реагировал.

— Федор! — заорал Андрей. — Проснись! Да очнись же, скотина! Ты понимаешь, что у нас проблемы?

Полонский приоткрыл глаза и тупо захлопал ими.

— Какие проблемы? — пробормотал он.

— Да многие! У нас в субботу эфир. Ты что, забыл? Нужно ехать в студию. И менты тебя разыскивают!

— Менты? — удивился Полонский. — А им-то что нужно?

— Это ты у них спроси. Федор, давай, приходи в чувство — и поедем!

— Я никуда не поеду, — едва выговорил Полонский. — Я устал.

— Да ты что, обалдел, что ли? — заорал Андрей. — Как это не поеду? А программа?

— Я ухожу в творческий отпуск, — заплетающимся языком сказал тот.

— Да кто тебе даст сейчас отпуск? Ты в своем уме? Начало нового сезона! Нельзя!

— Мне можно, — веско заявил Полонский. — Я звезда. Думаешь, ты один такой, да? Привык на переднем плане щеголять. А без меня ты кто? Никто, ноль! Тьфу! — Полонский презрительно сплюнул и попал в лицо Сенину.

Андрей ахнул и схватился за щеку. Метнувшись в ванную, он принялся яростно тереть ее, потом выскочил оттуда со скоростью торпеды и снова помчался в комнату, где лежал Полонский. Тот, кажется, впал в жалостливое, слезливое настроение и непонятно кому изливал душу, рассказывал, как его неоправданно затирают из-за того, что эта жалкая бездарность считает себя талантливее.

— Так, хватит! — Сенин крупными шагами подошел к кровати и принялся расхаживать перед ней взад-вперед. — Жалуется он! Я везу восемьдесят процентов эфира! У меня хронический тонзиллит — профессиональная болезнь. И ты еще смеешь что-то говорить о справедливости?

— Справедливости на свете нет, — горько заключил Полонский, смахнул слезу и уснул.

Сенин снова кинулся к нему, попытался разбудить, однако Полонский то ли притворился, то ли в самом деле крепко вырубился. Андрей покрутился возле него минут десять, даже заводил будильник и совал под ухо этому пьянице. Наконец Сенин отчаялся и набрал номер Кручина.

Все это он успел рассказать администратору, пока тот шел к дальней комнате, где находилось тело героя, павшего в неравной битве с зеленым змием.

Кручин приоткрыл дверь, и в нос ему сразу же ударил спертый воздух. Полонский лежал поперек кровати. Сенин подпрыгивал рядом.

— Ты только посмотри на него! — истерически воскликнул он. — У нас же в субботу эфир!

Кручин быстро оценил обстановку, оттолкнул Сенина, решительно подошел к Полонскому, наклонился над ним и невольно поморщился от запаха, исходящего от тела эпического героя.

— Фу, свинья! — демонстративно прошипел Сенин.

— Так! — Кручин выпрямился, огляделся, подошел к окну и раскрыл его, впуская в комнату свежий воздух. — Пойдем-ка пока на кухню. Пусть тут проветрится хорошенько. Может, и его освежит. А мы пока прикинем, что делать.

Кухня тоже была не в лучшем виде. На столе валялась перевернутая пепельница, окурки рассыпались по полу. Сенин по-заячьи перепрыгнул через мусор и устроился на подоконнике, но долго сидеть на одном месте был не в состоянии. Он быстро слез с него и заходил по кухне туда-сюда. В конце концов Андрей угодил лакированным ботинком в кучу пепла, чертыхнулся и отошел в угол.

Кручин спокойно сел на табурет и задумался.

Сенин нарезал круги вокруг него и вскрикивал:

— Ну за что мне все это? Вот она, человеческая благодарность!

— Заткнись, — сказал Кручин. — Надо думать, как выходить из положения. Значит, эфир в субботу. Нужно уговорить его хотя бы поехать в телестудию, а там уже будет проще.

— Ты что, хочешь его в таком виде в эфир выпустить? — Сенин схватился за сердце. — Я лучше сразу уволюсь. Не нужен мне такой позор! Это же конец моей репутации!

— Ну не твоей, а его, — заметил Кручин.

— Да это одно и то же. На программе можно будет поставить крест.

— Подожди хоронить себя и программу, выкрутимся. Гримеры подсуетятся, рожу ему замажут хорошенько. Освещение дадим соответствующее, приглушенное, чтобы он в тени сидел. Это ты по студии носишься как угорелый, а ему не надо зайцем скакать. Посадим в уголок и пусть оттуда вещает — да, нет! — поменьше рот открывает и не встает. И все.

— Ага, он еще захрапит прямо в студии.

После этой фразы из комнаты действительно донесся богатырский храп. Сенин всплеснул руками, побежал туда, подскочил к Полонскому и принялся тормошить его. Когда это не помогло, он в отчаянии принялся лупцевать коллегу по щекам.

— Тише! — остановил его подошедший Кручин. — Ты ему еще больше рожу испортишь. Никакой грим не возьмет.

— А что с ним еще делать? Скотина пьяная, всю жизнь за мой счет живет, на моем имидже только и держится.

— Хватит причитать! — раздраженно сказал Кручин, снова подошел к Полонскому и заглянул ему в лицо.

— Двинь ему хорошенько! — посоветовал сзади Сенин.

Кручин, не обращая на него внимания, заговорил с Полонским ласково, тихонько похлопывая его по небритой щеке:

— Федя, Феденька! Слышишь меня? Это Игорь. Узнал? Ну вот и молодец, вот и умничка. Сейчас мы быстренько все поправим. Водички хочешь? Сенин, принеси ему воды.

— Еще чего! — раздраженно бросил Андрей, однако поймал взгляд Кручина и покорно пошел на кухню.

Он вернулся оттуда со стаканом и сунул его в физиономию Полонскому. Вода брызнула на лицо Федора, и он блаженно замычал.

— Вот и хорошо, вот и славно, — быстро заговорил Кручин, ловко выхватил у Сенина стакан и сам приставил его к губам Полонского. — Видишь, как водичка помогает? Сейчас совсем полегчает. Пей!

Он осторожно наклонил стакан. Полонский принялся пить, однако тут же фыркнул. Его глаза, слипшиеся, казалось, намертво, вдруг раскрылись.

Он удивленно произнес почти четким голосом:

— Это что, вода, что ли?

— А что же еще? — в свою очередь удивился Кручин.

— Не надо мне вашей воды. — Полонский размашисто поднялся на постели, покачнулся и подошел к столу, на котором стояли чуть початая двухсотграммовая бутылочка коньяка и точно такая же, не откупоренная. Не успели его коллеги опомниться, как он опрокинул спиртное себе в рот. Сенин расширившимися от ужаса глазами смотрел, как стремительно пустела пузатая бутылочка. Высосав все до конца, Полонский блаженно вытер губы и потянулся за добавкой. Но тут уже Сенин оказался проворнее его. Он успел выхватить бутылку и понесся с нею в туалет. Послышался характерный звук жидкости, выливаемой в унитаз.

— Вот тебе коньяк! — победно сообщил он Полонскому, нарочито потрясая пустой бутылкой перед его носом.

Федор смерил Сенина тяжелым взглядом, отчего субтильный Андрей невольно съежился и на всякий случай сделал шаг ближе к Кручину. Администратор, казалось, вообще впал в ступор от происходящего. Он тупо наблюдал, как все его благородные планы по реанимации артиста рушились прямо на глазах. Потом Игорь сел к столу и обхватил голову руками.

Сенин составил ему компанию, устроился рядом и сокрушенно прошептал:

— Все погибло! — Потом он предложил: — А если вообще без него обойтись?

— Не выйдет, — отмел этот вариант Кручин. — У вас ток-шоу «Сенин и Полонский», а не «Сенин и только Сенин». Сами такое идиотское название придумали. Так что его даже заменить не получится. Должны быть Сенин и Полонский, и все тут!

— Вдобавок его еще и менты разыскивают! — сообщил Сенин.

— Менты? — Администратор покосился на него. — Зачем?

— Ох, да все из-за этого ужасного происшествия у Анны Кристаллер! Ну, помнишь, я тебе рассказывал?

— Ах, да! — Кручин поморщился. — А вот вам наука! Я говорил, что нечего туда идти. Знал же, что там крупная пьянка будет и он обязательно соблазнится. Вот вам и результат!

— Мне за руку его всюду водить, прямо как ребенка? — оправдывался Сенин. — Я ему не нянька.

— Кто не ищет соблазнов, тот их и не находит! — назидательно сказал Кручин. — Чего менты хотят?

— Да если бы я знал! Наверное, накосячил он там что-то. — Сенин поймал крайне недовольный взгляд администратора, тут же пошел на попятную и заявил: — А может, и ничего. Допустим, они просто поговорить с ним хотят, как и с другими гостями. А как я его им покажу? Вот и приходится прикрывать на свою голову. Не дай бог, из-за него и на меня падет подозрение!

— Ладно, менты подождут. Давай пока с эфиром решать. — Кручин сидел в молчании несколько минут, потом поднял голову.

Глаза его смотрели уже не столь тупо, и в сердце Сенина зажглась надежда.

— Значит, без Полонского нельзя, — медленно проговорил он. — А с ним тоже не получается, значит...

— Значит? — эхом прошелестел Сенин.

Кручин щелкнул пальцами и резко поднялся.

— Есть! — сказал он. — Вот она, идея! Правда, придется покрутиться, но это ничего. Поехали, время дорого. — Администратор направился к двери.

— А с этим что? — Сенин показал на Полонского.

— Да пусть валяется. Устанет пить — сам бросит. Поехали!

Сенин еще секунду колебался, потом подошел к Полонскому и накрыл его одеялом, поднятым с пола. Затем он тщательно запер дверь на два замка и побежал за оживившимся администратором.

Глава 6

В Шереметьеве было шумно. Гуров со спортивной сумкой, собранной практически ночью, стоял у здания аэровокзала и ждал Эдика Носкова. Немного поодаль расположились Милютин с дочерью. Диана выглядела не выспавшейся, зато ее отец был бодр, свеж и все время что-то говорил дочери. Девица слушала вполуха. Ее вообще, кажется, не слишком прельщала эта поездка, чего нельзя было сказать об Александре Милютине.

Из-за поворота вывернул черный «Лексус» и затормозил на площадке перед зданием. Первым из машины вышел Анатолий Петрович, следом за ним показался и Эдик. Носков-старший открыл багажник и достал оттуда несколько весьма габаритных чемоданов. Создавалось впечатление, что Эдик отправляется в гастрольный тур по меньшей мере на месяц.

Носков за руку поздоровался с Гуровым, суховато кивнул Милютину и начал заносить чемоданы внутрь аэровокзала. Эдик взял пару сумок полегче и тоже потащил их. Когда багаж был занесен, Носковы подошли к полковнику.

— Еще раз большое спасибо, Лев Иванович! — Носков пытался скрыть волнение, но было видно, что он лишь старался казаться уверенным, а в душе переживал за исход этой поездки.

Эдик надел солнечные очки, видимо, чтобы скрыть темные круги под глазами. Он был сегодня каким-то особенно тихим. То ли парень не выспался, то ли на него все еще действовали успокоительные средства. Он посмотрел на Диану, та холодно кивнула ему и отвернулась.

Александр Милютин тут же схватил дочь за руку и потащил к компании Носковых и Гурова. Он принялся шутить, словно не видя, что и Анатолию Петровичу, и Диане совершенно не смешно. Улыбался разве что Эдик, да и то как-то натянуто.

Наконец Милютин несколько угомонился, понизил голос и попросил Носкова-старшего отойти в сторонку для обсуждения каких-то деталей концерта. Эдик завел беседу с Дианой. Гуров молча стоял неподалеку. Девушка односложно отвечала на вопросы парня. Ясно было, что она поддерживала этот разговор лишь из вежливости. В конце концов Эдик замолчал.

Беседу Милютина с Носковым прервало появление черного джипа, из которого вышли двое мужчин крепкого телосложения и направились в их сторону. Это были охранники, нанятые Носковым. Анатолий Петрович подошел к ним, задал несколько коротких вопросов и на каждый из них получил утвердительный ответ.

Потом он приблизился к Гурову и сказал:

— В поезде охрана поедет в вашем вагоне. Всего два человека, но я думаю, этого достаточно. Вы едете с Эдиком в пятом купе, охрана в шестом, Диана в седьмом.

— Одна? — уточнил Гуров.

— Да. Ее отец, похоже, считает, что отсутствие родительской опеки скорее сблизит Диану и Эдика. Если бы он знал, насколько моему сыну сейчас не до этого. — Анатолий Петрович невесело усмехнулся. — А вот мне, пожалуй, не мешало бы вас сопровождать. Я даже подумываю отказаться от командировки. В конце концов, подписание договора можно и перенести, вообще отказаться от подряда. Никто от этого не умрет!

— Не стоит горячиться, — охладил его пыл Гуров. — Вы вряд ли сможете чем-то быть нам полезны, так что лучше делайте свою работу, а мы с охраной займемся своей. Я очень надеюсь, что по возвращении все опасности для вашего сына исчезнут.

— Вашими бы устами!.. — Носков вздохнул и посмотрел на часы.

До начала посадки в самолет оставались считаные минуты. Гуров предложил пройти в зал, и Носков кивнул. Вскоре прозвучало долгожданное объявление. Пассажиры направились к турникету. Носков и Милютин остались позади.

В самолете место полковника оказалось у окна. Эдик Носков сидел в центре, между Гуровым и одним из охранников, тем, что постарше. Звали его Николай Рябинин. Фамилии второго Гуров не знал. Напарник обращался к нему просто по имени — Витя.

Самолет взял разбег и легко взмыл ввысь. Позади осталась Москва, впереди лежало Поволжье. Гуров скосил глаза на Эдика. К удивлению сыщика, тот смотрел в окно через его голову, и в глазах парня был детский восторг.

— Любишь летать на самолете? — спросил Лев Иванович, подняв бровь.

— Да, здорово, — искренне ответил Эдик.

— Так стал бы летчиком, а не певцом, — полушутя сказал полковник.

— Да, это уж точно было бы лучше, — с огорчением в голосе заявил Носков-младший, и Гуров удивился еще больше.

Он никогда бы не подумал, что в избалованном сынке богатеньких родителей могут жить подобные мечты. Эдик Носков в роли летчика казался ему карикатурной картинкой.

— Эдуард, где ты поешь в Самаре? — спросил Рябинин.

— Во Дворце культуры железнодорожников, — ответил тот. — А в Саратове — в местном цирке.

Рябинин кивнул так, как будто хотел сказать, что ему хорошо знакомы эти объекты. Гурову доводилось бывать во всех трех городах Средней Волги, которые им предстояло посетить, и знал их довольно неплохо. Правда, саратовский цирк он никогда не посещал, знал лишь, что тот находится в самом центре города.

Самолет приземлился в Самаре ровно в двенадцать часов, после чего все они в такси отправились в гостиницу. Гуров и Эдик занимали один номер, охрана — другой, Диана же везде была в одиночестве. Но, кажется, девушку это нисколько не волновало. Она выглядела невозмутимой и даже несколько инертной.

Вместе с ними в Самару прибыл технический персонал, но все эти люди держались отдельно и поселились в гостинице на другом этаже, в номерах попроще. У них была своя работа, и пересечься с ними юным артистам предстояло лишь перед началом концерта.

Гуров постоянно чувствовал напряжение. Он все время не спускал глаз с Эдика. Лев Иванович не был телохранителем, но все же невольно думал об опасности, которой подвергался парень. Главная цель сыщика состояла в том, чтобы вовремя засечь попытку нападения и предотвратить ее.

Собственно, до вечера можно было особо не волноваться, поскольку они не покидали гостиничного номера и обед им подали туда же. Потом Эдик немного вздремнул, Гуров же позвонил Крячко и услышал, что все идет в соответствии с его распоряжениями.

— Не дрейфь, Лева! — бодро заявил Станислав. — Можешь спокойно окунуться в волжскую водичку.

Концерт должен был начаться в семь часов, но уже с пяти стали звонить технари. Они должны были подъехать в цирк раньше, на так называемый саундчек. Так на их профессиональном сленге назывался процесс настройки звукового оборудования и аппаратуры. Собственно, Эдику и Диане делать было особо нечего. Концерт все равно должен был пройти под фонограмму. Задача молодых исполнителей состояла всего-навсего в том, чтобы умело открывать рот. Для этого требовалось лишь провести одну-две репетиции перед концертом.

Из гостиницы они выехали в половине шестого. До Дворца культуры железнодорожников было рукой подать. Всю дорогу Гуров внимательно смотрел в зеркало заднего вида, пытаясь определить, не прицепился ли к ним хвост. По дороге им попалась афиша, говорившая о том, что сегодня состоится концерт с участием московских поп-звезд.

Эдик Носков фигурировал там как Эд-энд-эн. Видимо, амбициозный парень предпочел вычурный и непонятный псевдоним своей не слишком благозвучной фамилии. Диана по этому поводу не комплексовала. Она выходила на сцену как Милютина.

Но афиша интересовала Гурова лишь потому, что подтверждала — концерт столичных певцов не тайна, о нем было заявлено открыто. Значит, тот человек, который хочет убрать Эдика с дороги, тоже прекрасно об этом осведомлен.

Но вот как он будет осуществлять свой план? Сыщик ломал над этим голову со вчерашнего дня. Он старался угадать мысли убийцы, ставил себя на его место.

Выстрелить во время концерта — замысел неоднозначный. С одной стороны, там много народа. Можно легко затеряться в толпе, бросить ствол с глушителем прямо на пол, а для начала притаиться где-нибудь на галерке. С другой — нужно суметь хорошо прицелиться, чему толпа не способствует. Да и мишень постоянно движется. Эдик, разумеется, на сцене не столбом должен был стоять.

Допустим, опытный киллер решит выстрелить в Эдика во время концерта. Для этого ему нужно хорошо выбрать момент, удачно прицелиться, воспользовавшись замешательством, сбросить оружие и смешаться с толпой. Он может попытаться уйти каким-то левым хитрым путем, но для этого ему необходимо отлично знать здание и всю его конструкцию. У киллера вряд ли было время все это изучить.

Еще нужно суметь пронести в зал пистолет. На входе на наличие оружия персонально никого не проверяли. Все-таки это было мероприятие не того уровня. А ставить местную полицию в известность о том, что столичной звезде может угрожать опасность, полковник Гуров не хотел.

Не исключался и вариант выстрела в Эдика перед дворцом культуры, до концерта либо сразу после. Второе вероятнее, опять же по причине того, что из здания повалит толпа зрителей. Гуров опасался именно этого, поэтому внимательно осматривал окрестности, когда они подъезжали к месту проведения концерта.

В здание они вошли с запасного входа, рядом с которым их водители и поставили свои машины. Эдик и Диана вслед за группой технарей прошли в комнату, где должна была состояться репетиция. Гуров остался ждать их. За несколько минут до начала концерта он и охранники заняли свои места. Молодой Витя сел рядом с Гуровым, а Рябинин устроился на первом ряду, у самой сцены.

Публика уже собралась. В основном она состояла из молодежи. Парни и девушки вели себя по-разному, одни весьма шумно, другие поспокойнее.

В зале потемнело. Освещенной осталась только сцена, на которую после громкого объявления ведущего вышел Эдик Носков. Одет он был в соответствии с молодежной модой, но слишком уж ярко. Видимо, это было в его вкусе.

Зазвучала бодрая музыка, полилась легкая мелодия, и послышался голос Эдика. Технари включили фонограмму. Молодой Носков двигался ей в такт, старательно открывая рот. Даже слишком.

Гуров следил за его выступлением не без любопытства. Он еще ни разу не слышал младшего Носкова, и ему было интересно, насколько же тот талантлив. Увы, никаких особых дарований полковник не заметил. Правда, голос у Эдика был неплохой и даже поставленный. Наверное, мать нанимала ему педагогов, и их усилия все же дали результат.

Но вот его манера вести себя на сцене разочаровывала Льва Ивановича. Эдик двигался скованно, предпочитал вообще стоять на месте. Его поведение выглядело неуверенным. Он казался заторможенным, словно боялся сделать что-то не так.

То ли транквилизаторы, которыми его пичкали все предыдущие дни, сделали свое дело, то ли стресс в связи со смертью матери столь сильно повлиял на парня. Так или иначе, а умения, что называется, держать зал у Эдика не было.

Гуров подумал, что вся его популярность держится на денежных средствах, которые мама и папа вкладывали в музыкальную карьеру сынишки, а также на смазливой мордашке. Что еще надо девочкам-малолеткам? Для публики такого уровня все было вполне нормально.

Во всяком случае, аплодисменты Эдик срывал после каждого, извините, исполнения. Любая песня приветствовалась дружным визгом девчонок, которые вставали со своих мест, пританцовывали, подпевали, периодически выкрикивали всякие глупости.

Эдик закончил первое отделение. Он поклонился, неловко собрал цветы, которые со всех сторон тянули к нему девчонки, послал им воздушный поцелуй и скрылся за сценой.

Перерыв был недолгим. В течение его Гуров не покидал своего места.

Второе отделение началось с выхода Дианы Милютиной. Она, по мнению Гурова, держалась куда лучше Эдика. Обладая врожденной грацией, усиленной занятиями танцами, девушка двигалась легко и естественно. Открывая рот, она точно попадала в текст. Голосок ее, правда, не представлял ничего выдающегося и на оперный явно не тянул. Все же Гуров остался доволен. Самарская публика встретила выступление Дианы довольно равнодушно, слушала ее без особого восторга.

Когда же во втором отделении снова вышел Эдик, зал наполнился криками и визгами. Эд-энд-эн поклонился и опять принялся старательно изображать пение под фонограмму.

Концерт закончился чуть позже, чем намечалось. Крики поклонниц заставили Эдика повторить две песни, однако много времени это не заняло.

Прежде чем покинуть дворец культуры, Гуров решил дождаться, когда толпа поклонников рассосется. Это оказалось не так просто. Многие девчонки проявляли настырность и уходить так просто не собирались.

Тут пришлось поработать местной охране. Эдик с Дианой смыли грим, надели обычную одежду. Охранники окружили их плотным кольцом и оперативно, вполне квалифицированно провели через задний ход, после чего машина сразу же отъехала.

Гуров сел в нее в последнюю секунду. Гастролерам оставалось войти в вагон поезда, отправляющегося в Саратов. Остаток сегодняшнего вечера обещал быть безопасным.

Все прошло легко и спокойно. В вагон они вошли как самые обычные пассажиры и сразу заняли свои места. Абсолютно ничего похожего на то, чтобы за Эдиком кто-то наблюдал со стороны, Гуров не заметил. Охрана тоже не видела чего-то подобного.

Лев Иванович с Эдиком, как и было договорено, заняли одно купе на двоих. Носков-младший сидел на полке, и выражение его лица было каким-то непонятным. С одной стороны, оно выглядело усталым. По тому, как подрагивали его руки, было видно, что парень все-таки понервничал, выступая перед публикой. С другой — он был почти счастливым, словно этот концерт стал одним из лучших в его жизни, хотя Гуров полагал, что это отнюдь не так.

— Так что, можно расслабиться? — сказал сыщик и подмигнул своему попутчику.

— Я не пью, — отозвался Эдик, чем несказанно удивил полковника.

— Да я не об этом! — усмехнувшись, заявил Лев Иванович. — Давай-ка спать ложись. Программа у нас короткая, но насыщенная. Так что силы нужно восполнять. И не спорь со мной!

Эдик и правда заснул очень быстро. После этого Гуров встал, вышел из купе, запер его снаружи специальным ключом проводника и пошел по вагону. Он постучал к охранникам и попросил одного из них присмотреть за парнем. Николай Рябинин тут же стал у окна напротив двери, за которой спал Эдик.

Гуров прошел через весь состав, не оставив без внимания и вагон-ресторан. Народу там было немного, люди обедали, выпивали и не вызывали у полковника особых подозрений. Тот человек, который замыслил убийство, не станет пить коньяк и водку большими дозами. Скорее всего, он вообще не примет ни грамма алкоголя.

Навскидку выявить киллера не удалось, да Гуров не слишком и рассчитывал на это. Разумеется, за годы службы ему неоднократно приходилось встречаться с людьми этой профессии. Кое-какие отличительные особенности у них были, но не настолько явные, чтобы прямо-таки отпечататься на лбу. Взгляд цепкий, чаще холодный. Стопроцентное зрение. Все время начеку. Но это все же скорее внутренняя характеристика, чем внешняя.

С этим полковник и вернулся в купе. Наказав Рябинину и Виктору попеременно следить за их купе с внешней стороны, Гуров прилег на свою полку. В размышлениях он и задремал под стук колес. Это оказалось несложно для его организма, последние дни испытывавшего хронический дефицит сна.

Саратов показался Гурову менее ухоженным и цивильным, чем продвинутая Самара. Поезд прибыл на вокзал ранним сентябрьским утром. Пройдя через подземный переход, они оказались на привокзальной площади, где сразу же сели в такси, которое повезло их в гостиницу «Москва».

Этот день до самого вечера был почти копией предыдущего. Учитывая, что Эдику угрожала потенциальная опасность, Гуров не выступал с предложениями разнообразить досуг и прогуляться по развлекательным местам города, хотя сам Эдик и порывался это сделать, ссылаясь на то, что ему скучно.

В итоге парень пригласил в номер Диану, которая, к удивлению Гурова, согласилась. Они с Эдиком сидели в креслах. Общение, кажется, доставляло обоим приятные эмоции. Они вполголоса переговаривались, хихикали. Гуров терпеливо ждал вечера.

Когда они подъехали к зданию саратовского цирка, было еще светло. До начала концерта оставалось около часа, но поклонники, они же будущие зрители, уже начали собираться перед входом. Правда, внутрь их пока еще не пускали. Молодые люди сидели на парапете, окружавшем фонтан перед цирковым фасадом, либо прогуливались по небольшому скверику неподалеку, посматривая на часы и косясь на двери.

Гуров видел это из-за стеклянных дверей. Автомобиль подвез их не к главному входу, а вообще с другой улицы. Так что к дверям цирка они шли через довольно захолустный двор, образованный кирпичными двухэтажными зданиями, возведенными в позапрошлом веке. Артисты цирка вряд ли пользовались этой дорогой. Поэтому городские власти не старались ее облагородить. Они отдали это дело на откуп местным жителям.

Саратовский концерт начался примерно так же, как и вчерашний в Самаре. Эдик держался чуть получше, и настроение его явно поднялось. Он улыбался публике и даже пытался шутить с ней. Но все равно его манеры казались Гурову наигранными. Пожалуй, Носкову-младшему не мешало бы взять хотя бы несколько уроков сценического искусства. Если, конечно, его гипертрофированная лень позволит ему это сделать.

Первое отделение пролетело быстро, а вот во втором сразу же начались неприятности. Гуров еще перед концертом обратил внимание на группу молодых людей, человек пять-шесть, одетых в черные кожаные куртки с заклепками. Практически у всех почти лысые черепа были туго повязаны банданами.

Они подкатили к цирку на мотоциклах. Даже в здании был слышен рев их моторов. Байкеры расселись в пятом ряду, вели себя нагловато и шумно, постоянно переговаривались между собой и сплевывали жвачку прямо на пол. Два раза соседи делали им замечания, но парни и слышать ничего не хотели.

Гуров с сомнением посматривал на них еще тогда, когда шло первое отделение, однако не считал этих парней возможными кандидатами на роль убийц Эдика Носкова. Все-таки тут должны быть задействованы фигуры посерьезнее этих сопливых наглецов. Но все же он старался не выпускать их из поля зрения.

Когда на сцену вышла Диана Милютина, взяла микрофон и начала исполнять первую песню, по залу разлетелась громкая фраза:

— Это что за метелка?

Такие слова произнес один тех самых парней в банданах, сидевший в центре и явно бывший лидером этой компании. Он развалился в кресле, широко расставил ноги в рваных черных джинсах.

Его дружки громко заржали и наперебой начали выкрикивать:

— Эй ты, шалава безголосая, давай вали отсюда!

Диана, надо отдать ей должное, держалась стойко и спокойно продолжала работать. К парням уже пробиралась охрана. Тогда тот из них, который сидел в центре, вдруг поднялся и с силой метнул на сцену пустую бутылку из-под пива.

Раздался визг зрителей. Диана невольно отшатнулась в сторону. Бутылка просвистела мимо ее уха, ударилась в аппаратуру и испортила фонограмму. Музыка сразу стихла. В зале повисла тишина, нарушаемая возмущенными возгласами публики.

В Диану полетела вторая бутылка. Гуров вскочил со своего места и бросился к сцене. Но тут из-за кулис неожиданно выскочил Эдик Носков. Он схватил перепуганную Диану за плечи и потащил ее за собой.

Полковник обернулся и увидел, что охрана, вооруженная дубинками, добралась до разнузданной компании. Их лупили по спинам, скручивали руки. Через несколько секунд охранники уже гнали этих полусогнутых ребят к выходу, отвешивая им хорошие пинки под зад.

В зале творилась неразбериха, зрители громко возмущались на разные лады. Некоторые любители попсы вскочили со своих мест и потянулись к выходу. Сцена была пуста, аппаратура искорежена.

Немного опомнившись, на сцену бросился конферансье. Он приносил публике извинения и заверял ее в том, что аппаратура будет починена в самое ближайшее время. Возле нее уже суетились мастера.

Гуров поспешно прошел за кулисы, но там было пусто, и он направился в комнату, где перед концертом проходила репетиция. Диана Милютина сидела в кресле и ревела. Плечи ее крупно вздрагивали. Эдик стоял рядом, гладил их и говорил девушке что-то успокаивающее.

Гуров заметил на столике бутылку с минералкой, достал из пиджака флакончик с успокоительными таблетками, бросил две из них в стакан, залил водой и протянул Диане. Она послушно выпила, но плакать не переставала. Эдик поднял на сыщика вопросительный взгляд.

— Их увели, — сообщил Гуров. — Продолжать концерт или нет, решать не мне. Аппаратура сломана, но ее обещают восстановить. Сколько на это уйдет времени, непонятно. Я бы советовал тебе пока выйти и спеть вживую.

Эдик замер, несколько секунд хлопал глазами, потом беспомощно посмотрел на Гурова и промямлил:

— Я не смогу. Я не в форме.

Голос его и впрямь звучал весьма странно, не так, как обычно.

— Дело твое, — сухо сказал Гуров. — Сейчас я вызову сюда нашу охрану.

Николай Рябинин и Виктор уже шли к комнате, Гуров натолкнулся на них в коридоре.

— Отказывается, значит, петь? — мрачно спросил Рябинин.

— Да оно и к лучшему. — Виктор махнул рукой. — Все равно концерт сорван.

Так оно и было. Не помогли и усилия конферансье, пытавшегося экспромтом, на ходу развлечь публику какими-то байками. Зал опустел более чем наполовину. Аппаратура по-прежнему не работала, и техники продолжали ковыряться в ней.

Гуров поразмыслил, достал телефон, набрал номер Анатолия Петровича Носкова и вкратце пересказал ему ситуацию.

— Немедленно возвращайтесь! — вынес вердикт Носков. — Лев Иванович, слышите?

Напрасно Гуров пытался его уверить, что данный эпизод, скорее всего, случаен и не имеет никакого отношения к покушению на Эдика. Носков был непреклонен. Что ж, его отцовские чувства можно было понять. Сыщик со вздохом пообещал, что передаст его слова сыну, и вновь направился в репетиционную.

Диана немного успокоилась. Эдик явно испытывал чувство вины за срыв концерта. Желая немного реабилитироваться, он решился на мужественный поступок. Парень вышел на сцену, принес зрителям извинения за испорченный концерт, обещал в ближайшее время вновь приехать в Саратов и выступить совершенно бесплатно.

Публика приняла его извинения не слишком оптимистично. Обещания Эдика были выслушаны без энтузиазма, но и без скандальных реплик. Парень виновато улыбнулся и торопливо ушел со сцены.

— На вокзал! — сердито бросил он охранникам.

Не дожидаясь, когда схлынет поток зрителей, гастролеры покинули здание саратовского цирка и поехали на железнодорожный вокзал. Гуров держал в голове мысль о том, что произошедший инцидент мог быть просто разыгранной сценой, которая должна была явиться увертюрой к основному действию. Он смотрел, что называется, в оба и дал такие же указания охране. Полковник не исключал, что парней просто наняли, дабы сбить бдительность охраны. Такое нужно только одному человеку, тому самому, который хочет убить Эдика.

На дорогу до вокзала ушло минут семь. Они быстро приобрели билеты и пошли к вагону. Возвращаться было решено поездом. Самолет в Москву отправлялся только утром, а сейчас как раз уходил семнадцатый скорый.

В купе, которое заняли Лев Иванович и Эдик, висело тягостное молчание. Носков-младший явно маялся и несколько раз стучал в купе Дианы, но девушка не открывала, говорила, что устала, и просила оставить ее в покое. Из-за тонкой стены периодически доносились всхлипывания. Гуров помалкивал, лишь иногда предлагал Эдику успокоиться и лечь спать, однако Носков-младший все никак не мог уняться. Он явно не находил себе места.

Наконец парень, видимо, совсем истерзался. Он все-таки лег и с головой укрылся одеялом. Гуров долго лежал на спине, закинув руки за голову. Он понимал, что нужно, как и в прошлый раз, обследовать вагон, хотя сомневался, что киллер находится здесь. Преступник никак не мог знать, что они поедут этим поездом. Планы пришлось менять на ходу. Но все-таки проявлять опрометчивость не стоило.

Полковник дождался, когда на полке Эдика послышалось мерное дыхание, поднялся и отправился осматривать состав. Когда он вернулся, Эдик по-прежнему крепко спал. Гуров лег и задумался. Он прокручивал в голове не только сегодняшние события, но и те, которые произошли в Москве после убийства Анны. Завтра, когда прибудет домой, сыщик еще раз тщательно проанализирует все вместе с Крячко.

Гуров ощущал, что в этой круговерти его глаз начал замыливаться. В такой ситуации всегда полезен человек, который может посмотреть на нее со стороны. Намечая в голове такие вот действия, Гуров постепенно провалился в сон.

Когда он проснулся, за окном, затянутым белыми короткими занавесками, висело нечто серое. Наверное, скоро должен был заняться рассвет. Гуров посмотрел на часы. Так и есть, половина шестого утра.

Он несколько минут полежал неподвижно, понял, что больше не уснет, осторожно поднялся с постели, бросил взгляд на полку Эдика и оторопел. Там было пусто. Одеяло свесилось на пол, а сам Эдик исчез.

Лев Иванович подумал, что тот пошел в туалет, и отправился туда, но никого не было. Возле их купе стоял охранник Виктор, прикрывал рот ладонью и зевал.

— Где Эдик? — спросил его Гуров.

— Не знаю, — испуганно ответил тот. — Не видел.

— Он что, испарился, что ли? — начал злиться Гуров. — Или в шапке-невидимке мимо тебя прошел? В купе его нет!

Замешательство Виктора длилось пару секунд.

— Задремал я немного, — признался он после этого. — Ничего же подозрительного не было.

— Охраннички, вашу мать! — выругался Гуров и бросился в тамбур.

Там одиноко курил мужчина из соседнего купе. Сыщик спросил, не видел ли он молодого парня, получил отрицательный ответ и вернулся. Нужно было обойти весь вагон. Он поручил Виктору отправиться вперед по ходу поезда, сам же решил обследовать другую половину.

Однако прежде чем пойти туда, Лев Иванович подошел к купе Дианы и постучал. Никто не отозвался, и это насторожило полковника еще больше.

Гуров подергал за ручку, убедился в том, что дверь заперта, и крикнул:

— Диана, вы там?

Ответа не было. Наплевав на сантименты, сыщик достал тот самый ключ, специально взятый с собой, вставил его в отверстие, после чего резко крутанул ручку. Замок открылся, Гуров надавил на дверь, и она поехала вбок. Полковник вошел в купе и замер прямо у входа.

На полке с края лежала Диана и смотрела на него расширившимися от испуга глазами. Она была обнажена и натянула простыню до груди, пытаясь прикрыть ее. У стены вытянулся

Эдик Носков. Его голая рука крепко сжимала плечо Дианы. Парочка, словно дети, застуканные за поеданием конфет из праздничной коробки, хлопала глазами и молчала.

— Ну, девочки-мальчики! — медленно проговорил Гуров. — Знаете, чего бы я вам преподнес сейчас от всей души? Хорошего ремня! — Потом он кое-как подавил вздох облегчения и сказал: — Одевайтесь и идите ко мне в купе. Там и поговорим.

Сыщик набрал номер охранника Виктора, дал ему команду «отбой» и направился к себе. Минут через пять послышался робкий стук в дверь, и в купе появились Диана и Эдик. Оба были одеты, бледны и явно чувствовали себя крайне неуютно. Гуров молча кивнул на полку напротив, и они устроились на ней, на самом краешке.

Эдик изображал настоящего мужчину. Он решил взять на себя всю ответственность за случившееся. Парень держал ладонь Дианы в своей руке, и вид у него при этом был как у единственного оставшегося в живых героя, защитника крепости, готового принять смерть, но не отступить.

— Расслабьтесь, — бросил Гуров. — Вы все-таки не детсадовские младенцы.

Диана и Эдик синхронно вздохнули и сели свободнее.

— Вы мне лучше скажите, как дошли до жизни такой, — насмешливо продолжал Гуров. — Вы же два дня назад друг друга терпеть не могли. Особенно ты! — Он вперил взгляд в Диану, которая чувствовала себя как на допросе у злобного прокурора.

Она сглотнула комок, подступивший к горлу, и торопливо заговорила:

— Просто я не знала, какой Эдик на самом деле, понимаете? Мне казалось, что он высокомерный, наглый, ни к чему не приспособленный маменькин сынок. Этот парень не вызывал у меня никакого уважения! Но теперь, узнав его ближе, я поняла, что это совсем не так! Он просто не очень счастливый человек, поэтому и ведет себя так! На нем просто всегда надета защитная маска. За время, проведенное с ним, я это поняла.

— За какое время? Ты про пять часов в постели? — безжалостно спросил Гуров.

Диана вспыхнула, и Эдик тут же кинулся на ее защиту:

— Не говорите так! Мы в этой поездке посмотрели друг на друга совсем другими глазами! Я еще вчера почувствовал, как меня тянет к Диане. Постель тут ни при чем. Мы в основном с ней просто разговаривали все это время.

— Да мне, в общем, без разницы, чем вы там занимались. Пусть ваши родители валидол глотают. Какого черта ты вылез из купе, зная, что тебе грозит опасность?

При этих словах полковника Диана воззрилась на своего новоявленного кавалера.

Эдик смутился и умоляюще проговорил:

— Какая опасность могла грозить мне у Дианы?

— Та же самая, что и на дорожке перед кафе «Арго», — отрезал Гуров.

Однако читать мораль этим великовозрастным детям ему совсем не хотелось. Лев Иванович был сыщиком, а не педагогом. Сейчас его волновали совсем не морально-нравственные проблемы молодежи.

— Значит, запомните на будущее!.. — строго произнес он. — До прибытия в Москву ни шагу из-под моего носа! Или берите с собой охрану. Если вам так зудит побыть вместе, устройтесь рядом и сидите смирно. Эдик, пока я несу за тебя ответственность, ты будешь слушать меня. В противном случае я звоню твоему отцу и умываю руки. Можете разгребать свои проблемы сами, так, как вам угодно.

— Только не надо, пожалуйста, ничего говорить отцу! — попросил Эдик, и в этот момент Гуров порадовался, что у него нет детей.

Он бессильно махнул рукой и сказал:

— Короче, сидите, только тихо. Избавьте меня от ваших проблем отцов и детей.

Эдик и Диана восприняли его слова буквально. Они замерли на полке, прильнув друг к другу как сиамские близнецы. Парень и девушка разомкнули объятия, только когда Гуров заявил, что пора завтракать. Он отправил в вагон-ресторан охранника Виктора, который принес им поднос с едой.

Всю дорогу до Москвы в купе висело почти полное молчание. Только Эдик с Дианой иногда переговаривались вполголоса. В их глазах был и вопрос, и испуг. Но при этом они светились счастьем и глупостью, как всегда бывает с влюбленными.

Анатолий Петрович Носков встречал их на Павелецком вокзале. Гуров из окна вагона видел, как он стоял на перроне, засунув указательные пальцы в карманы ветровки, с обеспокоенным и усталым выражением на лице. Его сын осторожно помог Диане спуститься по ступенькам, потом подошел к нему и чуть смущенно улыбнулся. Он совершенно не обратил внимания на перемену в их отношениях, просто не заметил этого, поглощенный мыслями об угрозе для жизни сына.

Анатолий Петрович с силой пожал руку Гурову и поблагодарил его за помощь.

— Жаль, что так вышло. Увы, гастроли пришлось прервать, но что тут поделаешь! — Он вздохнул. — Не так уж много мы потеряли.

Отец вопросительно посмотрел на Гурова. Полковник понял его и отрицательно покачал головой.

Носков кивнул и снова сказал:

— Жаль. А завтра похороны Анны...

— Вы пойдете? — спросил Гуров.

— Я обязательно, а вот насчет Эдика не знаю. Черт, я так надеялся, что после вашего возвращения буду избавлен от этого постоянного страха! — Носков скрежетнул зубами, но быстро взял себя в руки.

— Анатолий Петрович, вам никогда не доводилось пересекаться с группой молодых людей в черных куртках и банданах, на мотоциклах, похожих на рокеров? — спросил полковник.

— Да вроде нет. Это вы тех придурков описываете, которые Диану опозорили?

Гуров подтвердил, и Носков невольно повернулся к девушке. Брови его слегка нахмурились, взгляд скользнул по руке, зажатой в ладони Эдуарда. Затем отец вскинул голову и посмотрел на сына.

Эдик заволновался, сделал шаг вперед и хрипловато проговорил:

— Папа, я должен тебе кое-что сказать.

— Что ж, Анатолий Петрович, мне пора. — Гуров поспешно попрощался с Носковыми и направился к выходу в город.

Ему отнюдь не хотелось присутствовать при объяснении Эдика с отцом. Лев Иванович понимал, что тот едва ли будет счастлив узнать о том, что планы Милютина, с которыми он в корне не соглашался, все-таки осуществились.

Была суббота, двенадцатое сентября. В главном управлении внутренних дел сегодня официальный выходной у всех сотрудников. В здании присутствовали только дежурные. Скорее всего, генерал-лейтенант Орлов тоже отдыхал.

Крячко вполне мог работать, но и его в кабинете не должно было быть. Те поручения, которые Гуров оставил ему перед отъездом, не позволяли Станиславу сидеть на месте. Впрочем, о том, чем был занят Крячко, Гуров легко мог узнать, набрав его номер. Не откладывая дело в долгий ящик, он достал сотовый и позвонил.

— Лева, привет! Мы работаем, все идет по плану. Не трать деньги! — бойкой скороговоркой отбарабанил Стас.

— Слушай, тебя в министры финансов надо, ты так радеешь о распределении чужих средств! — восхитился Гуров, усмехнувшись про себя. — Расслабься, друг, я в Москве.

— Да ну? — удивился Крячко. — А почему же прервался твой гастрольный вояж?

— Потом объясню. Лучше расскажи мне, что удалось выяснить. Жду подробного отчета.

— А ты где? — поинтересовался Крячко, и Лев Иванович назвал свои координаты.

— Слушай, давай через полчаса встретимся в главке. Получишь полный отчет.

— Хорошо, — ответил Гуров и направился к метро.

Отчет Крячко содержал массу новых сведений. На своем столе Гуров обнаружил документы, которые Стас должен был приготовить.

По словам Крячко, Анатолий Петрович Носков из аэропорта поехал в свою фирму, а потом улетел в Пермь, откуда вернулся вчера вечером. Лев Хаимович Лейбман получил известие от немцев. Мол, к их большому сожалению, они вынуждены расторгнуть договор с фирмой «Кристалл» на получение гранта и постановку мюзикла. Добропорядочным бюргерам не нужны были громкие скандалы с убийством.

По этой причине Лейбман пребывал не в самом лучшем расположении духа, практически никуда не выходил из своего дома на Остоженке. Чем он планировал заниматься дальше — одному богу известно.

Антонио Тедески с видом побитой собаки вернулся в дом Анны Кристаллер и попросил разрешения пожить там. Виктория Рудакова, которая сейчас неофициально исполняла функции домоправительницы, приняла его, хотя и без особой охоты. Тедески, напуганный посещением кабинета Гурова, вел себя образцово, пытаясь загладить свою вину. Он помогал Виктории Павловне по хозяйству, ездил с мелкими поручениями и даже не встречался с наркодилерами.

Сама Виктория Павловна, похудевшая и подурневшая, ждала решения участи сына, попутно занимаясь приготовлением к похоронам подруги. С Жанной Саакян она больше не встречалась, и та, кажется, ее не беспокоила. Оперативник, которому Гуров поручил отработку этого вопроса, выполнил ее грамотно. Он побеседовав с Саакян в нужных тонах. Журналистка, кажется, прониклась и угомонилась.

Нотариус Корзун исправно приезжал в свою контору к девяти утра, просиживал там до шести вечера, после чего возвращался домой. Так происходило ежедневно.

Василий Юрьевич Завадский лечил свою простуду, да так и не справился с ней. Он попал в больницу с воспалением легких. Ольга Летицкая пела в театре свои обычные партии. Андрей Сенин два раза приезжал домой к Федору Полонскому и проводил там довольно много времени. Сам Полонский по-прежнему не подавал никаких признаков жизни и нигде не был замечен.

— А вот это интересно! — подхватил Гуров. — Полонский так и не объявился, но Сенин у него регулярно бывал?

— Не то чтобы совсем регулярно, но два раза был. Еще приезжал некий солидный человек. Ребята выяснили — это администратор Игорь Кручин.

Гуров прищурил глаза, соображая.

— Сегодня у нас суббота, — вслух констатировал он. — Шоу «Сенин и Полонский» как раз по этим дням и выходит. Оно, если мне не изменяет память, идет в прямом эфире. Отлично. Я постараюсь выловить Полонского у телестудии сразу после программы. Тут ему уже не отвертеться. Пора наконец узнать, почему от нас бегает этот любитель оставлять пустые бутылки на месте совершения убийства.

— Слушай, Лева! — Крячко поскреб подбородок и сказал, понизив голос, будто их могли услышать: — А что, если его... того?

— В каком смысле? — не понял Гуров.

— Вдруг его грохнули? — раздраженно пояснил Крячко.

— Кто и зачем?

— Если бы я знал, то назвал бы тебе убийцу Анны Кристаллер. Смотри, его могли грохнуть как свидетеля. Либо он и был тем близким человеком, которого завербовали как информатора.

— О как! А что не самим киллером?

— Тоже не исключено, но мне он больше представляется информатором.

— Для этого господин Полонский все же недостаточно близок Анне, а уж тем более членам ее семьи, — возразил Гуров. — Но почему ты решил, что его убили?

— А почему этого фрукта нигде нет?

Гуров самую малость подумал и сказал:

— Нет, ерунда. А Сенин почему так себя ведет? Он что, не понимает, что это станет известно?

— А он, может, сам не знает, что приключилось с его коллегой? Пропал человек, и все!

— Стас, я вижу, что ты уже окрылен новой версией, но давай смотреть на вещи реально. Зачем тогда Сенин стал бы юлить и выкручиваться передо мной? Я же видел, что он явно знает больше, чем говорит! Нет, тут что-то другое. Я непременно выясню это сегодня. Кстати, где Петр?

— Дома, наверное, — сказал Крячко. — Сегодня наш генерал не собирался приезжать. Он же думает, что ты на гастролях.

— Вот пусть пока так и считает. Не стоит бередить его слабое старческое сердце.

Крячко хохотнул и осведомился:

— Ты обещал, что к возвращению будешь готов представить ему убийцу, а сдержать слово не можешь?

— Во-первых, я этого не обещал. — Гуров начал раздражаться. — Во-вторых, я вернулся раньше, чем планировал. В-третьих, убийцу я все равно найду. В самое ближайшее время.

— Ну, как говорится, твоими бы устами, — протянул Крячко и добавил подобострастно: — Вы у нас гениальный мозг, вас догадка озаряет в самый неожиданный момент! А что до нас, умом убогих, так мне, признаюсь, до сих пор ни черта не понятно!

— Догадка не озаряет на ровном месте, — сказал Гуров. — Она является закономерным результатом логических умозаключений, выведенных из анализа фактов!

— Красиво излагает, собака! — заявил Крячко. — Только у меня почему-то ничего пока не выводится.

— Молод еще, сынок, — ласково сказал Гуров. — К моим годам научишься. Ладно, Стас, большое тебе спасибо, а теперь оставь меня, пожалуйста, одного. Мне еще вот эту кипу перелопатить надо до вечера.

Лев Иванович углубился в изучение бумаг, стопкой сложенных у него на столе. Здесь были нотариальные документы, погашенные чеки из банков, копии договоров на различные проекты и много чего еще. Все это требовалось не просто пробежать глазами, а тщательно проверить.

На эту кропотливую работу у Гурова ушел практически весь день. Он закончил ее, когда на часах было восемь вечера. Пришло время ехать на телестудию. Сейчас начиналось ток-шоу «Сенин и Полонский», которое длилось около часа. Гурову очень хотелось выцепить и хорошенько встряхнуть Федора Полонского.

Чтобы убедиться в том, что тот в данный момент участвует в программе, Гуров открыл ноутбук и набрал в Интернете «Сенин и Полонский онлайн». Поисковик тут же угодливо предложил ему кучу сайтов. Полковник нашел свой любимый и стал смотреть.

Да, прямой эфир, сегодняшнее шоу. Уже выложили. Студия переливалась яркими красками. Андрей Сенин мельтешил взад и вперед, подскакивал к зрителям с микрофоном и задавал вопросы со скоростью двести слов в минуту.

Федор Полонский сидел в кресле, в глубине студии. Сегодня он преимущественно молчал. Гуров ехал в машине, которую оставил на стоянке перед отлетом в Самару и сегодня наконец смог забрать, и краем глаза посматривал на ноутбук, следя за ходом программы.

Он подъехал к телестудии, когда до окончания шоу оставалось минут десять. Лев Иванович остановил машину и приготовился ждать, не выключая ноутбука.

Программа закончилась даже несколько раньше, чем обычно. Сенин взахлеб благодарил всех присутствующих, комментировал произошедшее, давал анонс на следующую неделю и, кажется, выложился полностью. Полонский под занавес ограничился тем, что помахал зрителям рукой. На этом программа завершилась, пошли титры.

Гуров выключил ноутбук и начал наблюдать за выходом из студии. Ни Сенину, ни Полонскому он звонить не стал.

Андрей появился минут через двадцать. Он спускался по крыльцу вместе с солидным лысоватым мужчиной. Это был их с Полонским администратор Игорь Кручин. Сенин по обыкновению возбужденно размахивал руками, суетливо забегал вперед и все время что-то говорил Кручину. Тот кивал и вроде бы соглашался. Федора Полонского с ними не было.

Сенин и Кручин подошли к автостоянке и остановились. Администратор вертел в руке ключи от серебристого «Мерседеса», возле которого они остановились, и слушал, как Сенин что-то торопливо ему досказывал.

— Короче, порядок, — долетело до ушей Гурова резюме Кручина, и администратор приготовился садиться в машину.

Гуров не стал больше ждать.

Он хлопнул дверцей, подошел к выдающимся деятелям отечественного телевидения и приветствовал их:

— Добрый вечер.

— Добрый вечер, добрый вечер! — в своей артистической манере залопотал Сенин.

Однако, по мере того как до него доходило, кто перед ним, улыбка стала сползать с его лица. Уголки губ повисли.

— Добрый вечер, — почти шепотом заключил он и перевел взгляд на Кручина.

Тот держался увереннее, но ведь он и не знал, кто такой Гуров.

— Простите?.. — сказал администратор, оглядывая его.

— Полковник Гуров, МВД. — Лев Иванович показал свое удостоверение. — Как тут не вспомнить восточную пословицу про гору и Магомета! Только вот где гора? — Он в упор посмотрел на Сенина, который съежился под его взглядом. — Я имею в виду Федора Полонского, — пояснил полковник, не сводя глаз с Андрея.

— А его нет, — тут же ответил тот. — Он заболел.

— Да неужели? — с притворным удивлением спросил Гуров. — Ай-ай-ай! Когда только успел? Послушайте, Андрей! — Сыщик резко сменил тон. — Мне уже порядком поднадоело то, как вы водите меня за нос. Неужели вы думаете, что я так и буду послушно глотать лапшу, которую вы мне вешаете на уши? Если Полонский заболел, то кто полчаса назад сидел в кресле перед публикой?

Сенин как-то обреченно вздохнул и посмотрел на Кручина. Это был взгляд военачальника, только что потерпевшего сокрушительное поражение, хотя победа, казалось, уже была в его руках.

— Игорь Александрович... — беспомощно проговорил он.

Кручин скривил губы и обратился к Гурову:

— Ладно, теперь уже не скроешь. Давайте сядем в машину.

Он открыл «Мерседес», сел за руль, Гуров устроился рядом с ним. Сенину пришлось довольствоваться местом сзади.

Кручин прикурил от электрозажигалки, открыл окошко, выпустил дым и проговорил:

— Это был его двойник.

Сыщик несколько секунд осмысливал услышанное, потом сказал:

— Так, допустим. Но с какой стати? Где сам Полонский? Имейте в виду, если вы сейчас не скажете мне правду, то завтра он будет объявлен во всероссийский розыск.

— Да не надо никаких розысков! — Кручин махнул рукой. — Искать-то нечего. Дома он. Если хотите, можем вас прямо сейчас туда отвезти.

— Было бы лучше всего, — заявил Гуров.

— Да бесполезно это, поймите, — заявил администратор и вздохнул. — Ладно, вам мы скажем как есть, только не хотелось бы, чтобы об этом стали трепать по всей Москве.

— Главное управление МВД — это не служба сарафанного радио. — Полковник пожал плечами.

— Пьяный он, — нехотя сказал Кручин. — Точнее, в запое. Полонский периодически надирается до невменяемого состояния. Вот и на этот раз!.. Причем сейчас он ушел в черную дыру особенно глубоко и, кажется, надолго. Мы с Андреем не один день пытались привести его в чувство, но у нас так ничего и не получилось. А сегодня эфир! Что было делать? Отменять передачу? Пришлось быстренько найти человека, объяснить ему задачу и посадить в уголок.

— Чтоб никто не уволок, — пробормотал Гуров. — И часто с Полонским такое случается?

Кручин неопределенно покрутил пальцами в воздухе и сказал:

— Раз в год-полтора. За четыре года существования программы это, кажется, третий раз.

— Нет, было еще, когда он с Гавайев вернулся, пристрастившись к местному рому, — напомнил Сенин. — Но тогда как-то удачно все получилось. Он не успел слишком глубоко нырнуть или просто быстренько отошел. А на этот раз — просто кошмар! Вы бы видели его, это же просто ужас! — Он театрально воздел руки, ища у Гурова сочувствия и понимания.

Полковник обдумывал ситуацию, постукивая носком ботинка по коврику.

— В комнате, где убили Анну Кристаллер, была обнаружена пустая бутылка из-под коньяка, — сказал он. — С отпечатками пальцев Полонского. Мне нужно узнать, как она там появилась. Сам ли Полонский ее принес, или кто-то подкинул.

— Ой, на этот вопрос я и сам вам отвечу! — быстро заговорил Сенин. — Если бы вы сразу спросили, я бы рассказал, ей-богу! Его эта бутылка. Он сам сунул ее под диван, когда опустошил.

— Но зачем? На столе было предостаточно различного алкоголя, — заметил Гуров.

— Ха! Достаточно. Это смотря для кого. Если Полонский пить начнет, то его не остановишь. Норма этого ухаря существенно превышает ту, которая считается приличной. Когда он идет на какое-то торжество, непременно прихватывает с собой бутылку. Потом Полонский периодически удаляется то в туалет, то в ванную и постепенно ее опустошает. Он не хочет, чтобы кто-то это видел, пьет как конь и очень боится, что кто-то это заметит. Полонский, вообще-то, стыдится своего пристрастия, — шепотом, словно по секрету проговорил Сенин. — Вот и у Анны дома ему все казалось, что тосты произносят слишком редко, а самому подливать было неловко. Он пошел с бутылкой в туалет, там оказалось занято. Полонский нырнул в комнату отдыха, быстро все допил, сунул пустую бутылку под диван и ушел. Ему же и в голову не могло прийти, что произойдет убийство и сотрудники полиции станут снимать отпечатки пальцев!

— А вам это откуда известно? — спросил Гуров.

— Да он мне сам признался сегодня, когда протрезвел немного. Я с ним третий день мучаюсь! — пожаловался Сенин. — Вчера и позавчера вообще невменяемый был, сегодня хоть немного соображать начал. Но о том, чтобы в эфир его вывести, и речи быть не могло. Ничего, теперь на поправку пойдет. Отлежится, отоспится, оклемается. Все будет хорошо. Не в первый раз.

— И не в последний, — сказал Кручин в сторону.

— Ой, Игорь, типун тебе на язык! — Сенин всплеснул руками.

— Да чего там! И так понятно! — Администратор смотрел на реальные вещи не с таким оптимизмом, как Андрей.

Потом он взглянул на Гурова и спросил:

— Так что, вы настаиваете на том, чтобы его повидать? Если да, то поехали, потому что я устал как собака и хочу пораньше лечь спать.

— Но мы сказали вам правду, — тут же заявил Сенин. — Неужели вы думаете, что Полонский может быть причастен к убийству Анны Кристаллер? Это же просто нонсенс! Если бы даже он — подумать страшно! — решил это сделать, то разве стал бы оставлять бутылку со своими отпечатками на месте преступления? Для чего? Желая подставить самого себя, да?

Но он напрасно убеждал Гурова. Полковник уже понял, что ехать к Полонскому домой не имеет смысла. Ему нужно было лишь выяснить, какова роль пустой бутылки, и он это сделал. Что же касается продолжения поисков убийцы, то документы, просмотренные сыщиком сегодня, должны были помочь в этом куда больше, чем беседа с полупьяным ведущим популярного шоу.

— Всего вам доброго! — Гуров открыл дверцу машины. — Езжайте домой.

Лев Иванович направился к своему автомобилю. Когда он сел за руль и стал выезжать со стоянки, Сенин и Кручин все еще сидели в «Мерседесе» и молчали.

По дороге домой у Гурова зазвонил сотовый. На табло светился номер Анатолия Петровича Носкова.

— Лев Иванович! — на повышенных тонах начал тот. — Что за чертовщина там произошла? Эдик с Дианой твердят, что полюбили друг друга и собираются пожениться! Они что, с ума посходили, что ли? С чего вдруг такие перемены?

Гуров подавил улыбку. Роковое известие дошло таки до Носкова-старшего, и он теперь метал громы и молнии.

— Я нисколько не удивлюсь, если эти штучки провернул Милютин! — продолжал он греметь в трубку. — Скажите мне лучше честно, этот субъект тоже ездил с вами, да? Тайком, не так ли? С него станется! Это ведь он все подстроил?

— Успокойтесь, Анатолий Петрович. Милютина там не было. — Гурову кое-как удалось вклиниться в гневный монолог Носкова. — Просто обстоятельства так сложились. Я же вам рассказывал о том, что произошло во время выступления Дианы, не так ли? Она плакала, а ваш сын решил ее утешить. В таких ситуациях часто возникает взаимная симпатия, принимаемая за глубокое чувство. Вы подождите переживать, может быть, это у них само пройдет через пару месяцев. А если вы станете решительно протестовать, они только укрепятся в своем решении.

— Я все равно этого так не оставлю, — заявил Носков. — Я намерен отправить Эдика за границу. Пускай пока поживет в Германии, в доме Анны. Как раз и нервы поправит, и голову, и от пули убережется. Тройная польза! Вот только похороны пройдут — и поедет. А с Милютиным я еще поговорю!

— Я бы не советовал, — вставил Гуров, но Носков уже отключил связь.

Лев Иванович усмехнулся и подумал, что отцы порой ведут себя не лучше детей. Он доехал до своего дома и поднялся в квартиру. Марии не было, она играла в еженедельном субботнем спектакле. Гуров принял душ и получил отличную возможность хорошенько все обдумать.

Сварив себе кофе, он сел в кресло, приглушил свет и стал размышлять. Документы, просмотренные сегодня, открыли ряд любопытных фактов, но сыщик сейчас думал не над ними. Почему-то в его голове вертелась недавняя встреча с Сениным и Кручиным и их рассказ о Полонском.

Ему казалось, что в их истории есть нечто важное. Он пока еще не слишком отчетливо понимал, что именно, и продолжал думать. Потом Лев Иванович решил оставить эту тему и переключиться на какую-либо другую. Так бывает. Когда ты мучительно пытаешься вспомнить что-то, оно ускользает. Потом, когда ты переключаешься на совершенно посторонние вещи, в голове само собой всплывает то, что было тебе особенно нужно.

Гуров стал вспоминать банкет у Анны Кристаллер, когда он познакомился с участниками этого дела. Высокомерный и вызывающий Эдик, сидящий на подоконнике. Строгий Анатолий Петрович Носков, при котором парень сразу подобрался. Добрая и мягкотелая Виктория Рудакова, сдержанный Лейбман, весь себе на уме.

Потом мысли сыщика перенеслись на неудавшуюся гастрольную поездку. Концерты, выступление Эдика и Дианы. Его еще по-юношески угловатая фигура. Ее — совсем сформировавшаяся, зрелая, женственная. Красивое капризное лицо парня, спокойный, мягкий овал девушки. Поезд, темное купе, ладонь на голом плече. Испуганный взгляд, растерянность, неуверенность в себе. Хриплый от волнения голос: «Папа, я должен тебе кое-что сказать».

Наверное, Александр Милютин радостно потирает сейчас руки! Вот единственный человек, который в этой ситуации оказался в выигрыше.

Гуров повернулся к стене. Воспоминания готовы были вот-вот вызвать нужный щелчок в голове. Его надо дождаться, продолжать вспоминать, блуждать в лабиринтах памяти, пока в одном из ее закоулков не обнаружится искомое.

Щелчок в прихожей возвестил о приходе Марии. В ту же секунду Гуров понял одну вещь. Она показалась ему настолько очевидной, что он даже удивился, как не уразумел этого с самого начала. Это же так просто!

Гуров мгновенно сел на постели. Он по-прежнему не знал деталей. Ему все еще нужно было многое выяснить, но теперь сыщик хотя бы точно знал, в каком направлении двигаться. Завтра Лев Иванович сможет окончательно убедиться в этом.

Для этого ему нужно будет посетить похороны Анны Кристаллер!

Вспыхнул свет.

Мария повернула выключатель, увидела сощурившегося мужа и удивленно, радостно произнесла:

— Привет! А я ждала тебя только завтра.

Глава 7

Похороны Анны Кристаллер проходили на Троекуровском кладбище. Гуров стоял не в центре толпы, а немного в стороне, заняв самую лучшую наблюдательную позицию. Проститься с Анной пришло довольно много народа. Обилие цветов, венков — все так, как и полагается. Впереди Рудакова, Лейбман, Тедески. Здесь же Анатолий Петрович Носков с сыном. Дианы Милютиной и ее отца не было.

Но Гурова интересовали сейчас не эти люди. Он незаметно смотрел по сторонам, оглядывался назад и, кажется, увидел то, что искал.

Невдалеке стояла машина, обычная «Лада-Калина» с тонированными стеклами. Кто в ней сидел, видно не было, однако этот человек не выходил. Пока шла церемония прощания, автомобиль не двигался, лишь перед ее завершением тихонько тронулся с места и поехал назад.

Когда он отъехал на достаточное расстояние, Гуров достал телефон и тихо проговорил:

— Стас, белая «Лада-Калина», номер пятьсот шестьдесят.

— Понял, — отозвался Крячко.

Гуров вернулся к гостям. Урну с прахом Анны уже опустили в могилу, и теперь туда летели цветы. У Рудаковой заострился нос, Лейбман был торжествен и скорбен, Тедески печален и тих. Эдик Носков стоял неподвижно, унесся мыслями куда-то далеко. Его отец тоже о чем-то задумался, все время держа руку на плече сына.

Вскоре церемония закончилась. Все направились к выходу.

Гуров подошел к Лейбману и спросил:

— Вы останетесь в России, Лев Хаимович? Или в Германию поедете?

— Пока не решил, — сказал продюсер. — А что, я вам нужен?

— Нет-нет, можете спокойно делать свои дела, — сказал Гуров.

— Дел у меня сейчас как раз никаких не осталось, — с грустью констатировал Лейбман. — А хуже безделья ничего нет. От любой тоски спасает работа. Так что, наверное, придется ее искать. Никогда бы не подумал, что стану безработным, — пошутил он и пошел к своей машине.

Гуров предложил Виктории Павловне занять место в его машине, но она отказалась, сказав, что ее любезно согласился доставить домой Лев Хаимович.

— Домой, — с удивлением повторила женщина. — Теперь это не мой дом. Наверное, скоро мне придется съехать оттуда. Одна я остаюсь. Сережу посадят, Эдика отец за границу отправляет, Анны нет. Поселюсь в своей старой квартирке и заведу кошку.

— Что, отъезд Эдика — решенный вопрос? — спросил Гуров.

— Да, Анатолий так решил, а Эдик не стал с ним спорить. Может, оно и к лучшему. Ему забыться надо, отвлечься. Так что с завтрашнего дня я остаюсь одна. У Эдика самолет в пять часов.

— Вы пойдете провожать?

— Конечно, а как же иначе? Не только я, многие. Лев Хаимович тоже. — Она помолчала и спросила: — О Сереже ничего нового не скажете?

— Пока нет, — уклончиво ответил Гуров. — Возможно, завтра.

Носковы сами подошли к полковнику. Рядом с ними шагал охранник Николай Рябинин.

— Все-таки пришел! — Гуров посмотрел на Эдика.

— Да, — разлепил тот губы. — Это же мама.

— Мы приняли меры безопасности, — негромко сказал Носков-отец. — Бронежилет, охрана...

— Ну, молодцы. Значит, завтра уезжаешь? — спросил Гуров Эдика.

— Да, завтра, — ответил тот.

— Быстро!

— Я это решил, как только случилось несчастье, — сказал за него отец. — Похороны прошли, в последний путь проводили, теперь нужно о себе подумать.

Гуров усмехнулся, видя, как торопится Анатолий Петрович избавить своего сына от дурного влияния Дианы Милютиной, но не решился при нем задать вопрос Эдику насчет нее.

— Мнс, возможно, нужно будст кос-что уточнить у тебя еще раз, — обратился он к Эдику. — По поводу того вечера, когда погибла твоя мама.

— Спрашивайте, — сказал тот.

— Сейчас спешу. Лучше завтра. У тебя во сколько самолет?

— Вечером, в семнадцать тридцать, кажется.

— Вот и отлично. Может, конечно, наша встреча и не понадобится, если все раньше решится. Словом, я позвоню.

Гуров попрощался с Носковыми и пошел к своей машине. Отец и сын сели в «Лексус» Носкова-старшего.

Отъехав от кладбища, Гуров снова набрал Крячко.

— Первый, я третий! Преследую белую «Ладу-Калину», номерной знак 560 МХК, — гнусавым голосом ответил Станислав.

— Ты не резвись там, а то еще упустишь, — посоветовал Гуров. — Я тогда с тебя шкуру спущу. Где ты находишься?

Крячко назвал координаты и добавил, что, по его мнению, ехать осталось недолго. Гуров не стал его отвлекать. Станислав перезвонил минут через двадцать и сказал, что машина нашла приют на автостоянке возле небольшого частного отеля на северо-востоке Москвы.

— Оставляй людей, инструкции повтори. Глаз не спускать. Я подъеду позже.

На этом Гуров и Крячко распрощались.

Наступило воскресенье. Значит, за ним последует понедельник.

«Логичный вывод», — подумал полковник Гуров, проснувшись рано утром, и усмехнулся.

Понедельник, идущий за воскресеньем, волновал его в связи с тем, что к этому времени сыщик должен был установить личность человека, замыслившего убить Анну Кристаллер. И не просто установить — это было уже практически сделано! — но и найти пути, чтобы, во-первых, уличить его, а во-вторых, не дать совершить еще одного злодейства. Все это надо было завершить до сегодняшнего вечера.

Завтра, в понедельник, Лев Иванович должен предстать перед генерал-лейтенантом Орловым с отчетом о проделанной работе. Он обещал распутать этот клубок по возвращении из гастрольной поездки с Эдиком Носковым. Оно было намечено на сегодня. Не важно, что Гуров вернулся раньше, это даже к лучшему. До понедельника у него есть время, много часов, каждый из которых должен быть использован по максимуму.

Гуров выжал из этого воскресенья все, что только мог. Не отставал от него и Крячко, выполнявший свою работу. Все это время Гуров не ощущал усталости, не испытывал особого волнения. Он действовал как автомат, четко и слаженно, раз за разом прокручивал в голове всю подготовку и думал, достаточно ли сделано. Всегда, даже при самом тщательном планировании, может возникнуть досадная случайность, которая будет стоить человеку самого дорогого — жизни.

В четыре часа Гуров сел в свой автомобиль и поехал в аэропорт Шереметьево. Рудакова, Лейбман и другие должны были провожать Эдика в Германию. Вероятнее всего, Диана тоже приедет, возможно, даже с отцом. Александр Милютин наверняка будет пытаться отговорить Носкова-младшего от этой поездки. Полковник Гуров не знал, чем все закончится. Он мог только молиться, чтобы все произошло так, как он решил.

По дороге сыщик позвонил Крячко, услышал, что у того все готово, и немного успокоился. Миновав черту города, он поехал по Ленинградскому шоссе. После поворота на аэропорт поток встречных машин резко снизился.

Примерно в полукилометре от аэропорта он заметил черный «Лексус», стоявший у обочины. Это была машина Анатолия Петровича Носкова, который стоял возле нее и курил.

Гуров остановился, не доезжая до него, несколько метров прошел пешком, после чего протянул Носкову руку и сказал:

— Добрый вечер, Анатолий Петрович.

— Все-таки вы тоже решили приехать. Спасибо. Я надеялся на это, — проговорил Носков. — Волнуюсь, простите. — Он выбросил окурок, и Гуров отметил, что руки у него действительно подрагивали. — Эдика специально не стал брать с собой. Он должен подъехать с охранником Рябининым. Так надежнее. Все-таки убийца еще не пойман. — Носков-старший заглянул Гурову в лицо.

— Поймаем обязательно, Анатолий Петрович, — твердо произнес Лев Иванович. — Задержим и обезвредим. Скоро они подъедут?

— Да уже минут через пять, — сказал Носков, бросив взгляд на часы. — Я могу позвонить. — Он достал телефон, нажал на кнопки и спросил: — Николай, так что? Вы далеко? Уже? Отлично, жду! Ну вот, они уже почти здесь.

Гуров стал пристально смотреть на дорогу. Приближался ответственный момент. На шоссе показался серый «Хендай». Он ехал не слишком быстро и очень ровно. В нем должны были находиться Эдик Носков со своим охранником Рябининым.

Машина приближалась, Анатолий Петрович вглядывался в нее. Когда до автомобиля оставалось метров двести, раздался оглушительный взрыв. «Хендай» будто подпрыгнул на месте и окутался пламенем. В разные стороны полетели куски земли и металла. Анатолий Носков побледнел.

— Эдик! — заорал он во все горло и бросился к полыхавшему автомобилю. — Сынок!

Гуров схватил его сзади за плечо, пытаясь удержать, но Носков рвался вперед. Боковым зрением сыщик видел, как со стороны аэропорта к ним на большой скорости направлялся серебристый фургон «Рено». Он быстро добрался до них и остановился. Из него выпрыгнул Станислав Крячко, который держал в руке пульт дистанционного управления.

— Ну что?! — Он подмигнул Гурову. — Вовремя я нажал эту штуку? Ей-богу, ощущал себя в этот момент исламским террористом!

Анатолий Носков ошарашенно смотрел на пульт в руках Стаса. Его лицо, и без того бледное, побелело еще больше.

— Вы что, нажали эту штуку? — севшим голосом спросил он. — Привели в действие взрывной механизм? Вы что? Там же был мой сын!

В двухстах метрах от них полыхали останки серого «Хендая».

— Успокойтесь, Анатолий Петрович, — сказал Гуров. — Ваш сын жив и здоров.

Носков вскинул глаза на сыщика, потом перевел их Крячко. Казалось, он вообще утратил способность что-либо соображать и ничего не понимал.

— Где он? Где Эдик? — оторопело водя глазами, вопрошал Носков.

— Да здесь он, здесь, — Крячко подошел к «Рено» и открыл дверцу.

Из фургона показались охранник Рябинин и Эдик Носков.

Анатолий Петрович неуверенно сделал шаг в сторону сына, потом было побежал, споткнулся. Эдик и Рябинин стояли молча.

— Что же вы остановились, Анатолий Петрович? Ведь ваш сын жив! — сказал Гуров. — Или вы знаете, что это не ваш сын?

Носков замер на месте, несколько секунд стоял неподвижно, потом стал медленно поворачивать голову. Полковник Гуров оставался на своем месте, но направил на Носкова-старшего пистолет.

Анатолий Петрович тупо хлопал глазами. Крячко подошел к нему, ловким движением своих неповоротливых на вид пальцев быстро защелкнул наручники на его запястьях.

Носков-старший не смотрел на Станислава. Взгляд его не сходил с лица Гурова. Он силился понять, как и почему этот человек смог сделать такое.

— Где мой сын? Куда вы его дели? — медленно ворочая языком, спросил Носков.

— Мы? Это не мы его дели, а вы спрятали в гостинице до поры до времени. Если бы я не додумался проследить за той «Ладой-Калиной», которая приехала на похороны Анны, возможно, на его поиски ушло бы куда больше времени. А так мы еще вчера с ним мило побеседовали.

Гуров подошел к автомобилю и открыл дверцу. С заднего сиденья вылез Эдик Носков, скрытый до этого момента за тонированными стеклами. Он молча смотрел на своего отца, и во взгляде его застыл вопрос.

— Гражданин Носков Анатолий Петрович, я предъявляю вам обвинение в убийстве Анны Кристаллер, покушении на жизнь Николая Рябинина и Дмитрия Панченко, — отчеканил Гуров. — Вы согласны с предъявленным обвинением?

Носков-старший не отвечал. Он смотрел не на Гурова, а на Эдика, стоявшего перед ним. А парня вдруг начала бить крупная дрожь. Его губы тоже тряслись. Он силился задать вопрос, но пока не мог.

— Вы хотя бы объяснили, кто такой Дмитрий Панченко, — подал голос Анатолий Носков.

Он видел, что Эдик ждет от него объяснений, а давать их ему ох как не хотелось. Поэтому отец и заговорил на другую тему. Он сейчас быстро пытался сообразить, можно ли найти выход, избежать уже не тюрьмы, а ненависти и презрения со стороны собственного сына, который был столь хладнокровно использован в игре, затеянной им.

— Панченко? Да вот же он. — Гуров показал на парня, стоявшего возле «Рено» в компании Николая Рябинина и под присмотром Крячко.

Станислав смотрел то на догоравший серый «Хендай», то на Эдика. Они действительно были очень похожи, с нескольких шагов не отличишь. И все-таки разные. Во всяком случае, полковник Гуров теперь уже точно не спутал бы их.

Эдик Носков тоже посмотрел на него. Два молодых человека такой похожей внешности и столь разной судьбы оказались лицом к лицу друг с другом.

— А вы что, никогда не встречались? — спросил Гуров у Эдика.

Тот машинально покачал головой, не отводя взгляда от отца. Носков-старший отвернулся. Серый «Хендай» тем временем превращался в груду обгорелого железа.

— Символично, не правда ли? — обратился к Носкову сыщик. — Это догорают ваши мечты, оставляя пепел от ваших злодейских планов.

— Отец! — Эдик все порывался задать вопрос. — Отец, скажи...

— Молчи, Эдуард! — через силу выговорил тот. — Ты ничего не знаешь! Молчи!

— Знает-то он все-таки многое, — сказал Гуров. — Но это не столь важно. Главное, что все остальное теперь известно нам. Спасибо Эдуарду за то, что он прояснил для нас некоторые неясные моменты. Иначе ни Дмитрия Панченко, ни Николая Рябинина сейчас не было бы в живых. Отпираться вам смысла нет, потому что нам известно не просто многое, а практически все. Не верите? Я вам докажу. Вы решили убить свою бывшую жену Анну Кристаллер ради получения ее денег. Для этого вы наняли киллера, который под видом одного из гостей Анны проник в комнату отдыха и застрелил ее. Потом...

— Сразу грубейшая ошибка! — воскликнул Носков. — Я не получаю никаких денег Анны!

— Зато их получает ваш сын. Правда, с некоторыми оговорками, которые вам были известны.

— Это деньги сына! — зло сказал Носков.

— Вы лукавите, Анатолий Петрович! Не надо. Первая часть вашего плана была успешно выполнена в доме Анны. Вы приехали туда под предлогом поздравить ее с началом проекта и пожелать успехов. Киллер ждал вас в зале. Ваше появление было сигналом для него. Он пошел на свое «рабочее место». Вы попрощались с Анной и уехали. В момент прощания вы нажали кнопку на телефоне. Анна мгновенно получила СМС-сообщение, подготовленное заранее. Ей и в голову не пришло, что это вы его послали. Такая новость выбила ее из колеи. Она, как всякая женщина, не могла не удержаться и решила его проверить. Войдя в комнату отдыха, Анна тут же получила смертельную пулю. А вас к этому моменту уже не было в доме. Да и вообще, кому придет в голову подозревать бывшего мужа, который ничего не выигрывает от смерти жены? Вы и время убийства выбрали с таким расчетом, чтобы у всех в голове вертелась мысль о предстоящем мюзикле. Там были люди, имеющие к нему отношение. Вы очень хорошо все продумали, Анатолий Петрович. Вначале я считал, что убийце помогал кто-то из людей, близких Анне. Но нет. Вы сами и были тем близким человеком. Вы знали о ней многое, часто находились рядом, всегда могли выведать любые детали у Эдуарда, Рудаковой или Лейбмана, невзначай, не в лоб. Никто не заподозрил бы вас.

Эдик Носков слушал Гурова, ловя каждое слово. Дима Панченко тоже. Но при этом он еще и посматривал на искореженный «Хендай», который покинул недавно благодаря Крячко. Станислав зорко следил как за этой машиной, так и за ходом развития событий в целом.

— Итак, убийство совершилось. Эдик — главный наследник. Но осталась невыполненной вторая часть вашего замысла. Как получить его деньги? Понятно, что добровольно он их не отдаст. С какой стати? Тем более что в его глазах вы успешный бизнесмен. А ведь это совсем не так, Анатолий Петрович. — Гуров покачал головой. — Я навел справки и получил аудиторские, а также банковские документы. Они свидетельствуют о том, что дела в вашей фирме идут совсем не так хорошо, как вы всем рассказывали. На вас висит несколько кредитов, вы погрязли в долгах. Даже этот «Лексус» не ваш. — Полковник кивнул на черный автомобиль, на котором разъезжал Анатолий Носков. — Так что в деньгах вы очень нуждались. Этому посвящалась вторая часть вашего замысла. Какая? Вы единственный наследник Эдуарда, потому что он не женат и детей у него нет. Вы ведь еще и поэтому так противились напору Милютина, желавшему поженить ваших детей, верно? Но чтобы получить наследство Эдуарда, нужно, чтобы он сперва умер.

— Логично! — с сарказмом в голосе произнес Носков-старший. — Только какой же отец убьет собственного сына, пусть даже ради денег?

— Вот именно что никакой! — ответил Гуров. — Поэтому вам и нужно было подставное лицо. Вы нашли парня, похожего на вашего сына, причем сделали это не сейчас, а заранее. Когда он вышел на тебя, Дима? — обратился Гуров к Панченко.

— Еще весной, — наморщив лоб, сказал Дмитрий.

— В Липецке, так? Он ведь часто ездит туда в командировки, пытаясь хоть как-то решить свои дела в бизнесе.

— Да, я жил там с мамой, — заговорил Панченко. — Однажды этот человек подошел ко мне и сказал, что я очень похож на его сына. А тот — эстрадная звезда. Мол, он хочет предложить мне работу. Анатолий Петрович говорил, что практически у каждой звезды есть двойник, который заменяет ее во время концертов. Дескать, звезда тоже человек, который может заболеть, устать, сорвать голос. Тогда на сцену должен выходить я. Петь мне не нужно, потому что все записано на фонограмму. Просто изображать. Он предложил деньги. Большие. Разумеется, я согласился. Мы с мамой живем небогато, на хорошую работу устроиться не так-то просто...

— В общем, понятно, — перебил его Гуров. — Заморочить голову пацану совсем не трудно. Тем более что эти деньги большие только для тебя. Ты хоть раз до этого заменял Эдика?

— Нет, только когда мы ездили с вами, — тихо сказал Дмитрий. — Я боялся, все поймут, что я это не я. Я же никогда не выходил на сцену. Только репетировал.

— Сначала мне и в голову это не пришло. Хотя я обратил внимание на твою неуверенность. Это уже потом я додумался до всего. Итак, вы подготовили почву, — снова обратился Гуров к Носкову-старшему. — Сымитировали покушение на жизнь собственного сына, заставили всех подумать, будто убийца за ним охотится, наняли охрану и подрядили меня его сопровождать, подкупив соблазном поймать убийцу. Сами же вы остались здесь и спокойно готовились к завершению замысла. Эдика вы спрятали и велели не показываться. Теперь его роль должен был играть Дима. До самой своей смерти. Это ведь ему предписано было взорваться в этой машине, — Гуров кивнул на «Хендай». — То есть для всех ситуация выглядит так: некий неизвестный злодей убивает Анну Кристаллер, а потом и ее сына. Кто он, непонятно, и полиция найти его не может. А вы, безутешный отец, порыдав на могиле Эдика, заявляете друзьям и знакомым, что вас больше в этой стране ничего не держит. Все в ней напоминает о жуткой трагедии, поэтому вы покидаете ее, уезжаете куда-нибудь подальше, предварительно, разумеется, вступив в права наследства. А там вас уже ждет сын — живой и невредимый. Вы честно делите деньги пополам и разъезжаетесь в разные стороны. И ему выгодно, и вам. Ведь по вашему плану он получает огромную сумму наличными. Без него Эдик вынужден считаться с условиями, поставленными матерью в завещании. Отправить его по фальшивым документам за границу вы должны были заранее. Панченко мертв, никаких свидетелей!.. Хороший план? — спросил Гуров и сам же ответил: — Да, гениальный.

— Только фантастический, — бросил Носков-старший. — Показания этого мальчика не могут быть выше моих. — Он ткнул пальцем в Панченко. — Мы с ним равны перед законом, а я буду все отрицать. Что же касается гибели Анны, так я ее не убивал. Меня вообще там не было в момент ее смерти, я уехал раньше. Это все видели и подтвердят.

— Вы так говорите, потому что уверены в том, что киллер вас не сдаст, — сказал Гуров. — Более того, вы надеетесь, что мы до него не доберемся. Но это ваше главное заблуждение. Мы уже до него добрались.

Носков-старший поднял глаза на Гурова. Полковник видел, что тот отчаянно пытается сообразить, правду он говорит или блефует. Но ситуация в данный момент стала настолько острой, что блефовать в ней было просто нельзя. Лев Иванович все рассчитал и подготовил так, чтобы не полагаться на случайный эффект.

— Напрасно надеетесь, что я беру вас на пушку, — заявил сыщик, покачал головой, повернулся назад и спросил: — Стас, наш киллер понял то, что услышал?

— А мы сейчас сами у него спросим. — Крячко усмехнулся и обратился к охраннику, стоявшему рядом: — Как, Рябинин, вы теперь сообразили, какая участь вас ожидала?

Николай Рябинин смотрел не на него, а на Носкова, потом мрачно сплюнул и произнес:

— Такие вещи не прощают. Так что заложу на всю катушку.

— Верно, — подтвердил Гуров. — Киллеры далеко не всегда сдают своих заказчиков, предпочитают отсидеть срок, зато получить большие деньги. Но это не тот случай. Потому что денег у вас, Носков, нет. Вам нечем купить киллера, вы рассчитались с ним только за смерть Анны, остальное — сплошные авансы. Узнав, что вы хотели его устранить, Рябинин не станет вас прикрывать. Вы надеялись его взорвать вместе с Панченко, чтобы таким вот образом уничтожить обоих свидетелей, после чего вам уже ничего не грозило. Но я понял это заранее и все предусмотрел. С самого утра оперативная группа вела подготовку к операции. Вы обратили внимание на то, что на шоссе почти нет машин? Это сделано специально, чтобы никто случайно не пострадал. Взрывное устройство, подложенное вами, должно было сработать до приезда в аэропорт. Мы заменили его на другое. Пассажиров в машине не было, водитель пустил автомобиль по шоссе и выпрыгнул. Полковник Крячко привел в действие дистанционное устройство ровно в тот момент, чтобы взрыв произошел на наших глазах. Рябинина раскололи еще вчера, так что маршрут и время нам были известны. В ином случае заставить его говорить было бы непросто, но тот факт, что заказчик решил убрать Николая, сыграл свою роль. Так что мы были очень неплохо подготовлены, и операция, слава богу, завершилась успешно. Показания вашего сына тоже оказались важны. После посещения им кладбища, как я уже говорил, мы засекли место его проживания. Потом я съездил туда. Этого оказалось достаточно. Так что все.

Носков-старший, видимо, начал осознавать, что это действительно конец. Все для него закончилось — и эта дьявольская игра, и свобода, и мечты, и отношения с сыном. Это отчетливо отражалось во взгляде, который упер в него Эдик.

— А вам, Эдуард, я вот что скажу. — Гуров повернулся к нему. — В своем совсем еще молодом возрасте вы уже стали подгнивать изнутри. Лень, праздность, избалованность — все это привело к тому, что ради себя вы готовы перешагнуть через других. Вам только двадцать лет, но уже есть над чем подумать. Если вы попадете в тюрьму — а у вас есть все шансы туда угодить! — то времени для этого у вас будет достаточно. Может быть, это и к лучшему. Ведь, соглашаясь на план вашего отца, вы не могли не понимать, что из-за него погибнет ни в чем не повинный человек, ваш ровесник.

— Нет! — выкрикнул Эдик, глаза которого наполнились ужасом после слов Гурова. — Это все не так, я ничего не знал! — закричал он. — Отец не посвящал меня во все свои планы, просто сказал, что мне нужно исчезнуть, а потом он придумает, как сделать, чтобы меня считали погибшим! Я соглашался только на это, не мог знать всего остального! Я сам вообще в шоке! — Эдик говорил бурно, взахлеб, и по лицу его катились слезы.

Он уже обращался не к Гурову, повернулся к Дмитрию Панченко и закричал:

— Я не хотел, чтобы ты погиб! Я не знал этого! Я не убийца, поверь мне! Я не хочу в тюрьму!

— Оставьте Эдика в покое! — властно и громко проговорил Носков-старший. — Он действительно ничего не знал. Я сказал, что организую автокатастрофу, в которой машина взорвется, и все решат, что там был он.

Эдик посмотрел на него и спросил:

— Отец, скажи мне только одно. Ты действительно убил маму?

Щеки Анатолия Носкова задрожали. Он ничего не отвечал.

— Отец! — крикнул Эдик, и голос его сорвался.

Он опустился на асфальт, закрыл лицо и зарыдал по нарастающей. У него началась истерика. Крячко подошел к Эдику, похлопал его по плечу и помог подняться.

— Пойдем. — Станислав повел его к фургону. — Не о чем тебе сейчас с ним говорить.

Все оставшиеся какое-то время стояли молча, потом Гуров посмотрел на сникшего Анатолия Носкова и сказал:

— Я еще раз спрашиваю, вы признаете предъявленное вам обвинение?

Носков смерил его взглядом, в котором плавала злоба, и сказал:

— Да пошли вы все!..

— Вот и прекрасно! — воскликнул Крячко, возвратившийся к Гурову. — Только не пойдем, а поедем! В машину его!

Носкова-старшего усадили в фургон, в котором сидели вооруженные оперативники. Туда же был отправлен и Николай Рябинин. Эдика Носкова Крячко посадил с собой в кабину. Дмитрий Панченко стоял один и растерянно смотрсл по сторонам.

Гуров подошел к нему и сказал:

— Тебе придется задержаться в Москве, Дима. До суда. Ты очень важный свидетель в этом деле.

— Я понимаю. — Панченко кивнул.

Сыщику было видно, что он думал о другом. Гуров догадывался, о чем именно, но не вмешивался.

Панченко заговорил сам:

— Я все думаю, как теперь будет с Дианой. Когда она обо всем узнает. Ведь ее отец уже не будет одобрять наши отношения. Ему ведь нужен был не я, а Эдик Носков. А Диане понравился я, понимаете? Она в меня влюбилась, а не в Эдика! Я не хочу им быть! — Голос Дмитрия высоко взлетел.

Гуров задумчиво посмотрел на него и сказал:

— Я бы посоветовал тебе сейчас просто подождать. Время есть. Если ты действительно понравился Диане, то сумеешь доказать, что во всем превосходишь Эдика Носкова. Ему все доставалось легко, но он этого не заслуживал. Пускай тебе живется труднее, зато все, что ты получишь, будет твоим. Удачи тебе. Садись в машину.

Дмитрий вздохнул, потом благодарно посмотрел на полковника и пошел к машине.

К Гурову подошел Крячко и спросил:

— Ну что, упала с плеч гора?— спросил он.

— Не гора, — устало поправил Лев Иванович. — А целый массив.

— Ну так растем! — удовлетворенно сказал Крячко. — Не только горы двигаем! А скажи мне откровенно, Лева!.. — Станислав прищурился. — Ты что же, давно все знал?

— Стас, я же не провидец. Я вообще стал догадываться о чем-то только после того, как съездил с Носковым на гастроли. В поведении Эдика меня что-то смущало, не нравилось мне это. Да и его неожиданный роман с Дианой!.. Только потом, услышав от администратора Кручина о двойнике Полонского, я зацепился за эту мысль. Она у меня оформилась в отношении Эдика, а дальше распутывание клубка пошло быстро, просто стремительно. С твоей, разумеется, помощью. Так что свое обещание перед Петром я выполнил. К понедельнику управился.

Крячко хлопнул его по плечу. Они расселись по машинам и поехали в Москву.

Капля королевской крови

РОМАН

Глава 1

«Совершенно секретно!

Данный меморандум недопустим даже для частичного оглашения в среде адептов первого круга, а также оруженосцев и вассалов, не имеющих третьей степени посвящения.

Всецело чтя Истинного Творца и Разрушителя всего сущего, мы, его верные слуги, сего числа рассмотрели и обсудили вопросы стратегии и тактики, нацеленных на расширение сфер влияния Единственно Верного Учения на те страны, которые пребывают во мраке невежества и заблуждений.

На основании высказанных мнений господ Магистров и преданных им Рыцарей-Властителей следует констатировать, что наше влияние на политические и социальные процессы во всех странах мира, как напрямую подчиненных нашей идеологии, так и разделяющих позиции «Пламени Истины», должно расти в геометрической прогрессии. Верховенство нашего Ордена должно быть бесспорным и абсолютным, и ради этой великой цели его адепты не обязаны сковывать себя какими-либо нравственными или правовыми рамками.

Настал момент резкого усиления нашей воинствующей деятельности и в отношении России, что имеет чрезвычайно важное значение. Россия как варварская, чуждая западным ценностям страна требует приложения максимальных усилий — финансовых, организационных, пропагандистских. Лишь это позволит сделать ее нашим очередным завоеванием, нашим покорным вассалом и рабом, безропотно выполняющим нашу волю. Если же эта задача выполнена не будет, все иные наши завоева-

ния, безусловно, девальвируются до минимума. Россия должна или покориться нам, или исчезнуть с карты мира, а русские как народ или коллапсировать до нуля, или раствориться в других, более толерантных народах...»

(Из меморандума совещания Рыцарей-Властителей высшего круга посвящения тайного ордена «Пламя Истины»)

* * *

Сотрудники главного управления угрозыска в звании полковника старший оперуполномоченный Лев Гуров и оперуполномоченный Станислав Крячко неспешно шествовали по аллее одного из городских парков столицы. Сыщики только что навестили в соседней с парком больнице своего шефа и старого друга, начальника главка угрозыска, генерал-лейтенанта Петра Орлова.

Орлов, всегда отличавшийся отменным здоровьем, теоретически вообще не должен был там оказаться. Просто случилось так, что нестерпимо жарким днем, вернувшись из поездки, он достал из холодильника бутылку ледяного лимонада и тут же ее опорожнил. Уже наутро у него поднялась температура, и ему пришлось обращаться к докторам. К счастью, обошлось без воспаления легких, и Петр, отлежав в больнице пару дней, стремительно пошел на поправку. Он бы убежал оттуда и сегодня, но врачи воспротивились, пообещав, если все будет нормально, выписать его завтра к вечеру.

Разговаривая о всякой всячине, в том числе о погоде, о качествах выпускаемого ныне лимонада («Это ли — лимонад?! То ли дело — лет тридцать назад выпускали!..»), приятели обратили внимание на прилично одетого пожилого субъекта, который полулежал на садовой скамейке. Со стороны его можно было принять за любителя «употребить», слегка перебравшего «лимонада» с немалым количеством градусов.

Скорее всего, именно этого мнения о нем были и прочие пешеходы. Они, кто — с сожалением, кто — с оттенком презрения, поглядывали в сторону этого человека. Приостановившись и немного подумав, опера подошли к мужчине, и только тогда им стало ясно, что выпивка тут ни при чем. Скорее всего, у незнакомца с внешностью школьного учителя отчего-то серьезно прихватило сердце.

Потрогав сонную артерию и убедившись, что тот еще жив, Гуров достал телефон и вызвал «Скорую». Проверив карманы неизвестного и не найдя в них никаких документов (при нем не оказалось денег и даже ключей от квартиры), он заглянул в полуоткрытый кейс, лежавший рядом на скамейке. Судя по всему, там уже успел пошарить кто-то посторонний. Возможно, именно поэтому у незнакомца ничего не нашлось и в карманах — их, как видно, тоже уже успели проверить наряду с кейсом.

Переворошив в кейсе лежавшие там бумаги — какие-то рекламные буклеты фармацевтических фирм, пару технических журналов, несколько общих тетрадей, малоразборчивым почерком исписанных, и иную макулатуру, — краем глаза Лев схватил необычный заголовок на брошюре, лежавшей под тетрадями. На яркой обложке крупными буквами, отливающими золотом, было написано: «Спасение человечества — Единственно Верное Учение».

Усмехнувшись, он быстро пролистал брошюру, вскользь пробегая взглядом по страницам, и, показав ее Стасу, иронично прокомментировал:

— Сектантская хренистика на темы спасения мира от глобального зла. Вроде того, близится конец света — это мы уже сто раз слышали, и спасение человечества возможно, если только оно уверует в это самое «Единственно Верное Учение». Вот интересно, этот мужик сам состоит в сектантах или его кто-то надумал агитировать?

— Не исключено, что и сам состоит... — Крячко пожал плечами. — Люди старшего поколения, мне кажется, слишком внушаемы и поэтому чаще попадают под влияние всяких «гуру» и «пророков». Я вообще не могу понять, почему у нас до сих пор свободно распространяются всевозможные «истинные учения» и орудуют «святые наставники»? Их давно нужно выставить за пределы наших границ...

В это время в конце аллеи, выскочив из-за деревьев, остановилась машина «Скорой». Лев помахал рукой, и две не очень крупные санитарки с носилками-каталкой поспешили к ним. Рядом с ними с большим кофром в руке спешила докторша средних лет.

— А он кто? У него документы, страховой полис есть? — спросила она, проверяя пульс у лежащего.

— Он?.. — Лев на мгновение задумался. — Э-э-э... Очень важный свидетель, которого непременно нужно спасти. Я — полковник Гуров, из главка угрозыска.

Лев показал свое удостоверение, и это стало решающим доводом, определившим решение докторши. Приятели помогли погрузить лежащего без сознания на носилки и довезти его до машины. Когда «Скорая» умчалась, Стас оглянулся и сокрушенно махнул рукой:

— Эх! А кейс-то куда теперь?

— Да ладно, заберем с собой, — возвращаясь к скамейке, ответил Гуров. — Девчата сказали, куда отправят этого человека. Так что оклемается — завезем, отдадим...

Защелкнув замочки кейса, он поднял его и удивленно произнес:

— Увесистый, однако! Неужели столько весят журналы и буклеты?

Лев и Станислав обменялись встревоженным взглядом. Каким-то шестым чувством, ощутив неладное, Гуров, оглядевшись, подбежал к открытому канализационному колодцу и, заглянув туда, бросил в него кейс. Едва он успел отскочить в сторону, как из шахты с оглушительным грохотом вырвался столб огня и дыма. Эхо от взрыва разлетелось по всей округе. Где-то за зеленью парка на разные голоса взвыла автомобильная сигнализация.

Приятели ошарашенно смотрели друг на друга. Во взгляде каждого из них было написано: «Это что же мы сейчас? Чуть-чуть не взлетели на воздух?!» Лев почувствовал, как по его спине ящеркой пробежал неприятный холодок. Судя по всему, что-то похожее ощущал и Стас. Он растерянно вытер лоб тыльной стороной ладони и только и смог сказать:

— Обалдеть!..

Со всех сторон к месту взрыва стали сходиться люди. Явив потрясающую оперативность, примчался экипаж ППС. Лев тем временем набрал номер телефона своего хорошего знакомого — полковника ФСБ Александра Вольнова и, услышав знакомый голос, поздоровался и представился.

— ...Лев, да я тебя уже узнал! — ответив на приветствие, жизнерадостно откликнулся тот. — Как жив-здоров?

— Будешь смеяться, но это настоящее чудо, что мы со Стасом в данный момент живы и даже здоровы. Тут сейчас такое случилось — хоть стой, хоть падай.

Он вкратце рассказал о загадочном сердечнике, которого увезла «Скорая», и о его не менее загадочном пластмассовом чемоданчике.

— ...Думаю, кроме той брошюры, которую я увидел, в кейсе было спрятано еще что-то. Наверняка имелось двойное дно, где в тайнике хранились материалы куда более секретного характера, — заключил он.

— Ну и ну!.. — только и смог произнести ошеломленный Вольнов. — А куда, говоришь, его увезли?

Поблагодарив за информацию и выразив свою радость по поводу того, что они со Стасом не пострадали, собеседник Льва пообещал сообщить о результатах своей проверки. Дав необходимые пояснения прибывшим к месту взрыва МЧСовцам, опергруппе соседнего райотдела и следователю районной прокуратуры, приятели отправились к автостоянке, где был припаркован «Пежо» Гурова. Оглянувшись и окинув взглядом сразу несколько команд телевизионщиков, которые, примчавшись «на рысях», с ходу набросились на службистов, находившихся там, Крячко торжествующе рассмеялся.

— Вовремя мы оттуда смылись! — резюмировал он.

Когда опера садились в машину, неожиданно зазвонил телефон Льва. Встревоженный голос Орлова недоуменно вопрошал:

— Лева, что это там так бабахнуло в парке? Вы сейчас где?

— Мы? Да, вот, на автостоянке, собираемся ехать в «контору». А бабахнуло... Пацанята хулиганят — спасу нет! — придав голосу беспечность, соврал Гуров.

Однако Петр ему не поверил.

— Лева, ты кончай мне баки заливать! Рассказывай как есть, что там произошло! — недовольно потребовал он.

— Какой же ты настырный! Это, наверное, на тебя так простуда повлияла... — сокрушенно определил Лев.

— Хватит из меня дурачка делать! Говори немедленно — что там случилось?! А то я сейчас прямо в пижаме пойду разбираться!

— Да, скажи уж ему! — вздохнул Стас. — Не угомонится же, пока не расскажешь.

Стараясь по максимуму смягчить детали случившегося, Гуров вкратце изложил суть происшедшего. Выслушав его от начала до конца, Орлов сердито проговорил:

— Японский городовой! Это вы, считай, сегодня второй раз родились.

Лев в ответ искренне рассмеялся.

— О чем ты говоришь?! Да у нас со Стасом тогда круглый год — второй день рождения. И в огне горели, и в болоте тонули, а теперь вот и чуть в воздух не взлетели...

— Да-а уж! Ни хера себе, выдался бы у вас полет! С доставкой прямо на небо! — явно в душе очень переживая из-за своих друзей, поддакнул Петр.

— Вообще-то, радоваться надо, что именно мы взяли с собой тот чертов кейс, — отметил Гуров. — Страшно даже представить, что могло бы произойти, если бы его нашли ребятишки. Так что недаром говорится: что Бог ни делает — все к лучшему!

Немного помолчав, уже совсем другим тоном Орлов согласился:

— Ну-у... Понимаешь... Это, конечно, правильно.

Сев в «Пежо», приятели вырулили на улицу и покатили в общем потоке машин. В последний момент оглянувшись назад и увидев обескураженных телевизионщиков, которые самую малость не успели их перехватить, Крячко торжествующе рассмеялся.

— Что, ребята, обломилось интервью? Гуд бай, «четвертая власть»!

Однако когда они прибыли к главку, то рассмеялся уже Гуров — у крыльца их «конторы», взяв на изготовку свои видеокамеры, стояли около десятка человек.

— Нет уж, Стас! — иронично провозгласил он. — Тут как в той комсомольской песне о тревожной молодости: готовься к великой цели, а слава тебя найдет! Ну, вот, как видишь, она нас, ешкин кот, все-таки нашла... Идем уж, идем на эту теле-голгофу!

...Через день после описанных событий, рано утром прибыв на работу, Лев Гуров едва вошел в свой кабинет, как зазвонил телефон внутренней связи.

«Да он что?!! Установил для отслеживания моих действий систему видеонаблюдения, что ли?» — мысленно отметил Гуров и, подойдя к столу, поднял трубку.

— Лева, привет! — бодрым, как хруст свежего огурчика, голосом жизнерадостно загромыхал Петр. — Ты, это... Ко мне зайди. Если вдруг свершится чудо, и наше штатное чудо природы — Стас, появится на пороге, веди его тоже.

Хлопнула дверь, и, подозрительно воззрившись на Гурова, на пороге замер Крячко. «Уж не обо мне ли речь?» — было написано на его лице.

— Чудо природы появилось... — в тон Орлову сообщил Лев. — Уже идем.

— Чего он там спозаранок затеял? — поморщившись, спросил Стас, вопросительно глядя на приятеля. — Небось опять какую-нибудь работенку подкинет? Знаю я его! Если с утра звонит — все! — готовься к какому-нибудь сюрпризу. Как самочувствие-то?

— Да, ничего. А ты как? — догадываясь о подоплеке вопроса, чуть заметно улыбнулся Гуров.

— Башка разламывается. И прошлую, и эту ночь плохо спал. Только уснешь — начинают мельтешить репортеры, суют под нос свои микрофоны и задают какие-то тупые вопросы. А я, вроде того, пытаюсь придумать, что бы им ответить, и понимаю — ничего дельного сказать не могу. Просыпаюсь в холодном поту. Тьфу, едри его!.. А тут еще сегодня ночью в подъезде трое отморозков устроили потасовку...

По словам Крячко, примерно в третьем часу ночи его разбудили какие-то вопли, доносящиеся из-за входной двери. Наскоро одевшись, он вышел на лестничную площадку и увидел на пролет ниже троих очень даже не слабого сложения неизвестных, которые, то ли что-то не поделив, то ли что-то не уточнив, бурно выясняли между собой отношения. На подоконнике стояла недопитая бутылка водки, а рядом с ней на газете лежала закуска. Парни были не из их дома — Стас это понял сразу. Как они смогли войти в подъезд с кодовым замком — догадаться было несложно. Скорее всего, набрали на домофоне номер одной из квартир, а кто-то спросонья «на автопилоте», не спрашивая, открыл им дверь.

Из-за дверей своих квартир выглядывали заспанные соседи, пытающиеся на словах убедить хулиганье дать людям поспать. Но те их словно не замечали, продолжая демонстративно бузить. Спустившись ниже, Крячко вполне миролюбиво предложил парням собирать свой «дастархан» и валить на все четыре стороны. Ответом ему стала отборная матерщина и угрозы «выпустить кишки». Дабы продемонстрировать серьезность своих слов, один из выпивох выхватил длинный нож и побежал по ступенькам навстречу Станиславу.

Заведясь с «пол-оборота», он, не дожидаясь, когда отморозок исполнит свое обещание, проворно ударил того ногой в лицо, раздробив нос подошвой ботинка. Выронив нож и отчаянно взвыв, отморозок закувыркался вниз по ступенькам. Его приятели, отреагировав на это очередной порцией брани, ринулись сразу оба вверх по лестнице. При этом один из них выхватил травматический пистолет. С досадой припомнив, что свое табельное оружие он впопыхах взять с собой не догадался, Крячко сам решил напасть на негодяев, чтобы опередить выстрел из «травмата», но в этот миг внизу по лестнице затопало несколько пар ног и прозвучала жесткая команда:

— Не двигаться! Стреляю на поражение!

Это прибыл наряд ППС, вызванный кем-то по телефону.

— ...Самое интересное, что это уже не первый такой вот случай. Наш подъезд для всяких отмороженных придурков — как медом мазаный! Тут пресса задергала — всем «экшн» подавай. А тут еще и эти раздолбаи!..

Приятелям последние два дня и в самом деле досталось основательно. Репортеры, можно сказать, их задергали своими расспросами, без конца уточняя одно и то же. Впрочем, опера договорились заранее о том, какие именно подробности стоило опустить и даже не намекать на некоторые детали. В частности, на сектантскую брошюру, обнаруженную Львом. Было ясно, что люди, снабдившие своего адепта заминированным кейсом, должны быть уверены в том, что тайна кейса для посторонних осталась нераскрытой.

Минувшим днем Гурову позвонил полковник ФСБ Вольнов, который сообщил о том, что в одной из городских больниц он разыскал того загадочного типа. Как оказалось, всего через час после доставки в стационар неизвестный скончался. Оказывалась ли ему медицинская помощь — осталось загадкой. Правда, узнав, что к нему пожаловала ФСБ в лице сотрудника в звании полковника, главврач отчего-то заволновался и начал доказывать, что в их больнице очень охотно помогают всем без исключения, вплоть до бездомных.

К этому моменту неизвестного уже отправили в морг. Вольнов распорядился, чтобы судмедэксперты его осмотрели как положено. Впрочем, вскрытие ничего особенного не выявило. Причиной смерти мужчины стал банальный инфаркт, причем уже третий по счету. А вот при наружном осмотре неизвестного судмедэксперт обнаружил нечто необычное — на левой лопатке была нанесена странная татуировка. Фантастическая пернатая змея, свернувшись восьмеркой, держала сама себя зубами за хвост. В верхней петле восьмерки находилось стилизованное изображение солнца, наполовину скрытого тенью. В нижней — такая же стилизованная луна.

Рассказав Льву об этом рисунке, Вольнов особо отметил, что подобный сектантский символ он видит впервые. А в том, что тут замешана какая-то глубоко законспирированная секта, причем международного масштаба, он не сомневается. Причем секта весьма жесткого, ультратоталитарного пошиба, склонная к опасным действиям террористического характера.

— ...Начинаем ориентировать свою агентуру на идентификацию этого псевдорелигиозного сообщества, — повествуя о результатах судмедэкспертизы, подчеркнул Вольнов. — Похоже на то, что скоро нам доведется столкнуться с этими адептами «единственно верного учения». Чую, крови они нам попортят немало...

Жена Льва Гурова — ведущая актриса одного из столичных театров Мария Строева, увидев репортаж из парка, очень переживала из-за того, что могло бы случиться со Львом, взорвись кейс до того, как он отправил его в канализационную шахту. По ее словам, подобное ее всякий раз надолго выбивает из колеи, и на репетициях в театре ей бывает трудно сосредоточиться и войти в образ.

...Петр при виде приятелей, ввалившихся в его кабинет, просиял и указал на кресла.

— Присаживайтесь, мужики! Как самочувствие, как настроение? — радушно поинтересовался он.

Покосившись в сторону Гурова, Стас настороженно пробормотал:

— Что-то уж очень мягко стелет... Ой, чую, жестко будет спать!..

— Ну, ну, ну! — Петр изобразил великодушный жест руками, вознеся их перед собой. — Что уж так пессимистично-то? Хотя... Ну да, есть у меня для вас одно интереснейшее дельце!

Как явствовало из его дальнейшего рассказа, минувшим днем в главк, на имя генерал-лейтенанта Петра Орлова (причем лично!), пришло конфиденциальное послание. И не откуда-нибудь, а с брегов Туманного Альбиона. Ее Величества королевы Великобритании служба уголовного сыска, известная во всем мире как Скотланд-Ярд, обратилась к своим российским коллегам с не совсем обычной просьбой. Учитывая ее чрезвычайно деликатный характер, наследники инспектора Лестрейда попросили ограничить круг лиц, посвященных в суть вопроса, дабы не возникло совершенно ненужной информационной шумихи.

Суть дела заключалась в том, что неделю назад родственник королевы — ее какой-то там по счету племянник Дэниэл, носящий громкий титул герцог Урриморский, отправился в Россию под чужим именем — Том Хантли. О его поездке монаршей семье стало известно только тогда (во всяком случае, в письме говорилось именно так!), когда лайнер «Бритиш эруэйз», на котором молодой человек и отправился в далекую Россию, уже приближался к Москве. Впрочем, уверяли скотланд-ярдовцы, несмотря на то что Дэниэл готовился к этому вояжу в обстановке секретности, для них это секрета не составляло. Поэтому столь же секретно, только уже для самого герцога, тем же рейсом отправились два опытных агента, задача которых была подстраховать представителя королевского рода от возможных неожиданностей.

И вот уже в Москве, в аэропорту Шереметьево, произошло невероятное: английские сыщики в сутолоке потеряли своего подопечного! Они ринулись на его поиски, но безуспешно — Дэниэла найти им так и не удалось. Скотланд-ярдовцы — стоит отдать им должное — духом не пали и занялись поисками его высочества по всей Москве. Они ухитрились даже вступить в контакт с некоторыми ОПГ, надеясь через них найти похитителей своего соотечественника. Впрочем, не рассекречивая его настоящего имени.

И лишь когда стало ясно, что даже крутые, татуированные «братки», несмотря на обещанное им нехилое материальное вознаграждение в фунтах стерлингов, бессильны чем-либо помочь, сыщики рискнули доложить о своей неудаче по инстанциям. Это известие стало в определенной мере (опять-таки если верить письму) потрясением для всей монаршей семьи. Вместе с тем всякому было ясно, что поднимать шум и панику опасно. Кто знает, в чьих именно руках оказался герцог Урриморский? Ведь если похитители не знают, что за иностранца они удерживают, то, вполне возможно, удастся отделаться заурядным выкупом, пусть даже и выражаемым цифрой с шестью нулями. Ну а если им вдруг станет известно, кем на самом деле является липовый Том Хантли, то тогда выкуп рискует стать по-настоящему королевским. Если только негодяи не выдвинут еще и политических требований. А это уже может стать чем-то запредельным, что крайне нежелательно.

Как стало известно, Дэниэл вроде бы в разговоре со своим близким другом как-то проговорился, что собирается найти в России одну девушку. Якобы во время фестиваля русской культуры, проводившемся месяц назад в центре Лондона, прямо под открытым небом, он обратил внимание на юную исполнительницу песен донских казаков. Хотя сама она была, как ему удалось узнать, родом из Подмосковья. Дэниэлу удалось разыскать девушку и переброситься с ней парой слов — юная певица относительно неплохо говорила по-английски.

Продолжить знакомство ему не удалось — на следующий же день концертная бригада, закончив свою программу, отбыла обратно в Россию. А герцог Урриморский с какого-то момента вдруг совершенно потерял сон и даже аппетит, напрочь отвергая не только какие-нибудь там сэндвичи и ростбифы, но даже традиционный, обожаемый англичанами порридж (овсянку). Это и подвигло его отправиться на поиски предмета своего обожания, хотя он знал только имя девушки и название ансамбля — Russkie zateynitsi.

Кроме того, Дэниэл намеревался посетить подмосковный Свято-Петровский монастырь, поговорить с его настоятелем отцом Владимиром, который среди прихожан славился своим умом и праведными делами. Его высочество очень интересовала сущность некоторых черт русского характера, которые разительно отличают этот народ от западноевропейцев. Памятуя, что Виндзоры — какие-то дальние родственники Романовых, он хотел понять, насколько он сам англосакс, а насколько, может быть, еще и русский.

— ...Девушка Пра-сковья, из Пад-масковья!.. — выслушав Орлова, с заметным оттенком иронии продекламировал Стас. — Если честно, то эта мармеладная история особого доверия мне не внушает. Что-то тут не так... Там, в английской знати, такого уровня романтиков, мне кажется, днем с огнем не найти. Особенно если учесть, что русских, как и славян в целом, эти снобы всегда считали вторым сортом. Так что не будем питать по этому поводу иллюзий.

— Ну-у, ты это уж слишком! — укоризненно протянул Гуров. — Как это — у них нет вообще романтиков? Наверняка есть. В семье, как говорится, не без клоуна. Даже если это наследные трагики.

По достоинству оценив прикол Льва, Крячко разразился заливистым смехом. Петр с укоризненным видом покачал головой:

— Я думал, Лева что-нибудь дельное скажет. А он, гляди-ка, тоже надумал упражняться в остроумии. Кстати, девушку зовут не Прасковья, а Людмила, людям мила... Короче, мужики, я не спрашиваю — возьметесь вы за это дело или нет. Я просто говорю: беритесь. И — точка!

Опера, переглянувшись, уже без смеха просто и конкретно объявили, что искать то, не знаю что, отправившись туда, не знаю куда, — это не их профиль. Нельзя ли чего-нибудь другого — пусть и со стрельбой, но скромненького и со вкусом? Однако Орлову уже «вожжа попала под хвост», и он с ворчливым упрямством уведомил их в том, что они уже заелись, вознеслись и, самое главное, смерти его хотят, паразиты хреновы.

— А использовать запрещенные приемы — нехорошо! — скрестив руки на груди, Гуров осуждающе посмотрел на генерала. — Ты хотя бы представляешь, с чего нам начинать поиск этого аристократика? А-а-а!.. Не знаешь. Вот и я тоже на полном нуле. Теперь... У тебя хотя бы его фото имеется?

— Да, да, фото есть! — сразу же оживившись, закивал Петр.

— Лева, ты чего? Уже согласился? — покосившись в сторону приятеля, с нотками упрека спросил Станислав.

— Стас, а тебе думается, что от этого «глухаря» нам удастся отделаться? — усмехнулся Гуров. — Ты вон глянь, глянь на Петра! Ишь, как насупился — чисто коршун над добычей. Одно слово — Орлов! Отбрыкаешься — сразу получишь генеральским клювом в темечко.

— Понятное дело, не отбрыкаться, — с сокрушенным видом причмокнул Крячко, перейдя на полушепот. — Но уж помучить-то его хоть немножко надо, чтобы не заболел генералией — особой генеральской болезнью, которая выражается в бонапартистских настроениях и фанфаронских закидонах. Инфекция очень заразная, склонная к рецидивам!.. — с сочувственным видом добавил он, многозначительно воздев указательный палец.

Не выдержав, Петр совсем не по-генеральски рассмеялся.

— Ну, черти! Что-нибудь да отмочат! — покрутил он головой. — Ну ладно, мужики, приступайте к делу. Я сейчас фото этого Дэниэла сброшу на информотдел, пусть распечатают. Найдете — орденов не обещаю, но выходные и премия, причем очень даже солидная, — будут.

...Вернувшись в свой кабинет, приятели, как это у них стало уже традицией, решили обсудить сложившееся положение дел. Вначале нужно было определиться — что вообще может представлять собой подобная история. То ли это провокационная проделка западных спецслужб, замаскированная под романтическую историю, то ли и в самом деле сумасбродство аристократа, пресытившегося жизнью в роскоши и возмечтавшего о неких приключениях.

Стас в большей степени придерживался первого варианта истинной подоплеки загадочной истории с герцогом Урриморским. Гуров, не исключая отдельных элементов деятельности спецслужб, считал вполне реальным и некоторое сумасбродство (а как это еще назовешь?!) королевского племянника.

— ...Видишь ли, Стас, с некоторого времени монархические кланы внутренне осознали, что династические браки — штука хлипкая по многим причинам... — задумчиво рассуждал он. — Во-первых, они чреваты наследственными генетическими заболеваниями — например, гемофилией. Во-вторых, весьма непрочны, поскольку в их основе не взаимные чувства, а расчет. Чарльз и Диана — тому характерный пример. Почему Уильям женился на Кейт, которая с точки зрения кондовой аристократии — простолюдинка, хотя и у нее дворянские корни? Инстинктивный страх за то, что династия выродится и вылетит из игры. Чарльз уже никогда не получит корону. А Уильяму надо доказать, что он способен стать примером крепости семьи и родить здоровое потомство.

— Вот! Кейт-то все-таки — дворянка! — Крячко торжествующе тряхнул воздетым кулаком. — А наша «девушка Прасковья» — или из крестьян, или из казаков, раз уж любит казачьи песни, что для английских снобов — одно и то же. Ты мне назови хоть одного монарха, кто женился именно на девчонке без аристократических примесей. Ну?

— Петр Первый и Марта Скавронская. Она же — Екатерина Первая, — снисходительно улыбнулся Гуров. — Ну и у скандинавов, у кого-то из королей жена — спортсменка не из дворян, победительница мюнхенской Олимпиады. Так что...

— Ну, ладно, согласимся с фактором романтики как имеющим место быть, — заявил Крячко. — Хорошо. Теперь давай прикинем: куда он мог податься, этот самый Дэниэл? Вот, прибыл он в аэропорт. Что могло быть там?

Лев пожал плечами.

— Да все, что угодно. Вплоть до похищения.

— Ты думаешь? — озабоченно сказал Стас и нахмурился. — А мне почему-то подумалось, что этот малый «просек» за собой слежку и решил оторваться от «хвоста». Типа, нечего за мной таскаться...

— Ну-ну, оторвался он. А дальше куда? — вопросительно взглянул Гуров.

— М-м-м... Да-а-а, вопрос... — Стас озабоченно почесал затылок. — Хорошо! А что думаешь ты?

— Что думаю я? — Лев откинулся на спинке стула. — Надо начинать с элементарного. Сначала стоило бы обследовать первый пункт, где мог появиться этот герцог. То есть аэропорт. Далее. Нужно разыскать этих «Русских затейниц» и поговорить с Людмилой. Ну и последнее — монастырь. Это все, чем мы на сегодня располагаем. Сам знаешь, что у нас нет возможности подключить к розыску полицию на местах, мы не можем дать информацию через газеты или телевидение.

Мы только можем работать, как разведчики в глубоком тылу противника. И — все...

Некоторое время поразмышляв, Крячко с тягостным вздохом согласился:

— Увы, но ты прав... Ну, давай распределять направления. Если ты не против, беру на себя монастырь. Кстати! А что, если эти сыскари из Скотланд-Ярда еще не свалили домой? Было бы интересно с ними пообщаться, узнать максимум информации по этому пропавшему.

— Очень дельная мысль! — Гуров энергично кивнул и поднял трубку телефона внутренней связи. — Слушай, Петр, тут вот Стас интересную идею подкинул...

Выслушав Льва, Орлов тоже одобрил эту задумку и пообещал немедленно связаться с англичанами. Определившись с тем, что Гуров берет на себя Шереметьево и хористок-вокалисток, приятели отправились каждый в своем направлении.

Глава 2

...Следуя гениальным озарениям Великого Магистра Ордена, мы не можем не признать того факта, что Россия во все времена своего существования являла собой для западных ценностей деструктивную силу, которая подвергала сомнению их изначальность и незыблемость. Славяне в целом и русские, как наиболее многочисленный народ этого этноса в частности, несут в себе угрозу западной цивилизации. Их врожденное мессианство, их несовершенные взгляды на жизнь и развитие общества, на взаимоотношение народов и религиозных верований, что наиболее характерно для русских, глубоко чужды реалистичному прагматизму западного менталитета. За прошедшие столетия, захватив громадные пространства, изобилующие невероятными по своим масштабам ресурсами — земельными, фауны и флоры, минеральными, водными и иными, русские так и не смогли их освоить должным образом. В определенной мере это стало отражением слабости их национального характера, которому свойственны рефлексия, импульсивность, а также патологическое сострадание.

Заняв территории Сибири и Дальнего Востока, русские не решились на следующий, ответственный шаг, каковой мог бы позволить им стать подлинными хозяевами этих территорий. Они не решились ассимилировать обитающие там туземные народы и тем более не предприняли никаких шагов к радикальному сокращению их численности. Пример богатейшей, ведущей страны мира — Соединенных Штатов Америки, где на заре образования этого государства туземное индейское население было сокращено самым жестким и решительным образом, говорит о том, что данный шаг является обязательным элементом в фундаменте дальнейшего процветания общества, унифицированного по своим идеям и настроениям.

Эта историческая глупость русских должна быть в самой полной мере использована нами в ходе дальнейших шагов по уничтожению России как государства. Подчиненные и дружественные нам банковские структуры — часть их есть уже и в границах самой России — выделят необходимые средства на психологическую и идеологическую обработку туземных народов в целях возбуждения в их среде неприязни и ненависти к русским. Под воздействием нашей обработки всякий коренной обитатель Сибири и Дальнего Востока с детских лет должен воспринимать русских как поработителей и оккупантов, а не как союзников, как дружественный народ.

Основой антирусской психологической настроенности должен стать тезис о том, что в течение столетий русские якобы грабили и уничтожали его народ. В то же время, всячески отрицая факт искусственной депопуляции североамериканских индейцев (не исключено, что коренные этносы Сибири и Дальнего Востока, усилиями русских, нежелательной для нас информацией располагают), всемерно рисовать западное общество как абсолютно миролюбивое и прогрессивное, либеральное и толерантное, где есть место всякому независимо от его этнической принадлежности. В качестве самого яркого примера подобного рода должен приводиться нынешний президент США — сын чернокожего кенийца и белой американки.

Подобные настроения должны закладываться в умы самыми разными формами и методами, сродни тому, как в робота за-

кладывается программа его действий. В этих целях пригодна любая дезинформация самого изощренного свойства, которую следует неустанно, настойчиво распространять среди неславянских народов. Не стоит забывать наставления доктора Геббельса: чем чудовищнее ложь, тем легче в нее поверить...

(Из меморандума совещания Рыцарей-Властителей высшего круга посвящения тайного ордена «Пламя Истины»)

* * *

Гуров взял в информотделе уже готовое фото «Тома Хантли» и вызвал из главковского гаража уже не единожды задействованную им «десятку», водителем которой был сержант Юрка. Тот, как всегда, бодрый и энергичный, поприветствовав полковника, с интригующими нотками поинтересовался:

— Куда сегодня рулим, Лев Иванович?

— В Шереметьево... — усаживаясь поудобнее, Гуров с интересом посмотрел на Юрия. — Что-то ты сияешь, как новенький рублик. Надеюсь, в твоей жизни происходит что-то очень хорошее?

— А-а-а... — сержант рассмеялся. — Да, как сказать? Утром друга старого встретил — в школе учились вместе. Погода замечательная. Ну и поездка намечается интересная.

— Это потому, что мы едем в Шереметьево? — усмехнувшись, уточнил Гуров.

— Да вообще-то, когда езжу с вами, поездки почему-то всегда выдаются не скучными. Нет, кроме шуток! — Юра лихо вырулил на дорогу и покатил в общем потоке машин. — И в музеях с вами был, и по Подмосковью сколько ездили...

— Извини за ехидное напоминание, — Лев говорил с чуть заметной улыбкой, глядя на дорогу, — это же самое ты можешь сказать и о наших недавних визитах в Дремино у Никишкина озера? Кстати, как у тебя на личном фронте?

— Ну, напоминание я бы не назвал ехидным... А на личном фронте? Да, совсем никак, — Юрий вздохнул, но тут же рассмеялся. — Когда-то я читал, что женщины — как кошки, чуют свою соперницу по запаху. Думалось, что это суеверие и бред. И вот на своей шкуре испытал, что это правда. Получилось так, что со своей Иринкой после того... М-м-м... ну, случая с Юлькой, увидеться я смог только дня через три. То у нее соревнования, то у меня работа. Вроде бы уже и время какое-то прошло, все должно было бы из меня выветриться. Ну, приехал к Ирине. И что бы вы думали? Как только меня увидела, сразу сказала: ты был с другой! Я ей: с чего это ты взяла? Она: сама не знаю как, но чувствую. Пришлось рассказать. Она не стала ни ругаться, ни плакать. Просто объявила: мы расстаемся. И все...

— То есть ты сейчас в «свободном полете»... — Гуров понимающе кивнул. — Может, с Ириной еще и наладится.

— Не наладится, Лев Иванович... — сержант досадливо махнул рукой. — Она уже два дня как замужем. Мы с ней только расстались, и она тут же нашла себе другого. Наверное, так поспешила мне в отместку. А для нее найти себе жениха проблем не составляло. Вы ее не видели... Знаете, когда мы с ней шли по улице, все мужики на нее оглядывались. Такие в девках не засиживаются...

Промчавшись через город — то ли Юрий явил шоферское чутье и сумел проложить маршрут без пробок, то ли так совпало, и заторов на дороге почти не было, — они пересекли МКАД, и «десятка» полетела по шоссе в сторону Шереметьева. У аэропорта, как всегда, было многолюдно и, так сказать, «многоавтомобильно». Пройдя в здание аэропорта, Лев отправился к таможенным постам.

Сотрудники таможни, которым он показывал фото «Тома Хантли», лишь пожимали плечами, как бы пытались опознать, но никто толком вспомнить его не смог. Да и как тут вспомнишь, если с момента прибытия англичанина в Россию прошла целая неделя и ежедневное лицезрение сотен, а то и тысяч лиц едва ли могло позволить удержать в памяти не самого примечательного из прибывших в столицу?!

Когда Гуров уже собрался уходить, расстроенный неудачей, его неожиданно догнала одна из девушек в униформе таможенной службы, работавшая в зоне приема VIP-пассажиров.

— Вы знаете, я вспомнила этого молодого человека, фото которого вы мне показали, — с некоторым смущением сказала она. — Когда он подошел, то попытался общаться со мной по-русски и говорил при этом с жутким акцентом. Видимо, учить язык начал недавно. Я, помню, ему еще сказала: «Говорите на родном языке. Похоже, я английским владею гораздо лучше, чем вы — русским». Но молодой человек ответил, что из уважения к стране, куда он приехал, ее язык знать обязан.

— А вы не заметили, он не был чем-то обеспокоен, взволнован, не искал ли кого взглядом в толпе? — испытывая удовлетворенность хотя бы уж таким результатом, уточнил Гуров.

— Да нет... По-моему, он был вполне адекватен, держался свободно, естественно. Такой нормальный парень... А что случилось-то?

Лев, пожав плечами, скороговоркой пояснил:

— Вовремя родственникам не отзвонился, те запаниковали, считают, что с ним что-то могло произойти. Ну, вот мы и проверяем... А вы не заметили, его никто не встречал?

Наморщив лоб, девушка немного подумала, затем отрицательно качнула головой.

— Нет, не заметила. М-м-м... Точно, никого не было! Он как прошел у нас контроль, так сразу же и исчез. Это уж если вдруг в зале ожидания кто-то его встретил.

Поблагодарив свою собеседницу, Лев направился в зал ожидания. Увидев двоих полицейских, стоявших у окна и наблюдавших за порядком, он направился к ним. Его удостоверение на несколько расслабленных хлопцев произвело впечатление. Парни сразу же подтянулись и все свое внимание обратили на знаменитого сыщика Гурова (а кто о нем не слышал?!). На вопрос Льва Ивановича о молодом иностранце — не заметили ли его в связи с какими-либо особыми обстоятельствами (например, кто-то на него напал или там гнался за ним), дежурные ответили отрицательно. По их словам, иностранцев в Москву ежедневно приезжает уйма, и поэтому на них они обращают не больше внимания, чем на своих, местных.

Не теряя надежды найти хоть какие-то зацепки, Гуров решил поспрашивать об англичанине у тех, кто дежурит или работает вне здания аэропорта — полицейских, дворников, таксистов. Но, прежде чем покинуть зал ожидания, он решил зайти в туалет.

Покончив с «делами секретными», Лев вышел из просторного туалетного зала в его вестибюль с раковинами для умывания и зеркалами. Здесь было малолюдно. Мельком глянув в самый конец вестибюля, Гуров успел заметить, как, скрываясь за дверью служебного подсобного помещения, мелькнула чья-то спина, обтянутая черной рубашкой. Отчего-то это ему показалось подозрительным — внутреннее чутье мгновенно подсказало, что за той дверью происходит нечто очень скверное.

Почти бегом достигнув двери, Гуров резко ее распахнул и увидел двоих крепкого вида парней в черных рубашках с квадратными лицами, которые, приставив нож к горлу мужчины в годах, обшаривали его карманы.

— А ну-ка, прекратить! — строго прикрикнул Лев.

Ближний из парней, резко обернувшись и, как видно, приняв незнакомца, одетого в гражданский костюм, за «фраера фуфлыжного», который «лезет не в свое дело», ринулся на него, выставив перед собой полированное лезвие ножа. Гуров, вполне допускавший такой вариант развития событий, вовремя поставил блок под руку, наносящую удар, и тут же молниеносно контратаковал негодяя, нанеся ему сокрушительный хук. Тот, уронив нож, отлетел шага на два назад, распластался на полу и замер без движения.

Второй, державший нож у горла потерпевшего, как видно понадеявшись на то, что ростом он почти не уступал «фраеру», а значит, и силой, повторил маневр своего подельника. Итог его атаки оказался точно таким же — Гуров провел мощный удар в нижнюю челюсть, за которым последовало падение грабителя на пол с полной отключкой сознания.

Нокаутировав второго отморозка, Лев присмотрелся к спасенному им мужчине и удивленно развел руками. Это был в свое время известный «скокарь» Гвоздикин по кличке Гвоздь. Некогда этот тип проявлял на столичных улицах чудеса прыти, вырывая у дамочек их ридикюли и давая деру. Бегал он отменно. Если бы занимался профессионально спортом, то в спринте ему не было бы равных. Но вот большие дистанции Гвоздю давались труднее. Поэтому-то однажды он и был задержан тогда еще капитаном Гуровым. Пробежав километра полтора и свалившись чуть ли не замертво, он покорно сдался на милость опера, который даже после такого «марш-броска», проведенного в максимальном темпе, выглядел в сравнении с ним куда более бодрым и полным сил.

— Кого я вижу!.. — с иронией провозгласил Лев. — Да это же сам Гвоздь! Как же так? Знаменитого «скокаря» нагло грабят какие-то дешевые щенки. Какой моветон!

Вздыхая, Гвоздь согласился, что за последние годы «правильные» грабители и жулики почти перевелись — все больше дешевая шваль, не знающая ни УК, ни воровского «закона». Поблагодарив Гурова за оказанную помощь, Гвоздь пояснил, что со своими «скоками» он покончил уже давно. Причем не без участия «уважаемого гражданина начальника». Как явствовало из его слов, у некоторых уголовников издавна бытовало суеверное поверье, что если его задержал сам Лев Гуров, то со своим «ремеслом» лучше расставаться — «фарт» ему уже не светит.

Последний раз выйдя из тюрьмы в девяносто четвертом, уже совсем в другой стране — не СССР, а капиталистической России, Гвоздь решил: хватит. Раз его взял Гуров, то теперь стабильно будут брать и опера-салаги. Все, «фарт» ушел. В своем родном подмосковном поселке Кирпичево он сумел организовать кооператив по производству мочалок и иных банных принадлежностей, который благополучно просуществовал до настоящего времени. И вот такой странный кульбит судьбы — экс-уголовник, некогда занимавший в воровской иерархии высокое место, теперь сам стал жертвой уголовных отморозков-беспредельщиков, а его спас тот самый опер, что когда-то отправил на нары.

До прибытия местной опергруппы, вызванной Львом, чтобы забрали грабителей, все еще пребывающих в нокауте, поговорив о том о сем, старые знакомые коснулись и дел сегодняшних. Узнав, что Гуров пытается разыскать следы некоего молодого иностранца, который неделю назад бесследно пропал где-то здесь, в районе аэропорта, Гвоздь, к удивлению Льва, сообщил, что имеет возможность отблагодарить его за свое спасение.

Как оказалось, обладая неплохой зрительной памятью, а также умением замечать немало из того, чего не замечают многие другие, он видел, как в дальнем конце автопарковки у здания аэропорта некие темноволосые граждане отчасти уговорами, отчасти принуждением быстренько проводили к черной, наглухо тонированной «Тойоте» долговязенького парня западноевропейского этнотипа. По сути затолкав иностранца в кабину, брюнеты тут же влезли следом, и авто немедленно умчалось.

Гвоздь, случайно оказавшийся невдалеке, смог заметить не только сам момент похищения англичанина, но и запомнил номер «японки». Лев даже не ожидал, что эта неожиданная встреча пошлет ему такой значимый подарок. Искренне поблагодарив Гвоздя за такую бесценную в данный момент информацию, Гуров немедленно отправился в «контору».

Сотрудники информотдела быстренько «пробили» по базе данных владельца черной «Тойоты». Им оказался некий Гасан Эльбидаев, зарегистрированный в Мытищах. Кроме того, по поручению Льва замначальника информотдела капитан Жаворонков смог найти координаты вокальной фольклорной группы «Русские затейницы». К досаде Льва, выяснилось, что в данный момент вокалистки отправились в гастрольный тур по приволжским городам. Сейчас они находились в Костроме.

Зайдя к Орлову, Гуров рассказал о том, что ему за эти часы удалось установить. Одобрив работу подчиненного, Петр порекомендовал немедленно заняться Эльбидаевым. Согласившись, что это направление выглядит наиболее перспективным, тем не менее, Лев счел необходимым обязательно взять всю возможную информацию у вокалистки Людмилы.

— ...Мне кажется, в Кострому мог бы отправиться Стас. Сейчас он в Свято-Петровском монастыре. А это почти треть пути до Костромы. Так что ему проще было бы доскочить и туда. А с Эльбидаевым, думаю, стоит поработать негласно. Если только, конечно, он и в самом деле проживает в Мытищах. Например, установить наружку и прослушку телефонов. Но это — как вариант. На месте разберусь.

— Добро! — согласился Орлов. — Мысль дельная. Главное, раньше времени преступников не встревожить, чтобы они не начали заметать следы.

Пообедав в кафе и позвонив Юрию, Лев отправился в Мытищи.

* * *

В большей степени доверяя своему безотказному «Мерседесу», который, несмотря на преклонный возраст, после недавней «капиталки» смотрелся роскошно и весьма импозантно, Крячко в Свято-Петровский монастырь отправился именно на нем. Держа скорость на пределе допустимой, он мчался на северо-восток по старенькой, но вполне ухоженной трассе. У одного из перекрестков, заметив двух бабулек в белых платочках, он свернул к ним и остановился. Те, настороженно глядя на его машину, даже не двинулись с места.

— А вы не скажете, по этой трассе я доеду до Свято-Петровского монастыря? — выйдя из «мерина», спросил их Стас.

— Доедете, доедете! — закивали бабульки. — Вот и мы туда собираемся.

— А-а-а... Ну так давайте довезу! — кивком Крячко указал на свою машину. — Да вы не волнуйтесь, я не таксую, бесплатно доедете.

— Ой, в жизни не доводилось в такой машине ездить! — садясь в кабину, заохали богомолки.

— Ну, хоть раз за свой век в такой машине проехать стоит! — с некоторой горделивостью сказал Стас, ласково похлопав ладонью по рулю.

Машина вновь полетела по трассе. Будучи человеком и общительным, и любознательным, Крячко спросил своих попутчиц, часто ли они посещают этот монастырь. Те охотно уведомили его о том, что ежегодно бывают там на Петров день. Но и по другим церковным датам, если есть возможность, обязательно ездят. Вот и сейчас они надумали в канун двенадцатого июля отправиться на богомолье.

— А двенадцатое июля — это что за дата? — недоуменно спросил Стас и тут же сообразил, что сморозил глупость. — А-а-а! Понял! Это и есть Петров день! Верно? Так он назван в честь святого Петра — догадался. А почему именно этот день? Он в этот день родился?

— В этот день вместе со святым апостолом Павлом он был казнен в Риме язычниками, — со скорбью в голосе известили бабушки. — Потому и пост идет перед этим днем многодневный.

— Что? Пост?! — Крячко захлопал глазами. — Это когда и то есть нельзя, и это?.. Да? А сколько ж их всего в году-то, этих самых постов? Ско-о-о-лько?!!

Когда его попутчицы назвали общее число постов и их суммарную продолжительность, он ошарашенно покрутил головой.

— Ну, ничего себе! Да это ж, получается, при малюсеньких перерывчиках, пост тянется почти круглый год! Если работаешь при хорошей нагрузке, так и ноги с постным рационом протянешь! Нет уж, при всем своем уважении к Петру и Павлу, при всем своем к ним сочувствии, я не пойду на такие подвиги... Ё-мое! А вот скажите, настоятель монастыря и в самом деле такая знаменитость? Говорят, какой-то он особенный...

Как мог понять Стас, эта тема для бабулек оказалась чрезвычайно актуальной. Они наперебой начали рассказывать всевозможные были (а возможно, и небылицы) о житии игумена Владимира. По их словам, это имя ему дали при монашеском постриге в честь равноапостольного князя киевского Владимира. Не в пример некоторым иным иерархам, он строго соблюдал монашескую умеренность, избегая даже намека на роскошь. Наравне с послушниками он каждый день трудился на ниве монастырского хозяйства. Остальное время у него отведено молитве и приему страждущих.

— ...Ой, вы знаете, к нему кто только не приходит! — горячо повествовали богомолки. — И ярые безбожники, и сатанисты всякие, и колдуны, и пропойцы уже конченные, и наркоманы... Да и других вер люди к нему идут. Мусульмане, бывает, приходят, иудеи, буддисты. А еще сектанты приходят — этих больше всего. Запутаются, потеряются, иные готовы вешаться или топиться. Придут, в глазах — пустота, в душе — мрак непроглядный... А от него уходят уже совсем другие люди. Он как будто душу им возвращает, невесть где потерянную.

На вопрос Станислава, случались ли в монастырских стенах чудеса, его собеседницы сообщили, что подобных явлений ежегодно случается не один десяток.

— Надо только в душе иметь хоть что-то живое, хоть искорку какую-то, — с долей назидательности добавила одна из бабулек. — А уж если она в пепел вся обратилась, тут едва ли кто поможет...

Богомолки тут же вспомнили случившуюся год назад историю с одним деревенским колдуном. Пришел он к отцу Владимиру и сказал, что больше уже не может переносить внутренний гнет сил тьмы, которым служил много лет. Знает, что скоро должен наступить его час, а как подумает о грядущей расплате — от ужаса и руки, и ноги цепенеют. Посмотрел на него настоятель и сказал:

— Говорю тебе откровенно, несчастный ты человек, — невозможно спасти то, что уже истлело без остатка. Не в моих силах пересилить все то зло, какое ты совершил, служа темным силам.

Но все же принял его исповедь и покаяние. А через неделю колдун умер. Умирал он несколько дней, мучился страшно. Деревенским мужикам пришлось и крыльцо его дома ломать, и потолок с крышей разбирать. Только тогда он и отошел. И тут же, к ужасу сельчан, над деревней разгулялся такой черный буран, что и крыши с домов срывало, и яблони поломало в садах. Знающие сразу же сказали, что это бесы поминают колдуна.

Бывали в монастыре и случаи изгнания бесов. Одна женщина, лишь войдя к отцу Владимиру, вдруг упала на пол, ее стало бить и корчить. Ее глаза налились кровью, а голос стал грубым и хриплым. Двоим инокам пришлось держать ее изо всех сил, чтобы она не причинила вреда ни себе, ни другим. Три часа молился отец Владимир о ее исцелении, и в какой-то миг она вдруг воскликнула:

— Где я? Что со мной?

Как оказалось, она уже несколько лет жила, словно во сне, не различая, где — явь, где — наваждения.

Автомобиль мчался по дороге, а расходившиеся богомолки вспоминали все новые и новые свидетельства того, что настоятель Свято-Петровского монастыря являет собой настоящего духовника в полном смысле этого слова.

Когда впереди замелькали крыши домов городишка Выприно, попутчицы Стаса объявили, что они уже почти прибыли. И в самом деле, когда машина обогнула городок, впереди за кронами деревьев показалась довольно высокая кирпичная стена, над которой возвышались крыши монастырских построек, а все это венчали позолоченные луковицы старинной церкви.

Подъехав к монастырским воротам, Крячко обратил внимание на десятка полтора самых разных машин, припаркованных невдалеке. На его замечание о том, что народ дорогу сюда, как видно, не забывает, бабульки заверили его, что сегодня-то как раз на диво малолюдно. Иные дни здесь людей и машин — не протолкнуться. Отказавшись от предлагаемых ему денег, Стас попросил старушек проводить его к ответственному служителю монастыря, который мог бы организовать его встречу с настоятелем.

Минут через десять, сопровождаемый худощавым, с жидкой бородкой послушником, он вошел в келью-кабинет настоятеля. Отец Владимир, еще не старый, с аккуратной бородой, в скромном монашеском одеянии, ответив на его приветствие, предложил присесть. Стас изложил ему суть своего вопроса, и настоятель, размышляя, задумчиво подтвердил, что действительно из Великобритании не так давно пришло письмо с просьбой об аудиенции, подписанное неким Томом Хантли.

Отец Владимир достал из ящика стола длинный конверт с реквизитами международной почты и, вынув из него сложенный втрое лист бумаги, исписанный от руки, прочел, свободно переводя рукописный английский текст на русский язык.

— ...Вот этот запрос. Хантли пишет: «Прошу вас не отказать мне в возможности прикоснуться к подлинной России, понять глубинный смысл ее нравственных исканий и сущность ее бытия...» — настоятель опять положил письмо в конверт. — Я поручил своему секретарю дать ответ Тому Хантли, что не возражаю и готов его принять и выслушать. Но пока что он не появился.

— Отец Владимир, как я понял, вы человек очень ответственный, и вам я могу доверить некую конфиденциальную информацию, — потерев лоб и несколько приглушив голос, заговорил Крячко. — Дело в том, что на самом деле Том Хантли — это племянник королевы, герцог Дэниэл Урриморский. Об этом мы узнали из сообщения Скотланд-Ярда. Неделю назад этот гражданин прибыл в Москву и тут же бесследно исчез. Мы предполагаем похищение с целью выкупа.

На сей раз молчание настоятеля длилось несколько минут. Стас, не мешая священнику думать, тоже сидел молча, недвижимо глядя в окно.

— Очень странная история... — вздохнув и сцепив меж собой пальцы, медленно заговорил отец Владимир. — Скорее всего, некто не самый добрый затеял какую-то весьма скверную игру, нацеленную против России. Вероятнее всего, разыгрывается какая-то сложная, многоходовая комбинация, полный смысл и содержание которой неизвестно большинству задействованных в ней людей. Думаю, даже сам Том-Дэниэл используется как марионетка, которой исподволь, искусно управляют неведомые нам кукловоды.

Услышанное Крячко ошарашило. Он удивленно воззрился на своего собеседника — во, голова! Получив, можно сказать, мизер информации, тот смог сделать весьма далеко идущие выводы.

— Вы считаете, что это, скажем так, какая-то хитрая провокация? — уточнил он.

— Безусловно... — настоятель грустно улыбнулся. — Как вы думаете, кто на сегодня наш главный геополитический соперник самого ярого и непримиримого характера, который всеми фибрами души испытывает неприязнь к России? Кто: Соединенные Штаты, Англия, Китай, Япония?

Стас пожал плечами.

— Ну, насколько я могу судить, во всех случаях каких-то антироссийских провокаций американцы играют роль первой «скрипки».

— Скрипка-то первая, да вот англичане в этом вопросе существенно главнее, как бы ни показалось это парадоксальным. На протяжении целого ряда столетий именно Англия, когда — завуалированно, чужими руками, когда — открыто конфронтируя, вела непримиримую борьбу с Россией. Именно англичане спровоцировали самую первую кавказскую войну в девятнадцатом веке. Именно они сделали очень многое, чтобы в России пала династия Романовых и в стране воцарился хаос. А поведение английской верхушки перед Второй мировой? А речь Черчилля в Фултоне? А речь Маргарет Тэтчер, которая сказала то, чего не решился сказать даже Рейган — Россия по населению должна сократиться в десять раз — до пятнадцати миллионов человек, обслуживающих скважины и ядерные могильники западных компаний?! Нет, Станислав, нет... Там, где замешан британский истеблишмент, обязательно надо ждать какой-то каверзы.

— Прошу простить, но падение Романовых — «заслуга» в большей мере немцев! — возразил Крячко, вспомнив ранее где-то прочитанное. — Ведь это они переправили в дипломатическом вагоне в Петроград Ульянова-Ленина. Они же снабдили партию большевиков миллионами марок. Англичане, насколько я помню историю, в этом не участвовали.

— Немцы использовали тактический момент для ведения текущей войны. А вот англичане мыслили стратегически, хотя проявляли при этом весьма неприглядный цинизм. Вы же знаете о гемофилии у цесаревича Алексея? Его мать — Александра Федоровна, урожденная Алиса Гессен-Дармштадтская, была внучкой английской королевы Виктории. И та, утверждают исследователи, хорошо зная о генетическом недуге принцессы, сделала все возможное, чтобы сблизить ее с наследником российского престола. Я не знаю, каким темным силам она молилась, но Николай, который всего лишь раз встретился с Алисой, когда ей было только двенадцать, сразу же потерял от нее голову. Хотя, как считают некоторые историки, в ту пору его сердце было занято другой. Да и его родители были против.

— Ну и ну! — только и смог произнесли Стас.

— Английская верхушка использовала родную внучку королевы с той же долей цинизма, с коей нынешние исламские фундаменталисты используют шахидов, — отец Владимир сокрушенно покачал головой. — Что с ней случилось в дальнейшем — общеизвестно. И, что интересно, даже зная о том, что их близкой родственнице грозит смерть, представители британской короны, по сути, ничего реального не сделали для того, чтобы ее спасти. Английские войска, оккупировав Архангельск, занимались лишь крупномасштабным грабежом да истреблением русского населения в созданных ими концлагерях на острове Мудьюг.

— А как вы думаете, сама Алиса догадывалась о том, что ей было уготовано? — поинтересовался Крячко.

— Скорее всего, нет, — уверенно ответил настоятель. — Ее, как это иногда говорят сейчас, использовали «втемную». Вот и этот, как вы сказали, герцог, скорее всего, задействован точно так же. Романтическую историю с русской девушкой я в какой-то мере могу считать реалистичной. Но... Если бы этот молодой человек и в самом деле надумал объявить о том, что собирается жениться на русской, да еще не из аристократических кругов, скандал мог бы разразиться погромче, чем в связи с романом принцессы Дианы и Доди Аль-Файеда. Нет, тут что-то не то... Что-то они темнят. Я сегодня же спишусь с одним знакомым, который уже лет десять проживает в Лондоне. Всех карт раскрывать не буду, но попытаюсь выяснить — вдруг ему что-то известно о нынешних планах лондонских масонов в отношении России?

— Масонов? — удивленно переспросил Стас.

— Ну, да, масонов, — кивнул отец Владимир. — Вся английская верхушка так или иначе завязана на масонстве. Та же Тэтчер была весьма заметной фигурой в масонской иерархии. А вы в курсе дела, что, по мнению некоторых историков, одним из предков нынешних Виндзоров был знаменитый румынский монарх Влад Цепеш, более известный как граф Дракула?

— Впервые слышу! — Станислав едва не присвистнул от удивления.

— Ну, тут я не берусь делать каких-либо далеко идущих выводов, однако информация располагает к размышлениям.

Поблагодарив настоятеля за интересную, содержательную беседу, Крячко вышел из монастыря, и его сотовый телефон тут же зазвонил. Выслушав указание Петра Орлова ехать в Кострому, чтобы там встретиться с участницей ансамбля «Русские затейницы», он в ответ буркнул лишь «Угу!» и, сев в машину, вырулил на трассу, ведущую на северо-восток.

Прижимая ногой акселератор, Стас с удовольствием слушал льющуюся из динамиков классическую музыку — ранее он почему-то даже не предполагал, что она может быть такой будоражаще-волнующей и пленяющей. Раньше он был уверен в том, что классика — это «тупая нудьга», в которой ни «вкуса, ни фасона». А тут его вдруг посетила странная мысль, что именно так могут звучать мифические хрустальные небесные сферы.

«Стоп, стоп! Это что за прибабахи?! — всполошился Крячко, сообразив, что такое не совсем обычное восприятие музыки запросто может быть связано с сегодняшней поездкой. — Эк меня торкнуло! Неужто такое сотворилось из-за того, что я побывал в монастыре? О-о-о! Если так пойдет и дальше, то вообще труба. Это что же, когда-нибудь стану таким правильным и безгрешным, что хоть в святые записывайся?! Японский городовой! Дела-а-а...»

Подобное обстоятельство встревожило его не на шутку, поскольку нарушало взгляды на жизнь. Стас твердо знал, что он просто «правильный мужик». И — все. Да, при случае может употребить рюмашку сорокаградусной... Да и с какой-нибудь симпатяшкой никак не против «оторваться» от души. А уж в морду дать какому-нибудь зарвавшемуся остолопу — это прямо-таки святое! Потому что поступать так — его жизненная норма.

А случись и в самом деле стать святым?! Ё-о-о-о! Да, это конец всему.

Подобную трансформацию в дремучий позитив, случись она с ним на самом деле, Крячко мог воспринять исключительно как личную катастрофу. А как иначе-то это понимать?! Тогда он, как ни верти, в чем-то уподобится евнуху, охраняющему султанский гарем. А то ж! Ведь сколько красивых, обаятельных, трогательных, грациозных, томных и нежных женщин он будет вынужден оставить без своего внимания, воспринимая их лишь как «названных сестер»?!.. Бяда-а-а, как выразился один неуловимый корифей-карманник, которого Станислав однажды все-таки сумел взять с поличным.

...Миновав Ростов Великий, на одном из перекрестков несколько взгрустнувший Станислав увидел голосовавшую молодую особу с объемистой сумкой. Кисловато морщась, он нажал на педаль тормоза и свернул на обочину. Услышав, что симпатичная провинциалка направляется в какую-то Самохваловку, которая находится в стороне Костромы, Стас уныло пригласил садиться. Вовремя заметив, сколь тяжела кладь попутчицы, Крячко вышел из машины и, забрав сумку незнакомки, загрузил ее в багажник.

Вяло и чрезвычайно скучно между ними завязался натянутый разговор на душеспасительные темы. Всего через минуту после его начала Стас мысленно возопил: «Дайте, дайте мне веревку и мыло! Эх, судьба! Это что же получается-то? Неужто и в самом деле все безвозвратно потеряно?!! Да уж лучше бы Лева поехал в этот монастырь — он и так в праведниках ходит... Ой-ей-ей-ей!..»

Время от времени сдержанно кивая в ответ на сетования попутчицы, назвавшейся Еленой, он старался не думать о чем-то «эдаком», нашептанном в левое ухо искусителем окаянным. Тем временем, перечислив все общедеревенские беды (водопровод — как решето, свет с перебоями, клуб давно закрылся, большая часть деревни разъехалась и т.д.), Елена перешла к антологии своих персональных невзгод. Муж месяцами на заработках. В Москве нашел себе какую-то накачанную силиконом «любушку», а про законную жену, скотина, и не вспоминает. В доме проводка искрит — того гляди, полыхнет. Забор покосился, полы провалились, картошку сожрал (чтоб ему пусто было, чтобы ему ни дна ни покрышки, чтобы прах его побрал!!!) зловредный американский лазутчик — колорадский жук...

В какой-то момент своего повествования Елена столь размашисто поправила юбку-плиссе, что открылись ее незагорелые коленки, сверкнувшие своей молочной белизной. В один миг, забыв о какой бы то ни было святости (не пристала она к нему, не пристала — ур-р-а-а-а-а!!!), Крячко почувствовал, как ему вдруг стало очень жарко, а во рту отчего-то сразу же пересохло. Теперь он слышал Елену через нарастающий шум в ушах, уже не в силах отбиться от внезапно нахлынувшей лавины мыслей вовсе не благочестивого свойства.

Увидев указатель «Самохваловка», он сбавил скорость и свернул к деревне, с волнением в душе заранее предвкушая нечто заповедно-запретное, что сейчас вполне может заполучить. В чрезвычайно горячечном настроении проехав через село, Стас остановился у ухоженного кирпичного дома, окруженного вполне приличного вида штакетником, лишь кое-где лишившегося кем-то выдранных планок.

Он достал из багажника сумку и, будучи не в силах оторвать взгляда от стройных ног своей попутчицы, при ходьбе волнисто колышущих подол юбки, направился следом за ней во двор. Едва Крячко прошел через калитку, как тут же хриплым басом завозмущался здоровенный кудлатый барбос, привязанный в дальнем конце просторного двора. Они с Еленой уже подходили к крыльцу, как дверь сеней внезапно распахнулась, и из дома вышел здоровенный мужик, обалдело замерший при виде Станислава.

Ничуть не смутившись его появлением, Елена уперла руки в боки и язвительно произнесла:

— О-о-о! Явился — не запылился! Что, вытурила бедненького крашеная кошелка и он решил вспомнить о жене?

Но ее «благоверный», пребывая во все том же крайнем изумлении, этого даже не услышал, таращась на чужака в потертой кожаной ветровке.

— Эт-то кто еще тут?!! — наконец опомнившись, заносчиво заорал он, подавшись вперед. — Эй, ты, чувырло подзаборное! А ну вали отсюда, пока цел!..

Крячко, и без того уже понявший, что случился облом, в принципе, и сам собирался уходить. Но вот этот бахвальски-вызывающий, хамоватый тон его разозлил. Он поставил сумку на дорожку и спокойно поинтересовался, хотя внутри все разом закипело:

— А ты, дятел, из какого дупла вылез?

— Ты ч-че?! В рыло захотел?!! — выпучив глаза, муж Елены ринулся на Стаса, как видно надеясь, что тот испугается и побежит.

Однако этого не произошло. И тогда мордастый агрессор, дабы не потерять наступательного порыва, попытался всей своей массой с разбегу сбить незваного гостя с ног. Но в последнее мгновение Крячко отшагнул в сторону. Нападавший по инерции пролетел мимо него и, не удержавшись на ногах, повалился на землю, нелепо взбрыкнув в воздухе ногами. Елена, до этого момента испуганно наблюдавшая за атакой своего «благоверного», не выдержав, громко рассмеялась.

Тот, побагровев, с перекошенным от ярости лицом вскочил на ноги и, выхватив из кармана нож с выкидным лезвием, снова приготовился к броску. Стас, снисходительно усмехнувшись, негромко, но твердо пообещал:

— Руку сломаю в локте и плече! — указав пальцем, где именно прямо сейчас кости и суставы ревнивца утратят свою целостность и потребуют наложения гипса.

Агрессор тут же замер и, что-то ворча, попятился. Он вдруг понял, что незнакомец слов на ветер бросать не привык. А Стас, спокойно взглянув на Елену, невозмутимо поинтересовался:

— Он, что, всегда такой больной на голову?

Та, окинув взглядом супруга, растерянно вертящего в руках опасную «игрушку», чуть поморщившись, безнадежно махнула рукой:

— Всегда... Он всю жизнь — молодец, красавец, образец. А я... А я для него пожизненно второй сорт.

— Чего ты несешь-то? — возмутился ее «благоверный». — Это когда я тебе такое говорил?

— Мне — нет. А вот своим дружкам-собутыльникам — постоянно. Да и девкам тоже. Тамарке вон Зубасовой, Маринке Леббе... Ты думаешь, что мне никто ничего не передает?

— Во-о-н оно что!.. И вот ты надумала найти себе мужичка, чтобы с ним оттянуться и заодно со мной расквитаться... Так, что ль? — со злорадством подхватил «благоверный».

— «Оттянуться», «расквитаться»... — в голосе Елены звучали горечь и сарказм. — На это только ты горазд. Да просто хороший человек меня до дому довез, помог покупки донести. А ты сразу — хайло на него разевать. И вообще, какие у тебя могут быть претензии? Что толку, что мы с тобой прожили четырнадцать лет? Ни ребенка, ни хозяйства — ничего! Думала, может, со временем как-то переменишься, за ум возьмешься... Нет, надежды уже никакой. А мне — что теперь? Лучшие годы позади, а впереди — одна пустота!..

Она смахнула слезу и молча поднялась на крыльцо. Когда за ней захлопнулась дверь, Крячко, не говоря ни слова, лишь выразительно посмотрел на ее до крайности обескураженного «благоверного» и молча направился к калитке. Тот и без слов сразу же понял, что о нем думает незнакомец. Ревнивец поспешно отвернулся, чтобы не видеть его презрительного взгляда, и отбросил свое оружие, словно нож жег ему руки. Судорожно выдохнув:

— Ленуська! Ленуська! Я это... Я сейчас все объясню! — он побежал в дом.

Сев в машину и запустив двигатель, Стас покрутил головой и рассмеялся — надо же, какое приключение! Грешным делом, заглядевшись на свою попутчицу, он чуть не забыл, что ему было поручено Петром. Тут можно было верить в это или не верить, но определенно без вмешательства каких-то высших сил не обошлось — блудный муж Елены появился вопреки всяким ее и, тем более, его ожиданиям.

«Что имеем — не храним, потерявши — плачем... — мысленно резюмировал Крячко, имея в виду ревнивца. — Ишь, как заметался — либо жалко стало? Только кого — ее или себя?..»

Машина летела по нескончаемой дороге, а Стас все вспоминал про казус в Самоваловке, внутренне досадуя на то, что его столь пламенные душевные порывы закончились ничем...

Глава 3

...Наш великий успех, достигнутый в минувшем столетии — крушение Советского Союза, — требует своего повторения в веке нынешнем. Россия в ближайшие годы должна распасться на сотни (если не тысячи!) карликовых княжеств, мусульманских ханств и «банановых республик», непрестанно враждующих и грызущихся между собой. Русские, татары, башкиры, мордва, коми, якуты и прочие народы должны истреблять друг друга. Цивилизованный мир с высоты своего величия будет наблюдать за этим хаотично-агрессивным движением унтерменшей, которые сами обезлюдят и таким образом подготовят свои просторы для освоения их СЦМ (странами цивилизованного мира).

Согласно уже достигнутым негласным вариантам установления контроля над территорией нынешней России различные ее части подпадут под зоны ответственности тех или иных правительств СЦМ. В частности, на основании Протокола об учете взаимных интересов стран, принимающих участие в разрушении империи славянских варваров, предполагается установить следующее. Сахалин, Камчатка, Курильский архипелаг и часть территории Приморского края, граничащего с Маньчжу-

рией, курируются Японией на правах территорий, включенных в ее состав.

Территория от 65-й параллели с юга на север и от Уэлена на востоке до Архангельска на западе, а также вся русская Арктика пребывают под юрисдикцией США. Территория на северо-запад от этих земель попадает под юрисдикцию Британии, на северо-восток — Германии и Норвегии. Все, что южнее 65-й параллели — почти вся Восточная Сибирь южнее Северного полярного круга, а также Монголия, находятся под влиянием Китая.

Западнее Уральского хребта предполагается доминирование европейских членов НАТО — французской, британской и германской зон влияния. Весь Кавказ и юг России может войти в состав созданного Турцией Великого Турана.

Но это — завершающий этап нашего нового мегапроекта, условно называемого «Карфаген». Подобно древней североафриканской империи, по своей мощи равнявшейся Риму, но павшей под ударами римских легионов и бесследно исчезнувшей в руинах истории, точно так же должна пасть и исчезнуть Россия.

Сегодня мы стоим, по сути, в начале этого великого победного пути. И одним из важнейших факторов, гарантирующих триумф СЦМ, должна стать активнейшая работа на территории России, нацеленная на ее развал изнутри. Свою страну русские должны разрушить сами!

(Из меморандума совещания Рыцарей-Властителей высшего круга посвящения тайного ордена «Пламя Истины»)

* * *

Еще через час езды по довольно пересеченной, весьма живописной местности, оставив слева от себя Ярославль, вдали Стас увидел пригороды Костромы. Крячко созвонился с информационщиками главка и уже через несколько минут знал, что нужные ему «Русские затейницы» проживают в гостинице «Изумрудная даль». Вскоре он подъехал к типично провинциальной гостинице старой постройки с осовремененным фасадом. Войдя в холл еще советского фасона, он спросил у администратора, на месте ли интересующие его хористки. Как оказалось, те еще были на месте, но уже собирались ехать в местный концертный зал на свое заключительное выступление.

— Ну и как они воспринимаются костромичами? — выслушав администратора, задал вопрос Станислав.

— Ну-у, понравились тут всем, — закивал тот. — У нас есть и свои сильные коллективы, но у этих такая запевала — поискать. И собой хоть куда, и голос у нее — заслушаешься. А что случилось-то? С чего это вдруг ими угрозыск заинтересовался?

— Да ничего особенного не произошло, — Крячко чуть махнул рукой. — Они могут оказаться свидетелями одного происшествия — только и всего лишь.

Вскоре в холл спустилась девушка лет двадцати с не бедными формами и длиннющей, пышной косой (подниматься в номер хористок Стас не захотел, чтобы перед выступлением напрасно не беспокоить певиц — вдруг из-за такого нежданного визита у кого-то или голос пропадет, или слух притупится?) Жизнерадостно улыбнувшись, она поздоровалась необычайно звучным голосом, от которого у Крячко будто ток пробежал по спине. Теперь он понимал в самой полной мере, с чего бы эта девушка так приглянулась английскому герцогу.

— ...Меня зовут Станислав Васильевич, — ответив на приветствие, представился Стас, — я из главка угро, хотел бы задать вам несколько вопросов.

Они прошли в дальний угол холла и, сев под пальмами, растущими из больших кадок у мини-фонтанчика, продолжили разговор. Крячко вкратце рассказал Людмиле о причинах, побудивших ее разыскать, и поинтересовался обстоятельствами, при которых произошло ее знакомство с лондонцем Томом Хантли. Рассмеявшись, его собеседница лишь сокрушенно покачала головой.

— Я так понял, особого впечатления он на вас не произвел? — поспешил уточнить Станислав.

— Как сказать... — девушка лукаво улыбнулась. — Если и произвел, то совсем чуть-чуть.

По ее словам, он пришел в гримерную очень смущенный, даже потерянный, с огненно-красными ушами, неспособный даже на своем родном языке связать пару слов. Но при этом все равно норовил сказать что-то по-русски. Людмила выслушала его комплименты и поблагодарила за внимание к концертной программе, после чего они немного поговорили на разные темы.

Девушка не запомнила, с чего это было начато, но Том в ходе разговора сказал, что в каждом британце есть хотя бы капля крови короля Артура, и поэтому они такие романтики. В ответ на его слова Людмила пошутила, сказав, что и в каждом русском тоже есть хотя бы капля крови князя Рюрика. И поэтому русские непобедимы.

— ...Не знаю почему, но он к этим словам отнесся очень серьезно! — девушка снова рассмеялась.

— Он вам не предлагал списаться, созвониться или каким-то иным образом продолжить знакомство? — прищурился Крячко.

— Ну, в общем-то, да, — Людмила сдержанно кивнула. — Но я сказала ему, что у меня есть жених, который сейчас служит в армии. Отслужит — поженимся.

— А жених-то кто по специальности? — Стас снова задал уточняющий вопрос.

— Инженер-энергетик, — девушка мечтательно улыбнулась. — А так-то мой Димка — на все руки мастер. И вообще, он самый замечательный... Он пошел в армию в прошлом году после института. Вот, уже скоро должен вернуться. Так-то его весной должны были уволить, но уговорили на пару месяцев задержаться уже как вольнонаемного — что-то там надо наладить, доработать.

Выразив согласие, что Димка, да еще и инженер-энергетик в придачу, быть плохим не может по определению, Крячко неожиданно поинтересовался:

— Скажите, Люда, а вот если бы этот Том вдруг оказался каким-нибудь знатным лордом или, скажем, внуком королевы и сделал бы вам предложение, вы и тогда бы ему сказали «нет»?

Людмила окинула его удивленным взглядом и пожала плечами.

— Да хоть самим королем! — снисходительно улыбнулась она. — Это-то тут при чем? Сердцу, как известно, не прикажешь. А если и прикажешь, то потом об этом можешь очень сильно пожалеть. Моя подруга года два назад вышла замуж за какого-то то ли эмира, то ли шейха. Ну и что хорошего? Живет теперь как канарейка в золотой клетке. Уже писала мне: «Ну и дура же я! Куда я влезла и как мне теперь отсюда выбраться?!»

По словам Людмилы, после той встречи с Томом Хантли они больше ни разу не виделись и не общались. Собственно говоря, если бы Стас о нем не напомнил, то, скорее всего, сама она о нем и не вспомнила бы. Еще собеседница Крячко добавила, что в те недолгие минуты, когда они общались с Томом, два каких-то, на ее взгляд, малоприятных типа постоянно отирались невдалеке, делая вид, будто они рассматривают в небе облака. Стас сразу же сообразил, что речь идет о двух детективах Скотланд-Ярда, которые вели за герцогом негласное наблюдение.

«И это — хваленая агентура Скотланд-Ярда? — с иронией мысленно отметил он. — Да у нас любой участник пионерской «Зарницы» дал бы им сто очков вперед по части ведения разведки. Поэтому-то, может быть, этот Том-Дэниэл их и раскусил еще в самолете, а в аэропорту смылся...»

Оставив девушке свою визитку и попросив ее позвонить ему сразу же, если на горизонте вдруг возникнет Том Хантли, Крячко отбыл в Москву.

* * *

Гуров прибыл в Мытищи ближе к двум часам дня. Ему нужно было найти Гасана Эльбидаева, который, очень даже вероятно, был причастен к похищению в аэропорту Шереметьево гражданина Великобритании. Первым делом на своем «Пежо» он заехал в местный райотдел и попытался выяснить хоть какую-то информацию об Эльбидаеве, проживающем на улице Дружбы. Вызванный начальником райотдела тамошний участковый, назвавшийся Денисом Курыниным, ничего определенного сказать не мог. Парень всего месяц как заступил на свой нынешний пост, большого опыта в этой работе не имел и еще даже толком не знал всех объектов на своем участке.

Конфузясь и вздыхая, Денис поминутно разводил руками, то и дело напоминая о том, что он работает «всего ничего», что «память — не камера хранения, всего не удержишь», что проживающая на улице Дружбы не очень большая, но весьма сплоченная община выходцев с Кавказа о своих земляках и тем более родственниках не слишком склонна давать информацию правоохранительным структурам.

— ...Про кого ни спроси — никто ничего не знает, — досадливо повествовал участковый. — Фамилию Эльбидаев я слышал, но кто это такой и чем занимается — вот так, с ходу, не скажу...

Ничего не ответив, Гуров сел в машину и отправился на улицу Дружбы. Насколько он мог понять, исходя из реальной обстановки, вариант с установкой «наружки» и прослушки здесь мог оказаться слишком затяжным и неэффективным. Вариант с официальным выходом на общину мог привести к нежелательным последствиям — вдруг похитители узнают о том, что угрозыску кое-что известно об Эльбидаеве, они запаникуют и начнут заметать следы? Тут нужно было что-то принципиально иное.

Выйдя из машины у дома семнадцать, где, согласно прописке, проживал интересующий его субъект, Гуров направился ко второму подъезду девятиэтажки, в котором должна была находиться квартира Эльбидаевых. Он решил разыграть из себя полукриминального дельца — эдакого главарька сети контрабандистов, работающих с Англией. Имея мощные габариты и будучи одетым в гражданский костюм, Лев вполне мог сойти за такового.

Набрав на пульте домофона две четверки и нажав на кнопку вызова, он вскоре услышал женский голос, который с заметным кавказским акцентом поинтересовался тем, кто звонит.

— Гасана я могу услышать? — с нарочито блатными нотками в голосе поинтересовался Гуров.

— А кто его спрашивает? — недоуменно сказала женщина.

— Долго объяснять! — уже с некоторым нетерпением произнес Лев. — Его хочет видеть человек, которому он создал помехи — очень серьезные помехи! — в бизнесе.

— Что за человек? Какие помехи? — не на шутку встревожилась хозяйка квартиры.

— Послушайте, мадам, это не женский вопрос, — эдак напыщенно уведомил Гуров. — Если Гасан дома и если он мужчина, то пусть сам подойдет к домофону. Или он никак штаны не наденет?

— Эй, слушай! — загромыхал из динамика хрипловатый, гортанный тенор. — Ты очень крутой там, да? Тебе чего тут надо?

— С тобой поговорить об одном очень серьезном деле, — с деловитым напором сказал Лев. — Спускайся вниз, хочу провентилировать кое-какие косяки. Можешь не напрягаться — я тут один, пушку оставил в тачке.

Немного помолчав, Эльбидаев недовольно ответил:

— Я никого не боюсь. Чему быть, тому не миновать. А если что — мои братья расквитаются. Сейчас спущусь...

Минуты через полторы дверь подъезда открылась, и на улицу вышел плотный брюнет лет сорока. Он смотрел настороженно и подозрительно. Подойдя к Гурову, Эльбидаев сердито поинтересовался:

— Ну и что там за дела? Ты, что ль, меня вызывал?

— Я... — снисходительным тоном ответил Лев. — Короче, кто и куда увез моего делового партнера Тома Хантли на твоей тачке?

— Если ты имеешь в виду «Тойоту», то ее у меня больше недели назад угнали, и до сих пор никто не нашел.

— Что, и заявление есть у ментов? — недоверчиво спросил Гуров.

— Так ты пойди и проверь! — с вызовом ответил его собеседник и ухмыльнулся.

— Да это для меня — раз плюнуть, — в тон ему ответил Лев, доставая телефон. — У меня свои люди есть везде.

Набрав номер капитана Жаворонкова, он попросил его проверить в ГИБДД наличие заявления Гасана Эльбидаева об угоне машины. Сунув телефон в карман, он окинул изучающим взглядом несколько потускневшего хозяина угнанной «Тойоты».

— А теперь, красава, — в голосе Гурова зазвучали жесткие и даже угрожающие нотки, — припомни, да смотри не ошибись, чем ты занимался восемь дней назад?

Он назвал дату и время исчезновения в Шереметьеве Тома Хантли. Гасан в ответ попытался изобразить пренебрежительную усмешку, но она получилась удивленной и даже отчасти растерянной.

— Я был на придорожном рынке, на своем обычном месте торговал овощами... — Эльбидаев вскинул руки ладонями вверх. — Вот! Именно в этот день мою машину и угнали, а домой меня подвозил сосед по подъезду Васька Постромов. Можешь у него спросить.

— Зови, — спокойно сказал Лев и, достав зазвонивший в этот момент телефон, нажал на кнопку включения связи.

Это был Жаворонков. Валерий сообщил, что в ГИБДД и в самом деле поступило заявление гражданина Эльбидаева об угоне его автомобиля. Тем временем Гасан тоже набрал чей-то номер телефона и, услышав отклик, скороговоркой попросил своего собеседника подтвердить, где именно он был восемь дней назад. Тот подтвердил. Гуров вернул телефон Эльдибаеву. Ему стало понятно, что в этом направлении поиска раскопать едва ли что удастся.

Когда он повернулся, собираясь уходить, Эльбидаев его окликнул:

— Э, а ты чего хотел узнать-то? Чего у тебя случилось?

— Восемь дней назад какие-то парни, по виду — южане, в Шереметьеве затолкали в твою тачку моего коммерческого партнера из Англии и куда-то увезли. А на нем завязан весь мой бизнес. Если поймаю этих уродов, собственноручно на куски порежу! — свирепо пообещал Лев, насупив брови.

Отчего-то с озабоченным видом почесав редеющую шевелюру на темени, Гасан яростно хлопнул себя руками и, поцокав языком, покрутил головой.

— Вот оно что! Теперь я понял, чего они трепались: «Шереметьево, Шереметьево»... — сердито выдохнул он.

— Кто — «они»? — внезапно почуяв, что какая-то ниточка все же появилась, быстро переспросил Гуров.

— В тот день, когда у меня угнали тачку, по рынку шли четверо парней — не пойму кто, но похожи на моих земляков и по-русски говорили что-то там про Шереметьево и про какую-то тачку. Что именно — я не разобрал, но один точно сказал: «На тачке». Вот они-то, сволочи, ее и угнали! Я когда после работы на стоянку пришел — там пусто! Я и подумать тогда не мог, кто мне такую свинью подложит.

— Морды их запомнил? — Лев выжидающе уставился на собеседника.

— Ну-у... Так... В общих чертах... — Эльбидаев пожал плечами. — Да если и запомнил — что толку? Может, я их теперь сто лет не увижу! Где их искать?

— Не напрягайся — все под контролем. — Гуров говорил твердо и авторитетно. — Я же тебе сказал, что связи у меня очень широкие. Дай свой номер, ща я перетру со своими людьми, и тебя в одну ментовскую контору пригласят криминалисты. Там ты с ними составишь фотороботы, а я договорюсь, чтобы твою тачку искали от Москвы и до Чукотки. Так что, чем лучше вспомнишь физиономии тех хмырей, тем больше шансов на то, что тачку тебе вернут.

— О, уважаемый! — Эльбидаев, поспешно доставая телефон, энергично закивал в ответ. — Я их вспомню, вспомню! Я их, шакалов, как сфотографировал!

Отбыв в Москву, Лев созвонился с криминалистами главка, сообщив телефон Эльбидаева. Дав соответствующие распоряжения по поводу составления фоторобота, он добавил, что Гасан не должен узнать, кем на самом деле был приезжавший к нему «авторитетный криминальный делец» — мало ли, как тот отреагирует на информацию о том, что «авторитет» на самом деле полковник полиции? Вдруг попадет вожжа под хвост, и с фотороботом получится облом?

...Войдя в свой кабинет, Гуров первым делом созвонился с генералом Орловым. Тот, выслушав его весьма лаконичный доклад по поводу визита в Мытищи, дал по этому поводу весьма высокую оценку и тут же поинтересовался:

— Кстати, ты ко мне не зайдешь?

— Есть что-то интересное? — уточнил Гуров.

— Само собой!.. — с изрядной долей значительности в голосе уведомил Петр. — Но это не телефонный разговор.

Положив на рычаги трубку телефона внутренней связи, Лев издал недоуменное «хм» и вышел из кабинета. Когда он проходил через приемную, Верочка громким шепотом сообщила:

— Этот ваш знакомый полковник из ФСБ недавно был. Как его... Вольнов, что ль? Вас очень хотел увидеть.

«О-о-о! — поблагодарив секретаршу, мысленно отметил Гуров. — Похоже, дело принимает серьезный оборот...»

Озабоченно глядя в окно, Орлов пригласил Льва сесть и негромко сообщил:

— По мнению ФСБ, происшествие с герцогом Урриморским — всего лишь рядовое звено целой цепи тщательно спланированных и скоординированных действий, конечная цель которых — нанести максимальный урон престижу России и ее позициям в мировом сообществе. Случай послал вам со Стасом пусть и мелкого, но с большими полномочиями эмиссара тайной международной секты, организованной по тем же принципам, что и масонские ложи. У меня был Александр Николаевич, и он рассказал, что, по его мнению, в ближайшее время в российских городах могут произойти как бы спонтанные, но на самом деле хорошо организованные и щедро оплаченные «общественные протесты», наподобие событий на Болотной площади.

— На тему? — спросил Лев, откинувшись к спинке кресла.

— Темы могут быть самые разные. — Петр усмехнулся. — Например, «Долой деспотию коррумпированной бюрократии». Или, скажем, «Свободу секс-меньшинствам».

Гуров негромко рассмеялся.

— Ну, насчет этого нетрудно догадаться... — резюмировал он. — Ну а кто за всем этим конкретно стоит, наши фээсбэшники уже установили?

Орлов развел руками.

— Тут можно только догадываться... — он особо подчеркнул слово «догадываться». — Однако аналитики наших спецслужб уверенно говорят о причастности ко всем этим готовящимся «протестам» и английской «МИ-шесть», и американского ЦРУ.

— Как говорится в таких случаях — ба, знакомые все лица! — в голосе Льва сквозил нескрываемый сарказм. — Я вот никак не могу понять, почему наши верхи не ищут адекватного ответа такому вот наглому, оголтелому вмешательству в наши дела?

— Ну да ладно, черт с ними со всеми! — Орлов в сердцах стукнул по столу кулаком. — У нас на сегодня главная задача — найти этого чудилу-герцога. Если только он и в самом деле не «засланный казачок» особо высокого ранга... Куда думаешь двигаться дальше?

Гуров чуть пожал плечами.

— Единственно реальная зацепка на данный момент — фотороботы, которые должны быть готовы уже к завтрашнему утру. Пробьем их по всем базам данных. Где-то что-то да вылезет. Объявим их в негласный розыск. Ну а пока, как говорится, суд да дело, пошарю в Интернете. Как ни верти, а из него всегда что-то можно выудить. Например, по части возможных связей, пусть даже и условных, этого герцога Урриморского и спецслужб Запада. Да и с тамошними масонскими ложами. В первую очередь — с йельской «Череп и кости». Если удастся установить связь, тогда и искать будет намного легче.

...Вернувшись к себе, Гуров с головой ушел в Интернет. К его удивлению, информации о герцоге Дэниэле Урриморском оказалось не так уж и много. Даже всезнающая «Википедия» о нем толком ничего не могла сказать. Лишь с четвертой или пятой попытки, и так и эдак меняя формулировку запроса в поисковой системе, Лев наконец-то на англоязычном сайте нашел материал, который применительно к русскому языку был озаглавлен примерно так: «Золушка британской королевской семьи».

Автор материала, явно не обделенный чувством юмора, рассказал об отпрыске королевского рода Виндзоров, Даниэле Урриморском, который и в самой Англии был мало кому известен. Дэниэл, двоюродный племянник королевы, происходящий из не самой богатой английской знати с шотландскими корнями, и в самом деле среди своей «голубокровной» и «белокостной» родни пребывал на положении Золушки. Он рано осиротел, и его вырастила родная бабушка, которая формально доводилась королевской семье родней, но, как об этом не раз заявляли придворные династологи, биографы и летописцы родословных, на самом деле была приемным ребенком в семье малоизвестного герцога Урриморского.

Но, что самое поразительное, по утверждениям сразу нескольких источников, герцогиня Элизабет Урриморская по своей крови была... русской! Автор статьи разыскал в архивах занятный газетный материал еще двадцатых годов прошлого века. Как явствовало из старой публикации, в далеком семнадцатом семья графа Закамского покинула революционную Россию и осела в Англии. Во время переезда сын графа заразился сыпным тифом и быстро умер. Детей у семьи долго не было, и лишь в двадцать втором наконец-то родилась дочь, которую назвали Лизой.

Год спустя чета Закамских с крохой-дочерью возвращалась в свой загородный дом в предместье Лондона. Внезапно по совершенно необъяснимой причине их «Роллс-Ройс» сошел с дороги и покатился под откос. Супруги погибли мгновенно, а вот их дочь, силой инерции выброшенная из автомобиля на травянистый откос, не пострадала.

Сразу же к попавшим в ДТП поспешили пассажиры автомобиля, шедшего следом. Это было авто герцога Александра Урриморского, который с женой возвращался в свое родовое поместье Гринхилл с приема в честь дня рождения кузины королевы Виктории. Герцог первый подбежал к девочке и, лишь увидел это синеглазое создание, сразу же им был очарован. Он тут же принял решение удочерить ребенка — своих детей у четы не было уже много лет.

Герцог, который был сводным братом королевской кузины, формально как бы принадлежал к Виндзорам. Но в реальности его держали на некоторой дистанции от королевского двора, чем он всегда очень тяготился.

Когда уже вовсю полыхала Вторая мировая война, Элизабет Урриморская, ставшая к той поре во всех смыслах завидной невестой, вышла замуж за графа Веллинджа, молодого капитана-авиатора королевских военно-воздушных сил Великобритании. Во время одного из боевых вылетов новобрачный пропал без вести. Все были уверены, что он погиб. Но Элизабет верила в возвращение своего мужа, и не напрасно. Уже в самом конце войны капитан Веллиндж, хотя и страшно исхудавший, появился на пороге родного дома. Как оказалось, в воздушном бою его сбили немцы, и он более двух лет провел в плену.

Лишь в конце пятидесятых у четы Веллинджей родился сын Георг, который, по настоянию Александра Урриморского, получил его фамилию. Когда мальчику исполнилось десять лет, ставший к той поре уже полковником Веллиндж скоропостижно скончался от аневризмы аорты. В восемьдесят седьмом герцог Георг Урриморский женился на дочери виконта Брэдстара. Год спустя у молодой четы родился мальчик, которого назвали Дэниэлом. А еще через год супруги погибли в автокатастрофе. Что самое загадочное и удивительное — в тот же день и на том же самом месте, где когда-то погибли переселенцы из России Закамские.

Воспитанием внука занялась его бабушка, Элизабет Вэллиндж, которой в ту пору было под семьдесят. Она сделала все возможное, чтобы ее внук вырос достойным молодым человеком. В две тысячи пятом ее не стало на восемьдесят шестом году жизни. Дэниэл, которому к той поре исполнилось семнадцать, поступил учиться в Оксфордский университет на отделение России и Восточной Европы. Успешно закончив учебу, молодой человек получил диплом магистра по избранной им специальности.

Как особо отметил автор статьи, ранее Дэниэла для королевской семьи словно вообще не существовало. Но вот с некоторых пор о юноше, хоть и носящем громкий титул, но, по сути, никому не известном в «высшем свете», при дворе отчего-то вдруг вспомнили. Его стали приглашать хоть и не на самые большие и ответственные, но все же элитарные приемы. Затем Дэниэла пару раз удостоили личной аудиенцией первые лица королевской семьи. Это, по мнению журналиста, было не случайным явлением.

«Просто так из небытия, из «каморки с ненужными вещами», на свет не вытаскивают то, что двору в ближайшее время не пригодится, — особо отметил автор статьи. — Тогда возникает вопрос — а для чего августейшим особам вдруг понадобился хотя и благородный, но бедный родственник Дэниэл? Что за интригу затеяли Виндзоры? Уж не собираются ли они симпатягу парня, к тому же еще и умницу, склонить к женитьбе на любимице королевы графине Рэллейн, уже раз пять выходившей замуж, но, в силу своего занудливо-капризного характера, не ужившейся ни с одним из мужей? Судя по всему, скоро Британия узнает нечто весьма занимательное. А может быть, вдобавок и скандальное. В общем, поживем — увидим...»

Далее автор материала поведал о том, что, заинтересовавшись Дэниэлом Урриморским, его родословной, он отправился в Россию, где встречался с видными историками, много работал с архивами. И ему удалось выяснить много необычного и даже невероятного. Как оказалось, родоначальником рода графов Закамских был Никита Закамский, урожденный Закамин, сын корабельного мастера Ерофея Закамина, прославившегося тем, что ни одно судно из тех, что он строил, не потерпело в бою поражения и не было потоплено.

Никита Закамин, служивший в Преображенском полку, в пекле битв проявил доблесть, находчивость и смекалку, за что был отмечен самим Петром — возведен в дворянское достоинство. Его сын, тоже став военным, дослужился до генерала и за свои подвиги Екатериной Великой был удостоен титула графа Закамского и гербом, на котором орел парил над могучим дубом.

Его потомок, проявивший доблесть в сражениях с японцами на сопках Маньчжурии, незадолго до Первой мировой женился на дочери придворного врача Андрея Смольникова. Из своих четверых детей тот всегда выделял и гораздо больше других лелеял красавицу Арину. Однако по двору давно и упорно ходили слухи, что дочь доктора — вовсе не его дочь, а... императора Александра Третьего!

Случилось так, что в одна тысяча восемьсот восемьдесят третьем году изрядно перебравший государь, прогуливаясь по саду в Гатчине, изволил заметить весьма пригожую придворную даму лет тридцати. Выяснив, что это жена его личного доктора, император, следовало полагать, счел недостойным «наставлять рога» своему лейб-медику. Но тем не менее в конце концов он не смог устоять перед соблазном и однажды назначил той тайное свидание. Оно состоялось. А через девять месяцев у Смольниковых родилась дочь Арина...

«Занятный случай! — читая это повествование, мысленно отметил Гуров. — Получается так, что герцог Урриморский — один из потомков Александра Третьего. То есть он тоже как бы из Романовых. Да, тут есть над чем поломать голову...»

Он набрал в поисковой системе «граф Закамский», и вновь на англоязычном сайте нашел необычный материал историографа британской разведки Мэтью Григса. Автор материала, изучавший архивы МИ-6, на основе проработки не самых секретных документов сделал сенсационный вывод: гибель графа Закамского и его жены не была случайностью. Падение машины под откос стало следствием того, что кто-то неизвестный вывел из строя рулевое управление «Роллс-Ройса».

«...Но искать пресловутый «ледоруб Меркадера», на мой взгляд, в этой ситуации было бы напрасным, — особо отметил Мэтью Григс. — Убийство, скорее всего, совершили не агенты сталинского ОГПУ, а британские спецслужбы. И причина тому была весьма прозаичная: еще в двадцатом году контрразведка МИ-5 заподозрила графа Закамского в том, что он работает на советскую разведку. Разумеется, на первый взгляд подобные подозрения могли бы показаться сущим бредом: аристократ, бежавший от революции, — красный шпион? Мыслимо ли подобное?!.

Но, как удалось выяснить из косвенных источников, это вполне могло быть реальностью. Было известно, что после переезда на Британские острова граф тяготился жизнью на чужбине и постоянно тосковал по России. Его супруга, Арина Закамская, также была подвержена приступам ностальгии. Знакомый их семьи как-то рассказал, что граф однажды признался ему, что готов работать грузчиком в порту, лишь бы иметь возможность дышать воздухом России и быть похороненным в русской земле.

Наша контрразведка в конце 1919 года установила, что у графа Закамского состоялась встреча с якобы бежавшим из России действительным статским советником Мухиновым. На самом деле под этим именем скрывался бывший сотрудник разведки Первой конной армии Семена Будённого Алексей Стратонов. Насколько это удалось выяснить, Стратонов показал Закамскому материалы, иллюстрирующие деятельность британского экспедиционного корпуса в Архангельске и в целом на северо-западе России. Граф был шокирован письменными свидетельствовами и фотоматериалами, повествующими о созданными британцами концлагерях на беломорских островах Мудьюг и Мхи, где заподозренные в симпатиях к большевикам содержались в нечеловеческих условиях, где ежедневно происходили казни заключенных.

Кроме того, можно предположить, что Закамскому, в случае его согласия работать на ОГПУ, в перспективе была обещана возможность вернуться в Россию. Скорее всего, это и стало последним доводом, который склонил графа к сотрудничеству с большевистской спецслужбой...

Анализируя дальнейшие события, стоит уверенно сказать, что досрочное возвращение британского экспедиционного корпуса из России произошло не без активной деятельности графа Закамского. Он же сделал все возможное, чтобы уже реально намеченные планы нового похода США, Англии и Франции против России были гарантированно сорваны. Как видно, руководство МИ-5, сознавая слабость своих доказательств в отношении Закамского, но твердо зная о его работе на Советскую Россию, приняли решение о его физической ликвидации. Однако насколько верна эта догадка — мы сможем уверенно сказать лишь через десятилетия, когда наконец-то будут рассекречены соответствующие архивы британской контрразведки...»

Дочитав статью, Гуров задумался. Он даже не подозревал, что в России были такие интересные и в то же время безгранично преданные ей люди. Он понимал, что граф Закамский согласился служить не большевикам, а русскому народу, в ту пору истреблявшемуся на территориях, захваченных ордами западных оккупантов — англичан, французов, японцев, американцев и прочих народов. Сама по себе братоубийственная гражданская война страшно обескровила Россию. А тут еще и иноземные стервятники слетелись попировать, погреть руки на чужой беде...

Запросы в поисковой системе на предмет того, может ли быть связан герцог Урриморский с британской разведкой МИ-6 и ЦРУ США, особого результата не дали. Удалось лишь найти ироничную статью российского военного аналитика Кудрявина, который, анализируя деятельность правящих элит англосаксов и их вооруженных сил, очень остроумно отметил: «...Если британские и американские «метеорологи» из военных ведомств говорят о том, что горизонты нашего мира чисты и безоблачны, будь уверен: в ближайшее время где-то обязательно выпадут бомбовые «осадки»...»

Неожиданно зазвонил сотовый телефон. Лев ответил и услышал голос жены. Мария встревоженно интересовалась:

— Лева, а ты домой собираешься приехать?

Взглянув на часы, Гуров даже присвистнул — маленькая стрелка почти вплотную приблизилась к девяти. За окном уже догорал вечерний закат...

Глава 4

...Для успешного осуществления задуманного, нами должны быть задействованы все формы воздействия на Россию — политические, экономические, информационные. В плане информационного воздействия следует отдать предпочтение борьбе

за умы и настроения славяно-русской, и в целом российской молодежи. Наиболее полно и четко данное направление информационной войны выразил величайший из мыслителей Запада, человек, создавший самую мощную в мире разведывательную службу ЦРУ — мистер Аллен Даллес. На одном из закрытых совещаний с участием президента Гарри Трумэна он изложил свое видение того, как Запад сможет разгромить Советский Союз без единого выстрела. Жизнь подтвердила правоту его гениальной мысли, и его выступление достойно того, чтобы напомнить о нем еще раз: «...Окончится война, все как-то утрясется, устроится. И мы бросим все, что имеем, — все золото, всю материальную мощь — на оболванивание и одурачивание людей!

Человеческий мозг, сознание людей способны к изменению; посеяв там хаос, мы незаметно подменим их ценности на фальшивые и заставим их в эти фальшивые ценности верить. Как? Мы найдем своих единомышленников, своих союзников в России. Эпизод за эпизодом будет разыгрываться грандиозная по своему масштабу трагедия гибели самого непокорного на земле народа, окончательного, необратимого угасания его самосознания. Из культуры и искусства, например, мы постепенно вытравим их социальную сущность, отучим художников, отобьем у них охоту заниматься изображением... исследованием тех процессов, которые происходят в глубинах народных масс. Литература, театры, кино — все будет изображать и прославлять самые низменные человеческие чувства. Мы будем всячески поддерживать и поднимать так называемых «художников», которые станут насаждать и вдалбливать в человеческое сознание культ секса, насилия, садизма, предательства — словом, всякой безнравственности. В управлении государством мы создадим хаос и неразбериху.

Мы будем незаметно, но активно и постоянно способствовать самодурству чиновников, взяточников, беспринципности. Бюрократизм и волокита будут возводиться в добродетель. Честность и порядочность будут осмеиваться и никому не станут нужны, превратятся в пережиток прошлого. Хамство и наглость, ложь и обман, пьянство и наркомания, животный страх друг перед другом и беззастенчивость, предательство, национализм и вражда народов, прежде всего вражда и ненависть к русскому народу — все это мы будем ловко и незаметно культивировать, все это расцветет махровым цветом.

И лишь немногие, очень немногие будут догадываться или даже понимать, что происходит. Но таких людей мы поставим в беспомощное положение, превратим в посмешище, найдем способ их оболгать и объявить отбросами общества. Будем вырывать духовные корни, опошлять и уничтожать основы народной нравственности. Мы будем расшатывать таким образом поколение за поколением. Будем браться за людей с детских, юношеских лет, главную ставку всегда будем делать на молодежь, станем разлагать, развращать, растлевать ее. Мы сделаем из них циников, пошляков, космополитов».

Именно эта программа стала основой ведения информационной войны против советской империи зла Рональдом Рейганом. И именно она привела СЦМ к победе. Но следует учитывать и то, что Россия сумела извлечь некоторые уроки из событий конца восьмидесятых — начала девяностых. На сегодня в этой стране сильны позиции тех, кто именует себя ее патриотом. К сожалению, их влияние все еще значительно, и это серьезно отражается на внутренней и внешней политике российского руководства.

Поэтому, в целом сверяя свой стратегический курс с программой Аллена Даллеса, в отдельных, частных случаях необходимы тактические коррективы с учетом современных реалий. И главной из них следует считать широкое распространение в России сети Интернет. Это великое изобретение западных умов на сегодня в России приобрело огромную популярность. И мы обязаны воспользоваться всеми теми рычагами воздействия на российское общество, каковые дарует Интернет.

В плане морально-психологическом основной посыл должен быть сделан в сторону разрушения всевозможных традиционных моральных установок русской молодежи. За последние десятилетия с момента провозглашения на Западе сексуальной революции Россия дрогнула и в значительной мере отошла от своих архаичных нравственных традиций. В частности, се-

мейно-бытовых. Институт семьи, который «Пламя Истины» рассматривает как ненужное, отмирающее наследие прошлых эпох, в России дал огромную трещину и стремительно разрушается. Благодаря внедрению в сознание россиян западных моделей и стандартов поведения и взаимоотношения в быту ценность семьи как основы мироздания на сегодня размыта и девальвирована. В России на сегодня один из самых высоких процентов разводов супружеских пар. И это замечательно!

Но это — только первый этап разрушения русского менталитета и выдавливания из русских пресловутой «загадочной русской души». Русские должны стать полным аналогом маргинализированных, оскотинившихся обитателей бродяжнических гетто стран третьего мира, где процветают животные нравы и обычаи.

Мы должны продолжить работу по девальвированию семьи и внесению в сознание русских новых мотивационных императивов. Мы создадим идеологические предпосылки к культивации воинствующего эгоцентризма и, соответственно, нанесем удар по коллективизму русских, по еще сохранившимся остаткам их общинности, являющейся серьезным препятствием в нашей борьбе за умы молодежи.

(Из меморандума совещания Рыцарей-Властителей высшего круга посвящения тайного ордена «Пламя Истины»)

* * *

Прибыв в Главк рано утром, Гуров первым делом набросал на бумаге перечень дел, которые стоило сегодня проработать. Созвонившись с криминалистами и выяснив, что вчера при активном участии Гасана Эльбидаева вполне успешно было составлено два фоторобота членов замеченной им криминальной четверки (еще двоих тот не запомнил), он внес в план работы задание информационщикам по рассылке портретов преступников и ориентировок по угнанной «Тойоте».

Вчера перед уходом Лев успел созвониться со своим старым информатором Константином Бородкиным по прозвищу Амбар. Не вдаваясь в подробности, он дал задание выяснить обстоятельства и конкретных исполнителей похищения гражданина Великобритании в аэропорту Шереметьево. Тот, то и дело не очень убедительно жалуясь на свою немощь, на обрушившийся на его голову целый сонм хронических болезней, тем не менее пообещал «все как есть прознать и вызнать».

Разумеется, было трудно надеяться на то, что за минувшую ночь Бородкин сможет выяснить хоть что-то дельное. Но когда часовая стрелка приблизилась к восьми, зазвонил городской телефон. К удивлению Льва, в трубке он услышал голос Амбара.

— ...Так это, Левваныч, — покашливая, заговорил тот, — кой-чего уже накопалось. Значит, с мужиками разговор я завел такой отдаленный, с ухитрением, мол, чтой-то за слушок прошел насчет того, что в Шереметке каки-то хмырята неделю назад сцапали иноземца? То ли немца, то ль француза. Ну, это я чтобы туману поболе напустить. И вот тут один из моих гостев — Юрка Перец, угонщик, припомнил, что, значит, тоже про это дело знает.

— Юрка Перец? — Гуров напряг память, но ничего похожего припомнить не смог. — Что-то раньше не слышал о таком...

— Так он, Левваныч, только недавно с зоны откинулся. Сам-то он тамбовский. Там промышлял, там же и сел. А в «белокаменку» он прикатил, чтобы к какой-нибудь бригаде по угонам пристроиться. Ну, я его малость остудил. Сказал, что нынче срока дают немаленькие, уж лучше пойти куда-нибудь в сервис. Нашел ему подходящий адресок. Ну, вчера заходил поблагодарствовать — понравилось ему в сервисе. Ага! Даже пива целый «фугас» мне приволок. Во-от... А про Шереметку он вот чего слышал. Там пару месяцев назад начала промышлять команда, вроде бы из каких-то ставропольских абреков.

— И по какой же части промышляли? — Лев почувствовал, что Бородкину и в самом деле удалось найти нечто интересное.

— Да они за все там хватались. И багаж тырили, и на подставах лохов разводили, и тачки угоняли... А тут им в голову стукнуло — иностранцев пошерстить. Начали работать липовыми таксистами. Пару человек увезли на пустыри и там их обчистили. Ими тут же мен... Пардон, Левваныч, милиция... То бишь полиция занялась. Ну, они на неделю на дно залегли. А потом снова выехали на дело. Взяли одного мужичка неприглядненького — уж и брать-то не хотели, да больше никто к ним не сел. А как вывезли за город, тут и оказалось, что мужичок-то непростой. Он сам таких, как они, искал. Ну и поручил им работу — какого-то молодого англичанина взять. Типа, похищение устроить, только чтобы без крови и трупов. Заплатил по-царски. Карточку его дал, чтобы не промазали да другого не словили...

— Это все интересно и здорово, но откуда такие подробности? — спросил Лев, уловив паузу в повествовании Бородкина. — Прямо как будто кто-то ходил за ними по пятам и снимал на видео. Сам-то этот Юрка, часом, в похищении участия не принимал?

— Да не, Левваныч, «слила» ему одна шереметовская путанка, Зойка-Зайка. Хлопец он симпатявый, бабы от него без ума. А эти четверо абреков у нее несколько раз кутили. Ну а языки по пьяни развязываются — сами знаете, отчего и как... К тому ж, ежели тут же за столом еще и бабенка красивая — впечатление произвести всякому хочется. Пущай она и гулящая, и беспутная. Ну а она потом этому Юрке, случалось, много чего передавала. Так что все тут — чики-пуки и тип-топ. Брехни — ни слова. Вот куда они его дели, этого англикоса — путанка та не в курсах. Кутили-то они у нее аккурат перед тем, как его взяли. И вот с той поры она и их самих больше не видывала. Как сквозь землю провалились. То ли свалили с ним куда шибко далеко, то ли их пустили в расход как лишних свидетелей. Вот, таки дела...

Информация, полученная от Амбара, выглядела правдоподобной. Гурова особенно заинтересовало упоминание о некоем «неприглядненьком мужичке». Получалось так, что этот тип, возможно, тоже прибыл с Британских островов. И, что очень даже вероятно, каким-то образом был связан с тамошними спецслужбами. В противном случае как и откуда он смог бы раздобыть информацию о поездке Дэниэла Урри-морского, замаскировавшегося под Тома Хантли?

Следовательно, некие структуры заранее знали о планах британского аристократа и решили использовать его поездку в своих целях. Но что это за цели? Например, если бы им нужно было бросить тень подозрения на Россию, то уже сейчас в западных СМИ взвыл бы целый хор голосов, повествующих о том, как «эти ужасные русские» похитили и удерживают в качестве заложника родственника Ее Величества, дабы оную шантажировать и добиваться неких политических целей.

Но реально-то в информационном плане стоит полная тишина. Даже наоборот. Обращение к российским сыщикам с просьбой найти Дэниэла пришло по закрытым для прессы каналам. Причем сами англичане настаивают на закрытости расследования. То есть если это и в самом деле какая-то серьезная провокация, то она организована весьма изощренно, с самыми непредсказуемыми многоходовыми комбинациями. Впрочем, подобные политические интриги — епархия Вольнова. А сыщикам нужно элементарно разыскать на громадных просторах России среди миллионов людей одного единственного человека — Тома Хантли — только и всего лишь.

«...Что ни говори, а самые счастливые сыщики наверняка в Монако или Лихтенштейне — всю территорию на велике можно объехать меньше чем за час. А тут... Ищи-свищи на сотнях тысяч квадратных километров! — Гуров усмехнулся. — Дело, надо сказать, неординарное. А значит, и действовать надо неординарно... Что-то надо предпринять нестандартное и нешаблонное. Но — что?!!»

В этот момент хлопнула дверь, и в кабинет вошел Станислав Крячко, довольный всем миром и, понятное дело, самим собой. Просияв, он обменялся со Львом рукопожатием и, подмигнув, жизнерадостно поинтересовался:

— Как дела? Что новенького?

Известие о том, что установлено время и место похищения Тома Хантли, а также есть фотороботы предполагаемых похитителей, его искренне порадовало. Вот о своих изысканиях говорить в превосходительных тонах он не стал, скромно поведал о встрече с отцом Владимиром и Людмилой Верховой.

Слушая Стаса, Гуров окинул его каким-то непонятным, изучающим взглядом. Тот, мгновенно уловив это непонятное настроение приятеля, тут же насторожился.

— ...Лева, а что это ты на меня так смотришь, как Репин на свою картину «Приплыли»? — закончив повествование, подозрительно поинтересовался он.

Гуров, не выдержав, рассмеялся.

— Сопоставив твой безгранично счастливый вид и результаты поездки, я сделал вывод, что она у тебя удалась, но, прежде всего, в плане личном. Что, опять кого-то встретил? Да нет, можешь не рассказывать. Подробности ни к чему: сам знаешь — к «клубничке» я индифферентен. Просто ничем иным этот поток позитива объяснить не могу.

Конфузливо хмыкнув (вот дотошный черт — ничего от него не скроешь!), Стас пожал плечами и с неохотой признался, что Лев, как всегда, оказался прав. «Радар» обостренной интуиции Гурова сбоя не дал и точно засек наличие очередного романа своего излишне любвеобильного приятеля.

...Возвращение Крячко из поездки в Кострому ну никак не могло обойтись без каких-либо приключений. Всевозможные форс-мажоры его словно подкарауливали на каждом углу. Вначале ему выпало столкнуться с отморозью, бесчинствующей на трассе. На одном из долгих, малолюдных участков дороги на встречной обочине он увидел как-то не очень удачно приткнувшуюся к обочине фуру дальнобойщика. Перед носом тягача, явно перекрывая ему дорогу, стоял черный джип. При этом людей поблизости никого заметно не было.

Сразу же заподозрив, что тут дело нечисто, Станислав немедленно остановился и, достав из кобуры уже не единожды оправдавшего себя «стрижа», снял пистолет с предохранителя и поспешил к тягачу. В кабине и тягача, и джипа никого не было. И тут до него откуда-то из соседней с дорогой чащобы донеслись отзвуки чьих-то голосов. Сообразив, что неподалеку происходит какая-то не совсем пристойная разборка, он обогнул фуру и, углубившись в подлесок, крадучись двинулся в ту сторону, где, по его предположениям, могли находиться участники «стрелки».

Когда Крячко подобрался поближе, то в просветах между зеленью увидел картину весьма неприглядного свойства: к стволу осины был привязан какой-то мужчина средних лет с ртом, залепленным широким пластырем. Окружив его, в суперменских позах стояли четверо мордастых мажоров, явно не из тех семей, что побираются на паперти. Парни глумливо обсуждали варианты того, как поступить со своим пленником. Кто-то предлагал облить его бензином и поджечь. Кто-то считал куда более важным прямо здесь произвести его вскрытие, чтобы восполнить пробел в знаниях анатомии человека. Как видно, последнее мнение возобладало, и один из мажоров, достав нож с выкидным лезвием, с многообещающей улыбочкой приблизился к беспокойно задергавшемуся пленнику, который что-то пытался сказать им своим отчаянным мычанием.

Насколько Стас мог понять, о вымогательстве здесь даже не шло речи. «Вот сучата! — промелькнуло у него в голове. — Уже не знают чем заняться, так с жиру бесятся!..» Решительно шагнув вперед, он строго объявил:

— Никому не двигаться! Руки вверх! Стреляю без предупреждения!

Похоже, такой вариант «развлекухи» отморозками никак не предусматривался. Испуганно завопив: «Ата-а-а-с!!! Рвем! Менты-ы-ы!!!», они кинулись врассыпную.

Отвязав дальнобойщика, Крячко помог ему дойти до фуры.

— Сейчас я принесу бумагу, вам надо будет написать заявление, — деловито уведомил он.

— Нет, нет, ничего я писать не буду! — категорично заявил водитель.

По его словам, месяц назад на этом самом месте он спас девушку, которую из этой же машины тащил в лес один из удерживавшей его четверки. Как видно, отморозок запомнил номер его автомобиля и теперь со своими дружками собирался отомстить.

— Я еще тогда в полиции написал на них заявление, только думаю, что его сразу же и выкинули, — разминая затекшие руки, рассказывал водитель. — Это сынки знаете чьи? А-а-а... Просто теперь буду ездить другой дорогой, вот и все. Вам за то, что выручили, спасибо. Но это — вы. А другие... Нет у нас ни правды, ни закона. В этом сегодня я убедился лишний раз.

— Ладно... — Махнув рукой, Стас проверил багажник и кабину джипа, после чего, подняв капот, оборвал пучки проводов и подобранным в лесу ножом проколол все колеса автомобиля.

Глядя вслед убегающей фуре, Крячко набрал номер телефона дежурного главка и поручил ему направить к джипу опергруппу из ближайшего райотдела.

— ...И предупреди, чтобы проверка была проведена полная и самая дотошная, — строго предупредил он. — Пусть проверят хозяина машины и его дружков на причастность к убийствам и групповухам. И не дай бог, если они спустят дело на тормозах! Я с них самих тогда шкуру спущу лично!

Сев в машину, он увидел, как на той стороне дороги кто-то осторожно выглянул из-за дерева. «Ну, а теперь попробуйте уехать, уроды!..» — рассмеялся он и, дав газу, помчался дальше, в ранние вечерние сумерки.

Подъезжая к Москве, когда уже смерклось по-настоящему, Стас увидел, как бежавшая впереди «Шкода» внезапно сбавила ход и, выбросив из выхлопной трубы клубы черного дыма, медленно скатилась на обочину, где, дернувшись, остановилась. Пролетая мимо, он увидел выглянувшую из кабины очень даже привлекательную автоледи лет тридцати с небольшим. Крячко мгновенно понял: у дамы что-то случилось с машиной и его обязанность как члена великого автомобильного братства немедленно прийти ей на выручку.

Тоже свернув на обочину, он подошел к растерянной даме, которая, подняв капот, недоуменно рассматривала мотор, подобно первокурснику медицинского вуза, впервые попавшему в анатомичку и дивящемуся внутренностям, находящимся в человеческом животе.

— Добрый вечер! — Стас безмятежно улыбнулся. — Вам помочь?

— Добрый! Если только он и в самом деле — добрый! — с крайней досадой в голосе откликнулась «автоледи». — Помогите, если есть такое желание. Но говорю сразу: плачу только наличными. Пошлые намеки не прокатят!

Крячко, ошарашенный столь суровым уведомлением, лишь развел руками.

— Да я как будто и... Гм... Не волнуйтесь — ни пошлых намеков, ни покушений на ваш бюджет не будет. Век воли не видать! Что вы так вздрагиваете? Да не уголовник я, не уголовник. Вот мое служебное удостоверение.

Он показал даме свою «корочку» и даже дал подержать ее в руках. Пока «автоледи» изучала документ, Стас быстро осмотрел мотор и заглянул под брюхо автомобиля. Заметив свежие капли масла на асфальте, он осветил поддон картера микрофонариком своего сотового и с удивлением обнаружил на нем глубокую вмятину с трещиной посередине.

— Когда ехали, удара снизу не ощущали? — поинтересовался Крячко, отряхивая ладони.

Та с удивлением ненадолго задумалась, после чего кивнула:

— Да, минут двадцать назад что-то бабахнуло — даже передок немного подкинуло, — женщина недоуменно посмотрела на своего нежданного помощника. — А что, это как-то повлияло на мотор?

— Да не как-то, а всерьез... — забирая «корочку», Станислав усмехнулся. — У вас пробило поддон картера... Надеюсь, вам знакома такая деталь двигателя? И через трещину вытекло все масло. Двигатель стал работать всухую, через стершиеся кольца остатки масла закинуло в камеру сгорания, и движок задымил. А потом его и вовсе заклинило. Разве вы не заметили, когда загорелась контрольная лампа аварийного снижения уровня масла?

Его собеседница, печально взиравшая на двигатель, ничего не ответила и лишь растерянно пожала плечами. Пояснив ей, что теперь надо или вызывать эвакуатор, или тащиться за ним на буксире, Стас спросил:

— У вас буксирный трос есть? Нет? Ладно, у меня найдется. Тормоза-то хоть надежные? Тогда едем... Аварийку включите. Вам в какие края?..

Выяснив, что незнакомка обитает всего в квартале от его дома, он включил передачу, и сцепка машин побежала по шоссе. Минут через сорок, когда уже основательно стемнело, Крячко остановился в гаражном массиве напротив синих железных ворот с цифрой «сто сорок». Отцепив фал, он, упершись плечом в переднюю стойку «Шкоды», покатил ее к воротам гаражного бокса, уже открытым хозяйкой.

Труднее всего было затолкать передок авто через высокий порожек гаража. Решив помочь Стасу, автоледи тоже уперлась в корму своей «Шкоды» руками. Крячко, ощутив прикосновение ее плеча, испытал вулканический выброс в кровь адреналина и, гаркнув:

— А ну, еще раз! — мощным толчком почти забросил «чешку» в ее стойло.

Когда ворота захлопнулись и они вместе поехали в «мерине» Станислава, донельзя обрадованная столь удачным завершением этого неприятного происшествия со «Шкодой» женщина неожиданно предложила:

— А может, зайдем ко мне, хотя бы выпьем чаю? А то както неудобно получается — вы меня так выручили, а я толком даже отблагодарить не смогу. Да вы не волнуйтесь — приставать не буду... — она жизнерадостно рассмеялась.

...Дойдя до этого места своего повествования, Стас клятвенно прижал руку к груди.

— Вот — честное слово! — ничего такого я и в уме не держал! — заверил он Гурова. — Да и она вела себя очень сдержанно. Мы попили чаю, я вышел в прихожую, она вышла меня проводить. Помню, обулся, выпрямился, чтобы открыть дверь, и при этом случайно задел ее руку своей рукой. Потом... Черт! Толком уже и не помню, как и что было потом. Опомнился я, уже когда... М-м-м... Когда уже — все. В смысле, когда уже все откипело... — Крячко вздохнул.

— Да ты уже, можно сказать, донжуанишь на автопилоте! — рассмеялся Гуров. — Ну, Стас! Ну, наше штатное чудо природы! Думаю, однажды наши отечественные демографы тебе поставят памятник. Представляю его композицию: на постаменте — ты, собственной персоной, сработанный из мрамора или бронзы, шагаешь к своим «дамам сердца», простирая к ним руки. А на постаменте — орнамент из разбитых тобой сердец... Супер!..

Крячко досадливо отмахнулся.

— Да ну тебя! Тебе хоть ничего не говори — вечно язвить начинаешь...

— Ну, ладно, будет дуться! — голос Льва звучал примирительно. — Может, в душе я тебе завидую? Мне вот такого не дано. Увы! Так что хоть за тебя порадоваться можно...

Стас окинул приятеля подозрительным взглядом.

— Ты это серьезно? — на всякий случай уточнил он. — Ты только... Это... Петру ничего не говори.

— Чтоб я сдох! — с абсолютно серьезным видом Гуров поднял перед собой ладонь правой руки. — Петру — ни звука. О! А это, похоже, он!

Лев кивнул в сторону телефона внутренней связи, разразившегося громкой трелью. Выслушав приглашение «зайти на пару слов», он положил трубку и развел руками.

— Их превосходительство ждут-с! — объявил он.

...Петр Орлов выглядел одновременно озабоченным и озадаченным. Он то и дело потирал лоб кончиками пальцев и хмурил брови. Выдержав театрально-драматическую паузу, он сурово изрек:

— Ну, как у нас с поисками этого герцога хренова? Утро еще не началось, а из английского посольства: «Скашшите пошьялуста, вы ушше найти Дэниэль Урриморски?» Да и наше начальство отчего-то начало бить копытом — первый зам самого звонил пять минут назад: «Вы сознаете, какая на вас легла ответственность?!!» Она, японский городовой, легла, а мы должны бегать, выпрыгивая из штанов...

Понимающе переглянувшись — клюют Петруху, ох, клюют! — опера доложили о результатах своих изысканий. Стас — об итогах поездки, Гуров вкратце рассказал о том, что удалось выудить в Интернете, а также об услышанном от Амбара.

— ...Интересный получается компот... — задумчиво резюмировал Орлов. — Два разных человека — полковник ФСБ и настоятель православного монастыря — говорят об одном и том же. Они видят в случившемся очень хитрую и коварную проделку со стороны западных спецслужб, которые напрямую подчиняются мировой закулисе — транснациональным масонским структурам. И что же мы на данный момент имеем? Довольно скудную информацию о самом факте похищения англичанина некими уроженцами предположительно кавказского региона. Цель похищения и место нахождения иностранца нам пока совершенно неизвестны. Хреново! Кстати! Я вчера запросил информацию об этих двоих скотланд-ярдовцах, и мне пообещали, что сегодня они к нам заедут.

— Они все еще в Москве? — удивленно спросил Станислав.

Петр усмехнулся.

— Мне так думается, они тут официально — ну, для своего начальства, понятное дело — как бы продолжают активные поиски пропавшего герцога. А в реальности отсиживаются в России, боясь возвращаться домой. Ну, а что? Сам факт их возвращения будет означать признание того обстоятельства, что порученную им операцию они провалили. А за такие проколы и у них по головке не гладят. Вот мужики и решили подождать у моря погоды — а вдруг русским удастся найти герцога, и тогда они со спокойной совестью могут объявить, что их усилиями похищенный был освобожден?! Глядишь, еще и по награде отхватят...

— Логично! — рассмеялся Гуров. — Кому поручишь аглицких пинкертонов?

— Давай-ка, поработай с ними ты, ибо лучше из всех нас, тут присутствующих, владеешь английским. А вот Стасу... Задание особое. Причем, мне так кажется, для него очень приятное, — хитро улыбаясь, Орлов вскинул указательный палец. — Надо разыграть из себя крутого провинциального гастролера, который прибыл в Москву «на промысел». Изыщи вариант, как познакомиться и войти в доверие к промышляющей в Шереметьеве упомянутой Левой Зойке-Зайке и взять у нее максимум информации о ставропольской четверке. Ну, там, имена, место жительства, личные контакты... В общем — все, что только можно.

Крячко, выслушав наставления генерала, насупил брови, совсем как тот четверть часа назад. Вызывающе воззрившись на своего начальника-приятеля, он с сарказмом поинтересовался:

— Петро, ты опять хочешь задействовать меня, как штатную путану? Ну, ты же понимаешь, о чем идет речь! Мне предлагается войти в доверие к проститутке и, переспав с ней, выудить из нее нужную нам информацию. Так, да? Интересные у тебя подходы... Значит, когда мы расследовали дело об убийстве на свадьбе миллиардера Золотилова, ты меня тогда чуть не съел за то, в чем я и не был виноват. Ну, я про тот случай с Джулией, когда ты отстранил меня от дела, по сути, за то, что она сама меня фактически принудила к интиму. Кстати, как и нашего шофера Юру. Да, да, да! Ты об этом не знал? Ха-ха!.. Значит, тогда я был чуть ли не враг народа, развратник и негодяй. А теперь речь идет про то же самое, но только совсем с другим знаком: теперь я обязан вступить в платный интим с женщиной, чтобы развязать ей язык. Кстати, может, ты мне поручишь еще и свой язык задействовать в плане интима? Ну, чтобы она посговорчивее была?..

Очевидно, последние слова Петра довольно сильно разозлили. Он брезгливо поморщился и отмахнулся.

— Да, иди ты... Уж такой-то дури мог бы и не говорить. Тьфу, тудышкина мать! — сердито помотал он головой. — Вроде и не дурак, а иной раз — как ляпнет чего! Хоть стой, хоть падай... Не хочешь — хрен с тобой. Поручу капитану Сазонову — молодой, красивый, умный парень. На него она и без денег клюнет. Будет он тут еще строить из себя святую невинность! Ведь если по совести, то я уверен, что во время вчерашней поездки ты как минимум одну женщину точно уболтал и затащил в постель. Ну, признавайся, признавайся. Было? О! По глазам твоим блудливым вижу, что было! Значит, как мотаться направо-налево — это высоконравственно и благородно. А то же самое, но в интересах дела государственной важности — фу, какая бяка! И он меня еще упрекает в двойных стандартах. На свои бы поглядел!..

Сконфузившись, Стас фыркнул и уже совсем другим тоном примирительно обронил:

— Да, ладно, чего уж там? Согласен... Работаем-то на общее благо, только каждый чем может. Лева — головой. А я — своим «двойным стандартом»... — он картинно развел руками.

Слушая его, Гуров и Орлов громко рассмеялись.

Закончив разговор, приятели вышли из кабинета Петра в его приемную. Остановившись перед секретаршей, Стас с хитрецой поинтересовался:

— Верочка, а вот, на твой взгляд, как прошел мой вчерашний день? Вот, в двух словах, что бы ты могла об этом сказать?

Та, прервав свой бесконечный разговор с одной из подружек (невероятно как ухитряясь при этом выполнять свою основную работу), изучающе окинула Крячко взглядом и спокойно сообщила:

— Очень продуктивно, Станислав Васильевич. Вечером у вас было романтическое свидание с красивой незнакомкой.

Ошарашенный ее проницательностью, Крячко изумленно посмотрел на секретаршу.

— Верочка, умничка ты наша, но... Откуда такие сногсшибательные догадки? — растерянно вопросил он.

Молодая женщина улыбнувшись и, доверительно понизив голос, спросила:

— Я могу сказать все как есть? Гм... Станислав Васильевич, когда у вас долго никого нет, вы смотрите на меня, как голодный на бутерброд. А сейчас у вас взгляд, простите, сытого котика, который тайком от хозяйки побывал в ее кладовке и скушал там всю сметану. Вот, примерно так. Надеюсь, ничего лишнего я не сказала?

— Нет, нет, нет! — Крячко замахал руками. — Верочка, тебе цены нет — ты уже настоящий опер!

— Как говорится, с кем поведешься... — рассмеялась секретарша, снова принимаясь за бумаги и разговор с подружкой.

...Час спустя на столе Гурова опять зазвонил телефон внутренней связи. Голос Орлова буднично известил:

— Заходи, Лева, наши гости уже прибыли...

Войдя в кабинет Петра, Гуров увидел двоих неброско, но со вкусом одетых мужчин лет сорока. Один из них был явно англичанином — длинным, сухощавым, с типично англосаксонским лицом. Другой имел явно индусскую примесь крови — он выглядел грузным, смугловатым, с довольно толстым носом и непроницаемо черными радужками глаз. При появлении Льва гости, выражая уважение, приподнялись из своих кресел. В ответ он сдержанно раскланялся и поприветствовал их по-английски:

— Гуд монин (доброе утро). Май нейм — Лев Гуров.

Гости, улыбнувшись, поочередно сообщили, что их зовут Саймон Бугс и Джефф Сингхан.

— Вот, Лева, можешь задать все необходимые интересующие нас с тобой вопросы. Господа коллеги русским владеют, но не очень.

Как видно, все же поняв сказанное им, Бугс сокрушенно подтвердил:

— Йесс, нэ отшень...

Перейдя на английский, Гуров спросил англичан, могут ли те сообщить суть своего задания в отношении Тома Хантли, известно ли им, кто он на самом деле. Переглянувшись, скотланд-ярдовцы рассказали, что их начальник отдела особых расследований, которое занимается делами, связанными с высокопоставленными особами, дал им конкретное поручение: не спускать с Тома Хантли глаз. Этого молодого человека они должны были негласно сопровождать, куда бы он ни поехал, куда бы ни пошел, и оберегать от любой опасности.

— ...Сэру Оррэйли не чужд юмор, и он дал указание, сказав буквально следующее: если даже вы стали свидетелями того, как мистер Хантли снимает женщину легкого поведения, ваша обязанность ненавязчиво и даже незаметно для него подбросить ему резиновое изделие, дабы он не подцепил венерическую болезнь, — доверительно поведал Сингхан.

Выслушав перевод сказанного Джеффом, Орлов усмехнулся.

— Пусть скажут спасибо, что им не приказали еще и ненавязчиво надеть Тому Хантли это самое изделие на... Гм-гм. Понятно куда! Вот, Лева! Вы со Стасом постоянно воспринимаете меня как деспота. А ведь я ни разу не додумался поручить вам что-то похожее!..

Гости, которым Лев перевел сказанное генералом, по достоинству оценив «рашен юмор», негромко и дружно рассмеялись. Они признались, что были в курсе дела, кто именно объект их опеки, хотя этого им сказать почему-то не захотели. Как узнали? Ну, так, они тоже ведь не выпускники воскресной школы, а люди, имеющие немалый и жизненный, и профессиональный опыт.

— Ёшкин кот! — выслушав перевод Гурова, Петр развел руками. — Ну а как же тогда, при всем своем опыте, они проворо... В общем, как они умудрились отстать от Хантли и не уберегли его от похищения?

Дипломатично скорректировав его вопрос, Лев спросил об обстоятельствах, помешавших уважаемым джентльменам успешно выполнить возложенную на них ответственную миссию. Те, несколько поскучнев, заверили его, что со своей миссией они справились бы исключительно профессионально, если бы им не помешало одно непредвиденное событие.

В тот самый момент, когда Том Ханли уже вышел на трап, а сыщики, отстав от него всего на два человека, еще только собирались покинуть борт самолета, у мужчины, который шел впереди Бугса, внезапно начался странный припадок, наподобие эпилепсии. Он повис на шее Саймона, громко хрипя и выкрикивая нечто маловразумительное.

— А уточнить можно, что он кричал, хотя бы приблизительно? — Гуров выжидающе уставился на собеседника.

— М-м-м... Что-то про ядовитых пауков... — наморщив лоб, сообщил Сингхан. — Да, он кричал: «Пауки, пауки! Ядовитые пауки! Меня ужалили! Я умираю!..»

Вопросительно взглянув на Саймона, Лев поинтересовался:

— Ну и как вы на это отреагировали?

— Ну-у... Как и всякий цивилизованный человек, я помог стюардессам уложить его в кресло, и мы с Джеффом его удерживали, пока девушки вызывали «Скорую помощь». Многие из пассажиров были очень напуганы происшедшим. Да, я понимаю, что это было отступлением от инструкций начальства. Но мы же полицейские, и, кроме всего прочего, в нашу задачу еще входило и оказание помощи людям, по каким-либо причинам попавшим в трудное положение... — последние слова Бугс произнес скомканно и конфузливо.

Орлов, выслушав Льва, лишь усмехнулся и покачал головой.

— Английский детский садик, да и только... — обронил он. — Развели их, как последних лохов.

Гуров этих слов англичанам переводить не стал, но те, судя по всему, поняли его и без перевода. На вопрос Льва, что же было дальше, их гости сообщили, что когда они вышли на трап, Тома Ханли среди прочих пассажиров у аэродромного автобуса почему-то не оказалось.

— ...Мы спрашивали своих попутчиков, не видели ли они молодого человека в белой майке с изображением Кремля и надписью на английском языке «Я люблю Москву!». Но никто ничего конкретного сказать так и не смог... — огорченно сообщил Сингхан.

— А того человека, с которым приключился припадок, вы хорошо запомнили? — спросил Гуров, в общем и целом уже поняв, что и как могло произойти в аэропорту.

Англичане растерянно переглянулись. Бугс конфузливо сообщил, что все произошло столь неожиданно, и сам он был так взволнован, что особого внимания на «жертву психического расстройства» как-то не обратил. Единственное, что запомнилось — мужчине было под пятьдесят, роста он среднего, лицо невыразительное.

— Сэр, этого человека я запомнил хорошо! — немного подумав, уведомил Джефф. — Вы хотите составить его фоторобот? Готов оказать в этом свое содействие прямо сейчас.

Выразив признательность за этот дружественный шаг, Лев попросил англичан рассказать об итогах поисков их подопечного. Понимающе кивнув, Саймон поведал о том, как они попытались найти Тома Хантли через представителей уголовного мира и сами едва не стали заложниками одной из столичных криминальных группировок.

Тем же днем, когда их, по словам Бугса, постигло описанное выше фиаско, они решили не обращаться к российским коллегам, опасаясь громкой огласки, на свой страх и риск занявшись самостоятельными поисками. Проходя таможню и паспортный контроль, они уже там попытались выяснить, не видел ли кто из служащих аэропорта молодого британца в белой футболке, прибывшего одним с ними рейсом. К их досаде, все только с недоумением пожимали плечами. Тогда их осенила догадка, что Том Хантли каким-то образом мог пройти через зону для VIP-персон.

Они поспешили туда, и там удача им как будто улыбнулась. Один из сотрудников припомнил, что и в самом деле молодой иностранец в белой футболке с рисунком Кремля проходил через их сектор. Его провел с собой первый советник посольства одной из африканских стран как своего личного помощника. В принципе, подобное было заметным нарушением, однако тамошние службисты решили не буквоедствовать и пойти навстречу представителю дружественной России страны.

За пределами пограничной зоны следы Тома Хантли безнадежно терялись. Кое-как раздобыв номер посольства Багдзаны, скотланд-ярдовцы позвонили туда и попросили связать их с первым советником. Ответ, услышанный сыщиками, их огорошил — первый секретарь сейчас в отпуске и уже неделю как греется под родным африканским солнцем...

Расстроенные сыщики топтались у входа в здание аэровокзала, когда к ним неожиданно подрулил какой-то шустрый малый, который что-то спросил по-русски. Поняв, что пред ним иностранцы, он повторил свой вопрос по-английски — не желают ли господа приезжие «поразвлечься с девочками». Сообразив, что этот тип явно из криминальных структур, сыщики рассказали ему, что в аэропорту бесследно пропал их знакомый, и они хотели бы встретиться с людьми, которые могут располагать интересующей их информацией.

Окрыленный врученными ему тремя сотнями баксов, шустряк куда-то исчез, после чего к аэропорту вскоре подкатила дорогущая черная модель «БМВ». Из машины вышел гражданин с южными чертами лица, который пригласил англичан совершить с ним поездку по городу. Сознавая, что они сильно рискуют, тем не менее скотланд-ярдовцы решили ехать — а что еще оставалось делать?

Их доставили в номер одной из гостиниц, куда вскоре пришел хмурый тип с квадратным лицом, чем-то очень похожий на человека, приезжавшего за ними в Шереметьево. Представившись через сопровождавшего его переводчика как Сандро Авторитетный, «квадратный» выяснил, чего именно хотят эти двое англичан. Некоторое время поразмышляв, он поинтересовался суммой, которую его собеседники готовы заплатить за разыскиваемого ими человека в том случае, если он будет найден и возвращен.

Сыщики, тоже подумав, сказали, что тысяч пять баксов гарантировать могли бы вполне, исходя из своих реальных возможностей. Презрительно поморщившись, Сандро Авторитетный (судя по его реакции, рассчитывал он на сумму намного большую) жестко уведомил:

— Десять! И то из сочувствия к оскудевшим...

Потребовав сразу тысячу долларов в виде предоплаты, «квадратный» уведомил, что англичане с этого момента будут жить на специально снятой для них квартире. Там им придется находиться весь тот период, пока будут идти поиски их соотечественника. Переводчик тщательно записал приметы Тома Хантли, и они с Сандро Авторитетным отбыли, а Саймона и Джеффа на том же «БМВ» отвезли куда-то на окраину Москвы, где их поселили в неплохо обставленной квартире-«двушке». Двое здоровенных лбов предупредили англичан, что бежать из-под их надзора гостям не удастся. Еда — в холодильнике, если понадобятся женщины — плата отдельная.

Но сыщикам было уже не до женщин. Они вдруг поняли, что теперь и сами, по сути, оказались в роли похищенных.

Три нескончаемо долгих дня гости-пленники напряженно ждали, что же им уготовила судьба, готовясь к наихудшему. Однако их ожидания, к счастью, не оправдались.

На исходе третьего дня к ним пришел переводчик с одним из верзил и уведомил, что найти их земляка, увы, не удалось. Босс решил проявить великодушие и не брать дополнительной платы за доставленные ему хлопоты. Однако проживание в квартире придется оплатить. И недешево — пятьсот баксов в сутки с обоих. Итого — полтора «куска». Понимая, что это еще не самый худший вариант, англичане поспешно согласились с выдвинутыми им требованиями. Поскольку столько наличности у них на руках не было, они сняли необходимую сумму в ближайшем банкомате, принимающем пластиковые карты международного формата.

Отдав полторы тысячи баксов переводчику, отчего-то вдруг ставшему задумчивым, гости столицы поспешили удалиться, пока тому не пришло в голову взвинтить сумму до заоблачных высот. Первой мыслью скотланд-ярдовцев было — бежать в аэропорт и немедленно, ближайшим рейсом, мчаться домой, в старую добрую Англию, где нет этих ужасных, непредсказуемых русских мафиозо (которые отчего-то на самих русских похожи не были). Но, поразмыслив и сделав правильные выводы, решили с этим делом погодить. Они в тот же день сообщили начальству о своем «проколе» с подопечным, не утаив и попыток найти его при помощи московских уголовников.

Теперь сыщики обитали в самой дешевой гостинице, какую только им удалось найти (денег-то осталось мизер!). Они целыми днями смотрели новостные программы по телевизору и без конца обсуждали варианты того, как им установить местонахождение Тома Хантли, в реальности понимая, что дальше разговоров не продвинутся и на йоту.

Закончив свое безрадостное повествование, Бугс и Сингхан в свою очередь поинтересовались тем, что удалось выяснить их русским коллегам. Известие о том, что уже есть подозреваемые в похищении, их привело в восторг. Они даже не ожидали, что в России есть настоящие профи сыска, до сего момента будучи твердо уверенными в том, что самые лучшие сыщики могут быть только в Великобритании и только в Скотланд-Ярде.

По распоряжению Орлова из информотдела принесли фотороботы подозреваемых. С уважением отметив оперативность и профессионализм русских, скотланд-ярдовцы были вынуждены уведомить, что похожих людей им встречать не доводилось. Впрочем, Сингхан предположил, что одного из этих двоих он однажды уже видел. Но — где? В Россию он приехал впервые. Однако лицо на фотороботе будило какие-то смутные воспоминания не очень давней поры. Еще раз внимательно изучив портрет неизвестного, Джефф хлопнул себя по лбу.

— Я видел этого человека! Во всяком случае, очень на него похожего, — уверенно заявил он. — Причем у нас, в Лондоне. Это было два года назад. Человека, приехавшего из России по турпутевке, задержала служба наркоконтроля как перевозчика героина. Однако вскоре его отпустили. Знакомый по секрету сообщил, что этот человек работает на ми-шесть, и шпионская контора увела его от ответственности. На сто процентов гарантировать, что это именно тот человек я не могу, однако сходство очень сильное.

Глава 5

...Нами пока еще не разрушен один из самых прочных бастионов русского самосознания — русский язык. Несмотря на усилия, предпринимавшиеся в течение десятилетий, он продолжает сохранять свои позиции, в том числе и за пределами России. Еще тысячелетия назад было подмечено: язык — это душа народа, стержень его идеологической устремленности в будущее. Отсюда следует сделать очень простой вывод: отняв у какого-либо народа его родной язык, мы уничтожаем его самобытность, его характер, самосознание и жизнестойкость.

Прежде всего, необходимо везде и всюду всячески подчеркивать значимость международного сотрудничества, основанного на знании английского языка. Его изучение в России нужно внедрять начиная с детского сада, так же, как и основ англо-

саксонской культуры и этики. В этих целях нужно шире использовать предоставление грантов (в том числе и негласное) ответственным чиновникам российского министерства образования.

Блестящая операция по внедрению в российское образование стандартов ЕГЭ, проведенная на средства, выделенные Джорджем Соросом, наглядно показывает, сколь значимый эффект, выражающийся в значительном снижении среднего уровня интеллекта русской молодежи, ранее славившейся своей эрудицией и начитанностью, может быть достигнут правильным использованием нашего самого главного оружия — денег.

Еще один успешный шаг был совершен нашими агентами влияния, добившимися внедрения в России Болонской системы высшего образования. Данная фрагментарно-примитивизационная система, формирующая бессистемные псевдознания и сводящая высшее образование к углубленному профессионально-техническому обучению, успешно подрывает базу под российской фундаментальной и прикладной наукой.

Но и ныне достигнутого мало, крайне мало! Образно говоря, мы еще не сломали хребет русскому языку. Он пока еще жив и даже пытается отвоевать утраченные позиции. Поэтому нам необходимо усилить финансирование своей агентуры, различных программ и проектов, направленных на снижение его значимости, его доступности, его распространенности. Ежегодно в обыденном русском лексиконе должно закрепляться не менее пяти десятков наиболее часто употребляемых терминов англоязычного происхождения. В этих целях следует учредить как гласные, так и негласные формы премирования дикторов русского радио и ТВ, всех прочих работников российских СМИ, а также писателей и иных представителей сферы культуры за распространение в русской разговорной речи англицизмов.

Ежегодно на планете исчезает несколько языков и наречий. Наша сверхзадача — добиться того, чтобы русский язык в ближайшие годы пополнил список мертвых языков.

Немаловажное значение в этом плане имеет и физическое сокращение численности его носителей. Российская демография в девяностые годы, по сути, соответствовала пожеланию бри-

танского премьера Маргарет Тэтчер, которая объявила о том, что в России достаточно полутора десятков миллионов человек населения. Однако позже демографическая ситуация в России начала принимать для интересов СЦМ весьма неблагоприятный характер — при снижении смертности возросла рождаемость. Это не может не вызывать тревоги.

Главным источником демографических ресурсов в России всегда была деревня. Ельцинские реформы 90-х стали для нее настоящей катастрофой. К счастью для нас, и после 90-х русская деревня продолжает вырождаться. По нашим прогнозам, к 2020 году сельское население в России составит не более пяти процентов. Это будет означать полный крах русской демографии. И мы должны этому всемерно способствовать. В частности, наши агенты влияния в современных российских властных структурах кардинально сокращают сельскую медицину и образование. И этот процесс следует всемерно расширять и углублять.

Памятуя о том, что наиболее радикальным средством депопуляции народонаселения является внедрение т.н. нетрадиционных сексуальных отношений, мы должны всемерно расширять гей- и лесбипропаганду. И не только это. Любые формы интима, отличающегося от того, что ведет к деторождению, включая самые извращенные, наподобие садомазохизма, зоо- и некрофилии, следует информационно поддерживать и пропагандировать.

В этом плане Россия пока, к сожалению, являет собой неприступную твердыню. Хотя определенная часть ее населения и придерживается гомоориентации, ее массовое неприятие вынуждает ЛГБТ-сообщество существовать латентно, не имея возможности проводить пропагандистские акции. Поэтому в России в целях ее депопуляции наиболее реальным следует считать вариант с использованием медикаментозных и биосредств.

Благодаря развалу российской фармацевтики и биопромышленности мы имеем уникальную возможность снабжать русских мед- и биопрепаратами двойного назначения из числа тех, что, помимо основного, заявленного действия, будут иметь и скрытое, подавляющее репродуктивные органы. Кроме того, подобное действие имеет большая группа продуктов питания, изготовленных на базе ГМО. Уже сегодня в России бесплодна каждая седьмая супружеская пара. Наша задача — к 2020 году добиться бесплодия каждой второй.

Опасаться разоблачения того, что демографическая катастрофа русских стала следствием нашей деятельности, не стоит. Когда она случится, русские не будут знать, на кого обрушить свою ярость. Да и обезлюдевшая страна угрозы никому представлять уже не будет.

(Из меморандума совещания Рыцарей-Властителей высшего круга посвящения тайного ордена «Пламя Истины»)

* * *

Покончив с разговорами, гости вместе с Гуровым отправились к специалистам по фотомонтажу. Там им предстояло составить фоторобот «припадочного» из самолета. Лев был твердо уверен в том, что тот спектакль был разыгран с одной лишь целью — задержать сыщиков в самолете, чтобы кто-то за это время успел умыкнуть Тома Хантли с летного поля.

«Надо будет уточнить, в какую именно клинику доставили того «припадочного», — отправляясь в свой кабинет, мысленно отметил Гуров. Кроме того, он решил порыскать в Интернете — вдруг найдется что-то стоящее по упомянутому Джеффом случаю с задержанием в Лондоне наркодилера, работающего на МИ-6?

Взяв у информационщиков телефон ближайшей к аэропорту Шереметьево станции «Скорой помощи», Лев набрал номер и, услышав женский голос, скороговоркой сообщивший ему о том, что «Скорая» на связи, представился и попросил позвать к телефону кого-нибудь из руководства, чтобы навести кое-какие справки. Его собеседница, с кем-то быстро переговорив, сообщила, что старшая фельдшер на месте и готова ответить на вопросы представителя угрозыска.

Почти сразу же в трубке послышался другой женский голос — более сухой, с властными нотками. Гурову тут же представилась строгого вида тетка в белом халате, с плотно сжатыми губами и придирчивым, изучающим взглядом. Старшая фельдшер, лишь услышав о том, что сотрудника главка угро интересует выезд их бригады «Скорой помощи» в аэропорт более чем недельной давности, сразу же уведомила, что вот так, с кондачка, найти едва ли что сможет.

— ...Вы знаете, — особо отметила она, — у нас ежедневно у каждой бригады не один десяток вызовов. Так что давайте-ка созвонимся через полчаса — постараюсь что-нибудь найти.

Поблагодарив свою собеседницу, Гуров положил трубку. Он включил ноутбук и набрал в окне поисковой системы: «МИ-6, скандал с агентом из России, перевозка героина». Перед ним тут же появился перечень названий статей, большая часть которых касалась тех или иных сторон интересующей его темы, но была, что называется, не по существу. И лишь один заголовок привлек его внимание. Материал назывался «Шпионы своих сукиных сынов не сдают!».

Открыв статью — русскоязычный перевод с английского, Лев понял — это именно то, что нужно. Как явствовало из выходных данных материала, эта статья была опубликована около двух лет назад в одном из крупнейших британских изданий. Уже с первого абзаца автор статьи, некий Джон Эллинг, весьма жестко прошелся по разведслужбе МИ-6, упрекнув ее в том, что в своей работе она слишком уж часто демонстрирует образцы, мягко говоря, безалаберности по части подбора агентуры, что нередко граничило с полной беспринципностью и безграничным цинизмом.

Углубившись в чтение, Гуров едва не забыл о том, что ему нужно перезвонить в шереметьевскую «Скорую». Старшая фельдшер, взяв трубку, уже куда более приветливым тоном сообщила, что она нашла недельной давности запись о вызове бригады «Скорой» на летное поле аэропорта Шереметьево.

— ...Вы, знаете, — с ноткой некоторой даже растерянности повествовала она, — это был очень странный случай. На моей памяти такое случается впервые. В журнале я нашла запись о том, что уже по пути к клинике больной объявил, будто чувствует себя хорошо, и потребовал выпустить его из кареты «Скорой». Но это — дежурная запись. Я разыскала членов бригады, и они рассказали мне кое-что куда более занимательное. Этот больной и в самолете, и в машине «Скорой» постоянно корчился и бился в конвульсиях. А когда машина была на полпути к клинике, в его кармане зазвонил телефон. И он — представляете?! — не переставая корчиться и дергаться, достал из кармана телефон и совершенно спокойным голосом начал с кем-то говорить. Потом сунул телефон в карман, сел, встряхнулся и объявил, что уже выздоровел и хочет, чтобы его высадили. Девчата завозражали — вот довезем, оформим в клинике как положено, а там уж — куда хотите. Так он на это — знаете что сказал? Ой, даже говорить неловко! Объявляет: у меня болит живот, срочно хочу в туалет. Вы же не хотите, чтобы я прямо в машине снял штаны и опорожнился? Ну, тем деваться некуда, остановились, выпустили. Он тут же подошел к какой-то большой иномарке, которая, как оказалось, следовала от аэропорта за «Скорой», сел в нее и тут же уехал.

Поблагодарив докторшу за рассказ, Лев попросил телефоны членов бригады, поскольку его очень заинтересовали некоторые детали, связанные с «припадочным». Например, марка и госномер машины, на которой тот уехал, о чем, хотя бы в нескольких словах, он говорил по телефону. Выяснив, когда удобнее всего было бы подъехать к ним на станцию, он решил сегодня же встретиться с фельдшером, санитарами и водителем. Вовремя вспомнив, что Стас отправился в Шереметьево, Гуров решил позвонить ему и поручить встречу с работниками «Скорой». Достав телефон, он набрал номер Стаса, после чего продолжил свои интернет-изыскания. Как далее повествовал Джон Эллинг, примеры того, как британская разведслужба не чуралась контактов с террористами, махровыми мафиозо, серийными уголовниками, главарями изуверских сект, кровавыми диктаторами, торговцами наркотиками, киднепперами и даже мерзавцами, использующими похищенных людей для трансплантологии, исчисляются многими сотнями.

В качестве доказательства он привел ставший ему известным случай с неким Альфи Мирзяровым, активным членом «кавказского сопротивления», а по сути — убийцей и террористом, который, помимо всего прочего, поставлял на британские острова афганский героин. Имея чье-то тайное покровительство, этот «борец за освобождение Кавказа» в течение нескольких лет травил наркотиками тысячи граждан Великобритании. Но однажды он все же попал в поле зрения служб наркоконтроля.

Альфи Мирзярова задержали в порту Ливерпуля, куда он на круизном туристическом лайнере доставил очередную крупную партию героина. Группа захвата защелкнула на его запястьях наручники в тот момент, когда он получал свой багаж. То, что почему-то не смогли усмотреть таможенники, специалисты по борьбе с наркотрафиком выявили в момент. Как оказалось, доставленная гражданином России «уникальная коллекция древних восточных статуэток», якобы для организации выставки, была не более чем маскировкой. Внутри «бесценных реликвий прошлых эпох», изготовленных из специального, особо прочного гипсового состава, находился чуть желтоватый порошок со специфическим запахом и вкусом.

Но вот дальше произошло нечто совершенно невероятное. Всего неделю спустя Альфи Мирзяров был освобожден из-под стражи, обвинения королевским судом с него были сняты, улики — пустотелые статуэтки с героином — куда-то бесследно исчезли. Причем освобождение Мирзярова прошло в условиях особой секретности, без утечек информации в СМИ.

И лишь через своего не названного им знакомого, близкого к контрразведке МИ-5, Джон Эллинг узнал об этом вопиющем факте. Альфи Мирзяров к тому времени бесследно исчез из Лондона. Скорее всего, считали знающие об этой истории, он поспешил вернуться обратно в Россию, где в горах Кавказа скрываться было гораздо легче, нежели на берегах Темзы.

Дойдя до конца публикации, Гуров некоторое время сидел недвижимо, глядя в окно. Он осмысливал только что прочитанное, анализировал и сопоставлял ранее полученные факты. Лев теперь, безусловно, был уверен в том, что скотланд-ярдовец Сингхан не ошибся и совершенно правильно опознал в фotoроботе одного из похитителей Тома Хантли — исламского боевика и наркоторговца Альфи Мирзярова.

Скорее всего, Мирзяров, два года назад едва не севший в английскую тюрьму, постарался «залечь на дно» где-нибудь в родных местах. Можно было предположить, что британский истеблишмент, патологически зацикленный на противостоянии с Россией, через МИ-6 надавил на собственное правосудие и вынудил его отыграть назад. Героиновые улики наверняка стырили лондонские «джеймсбонды», что позволило им без особого труда вытащить своего верного отморозка из-за решетки.

Ну и что с того, что не одна сотня молодых британцев из-за завезенной им отравы раньше времени отправилась в мир иной? Зато он готов воевать против России и убивать русских. А это уже почти прощение всех его грехов.

Что было дальше? Ну, видимо, Мирзярову его боссы порекомендовали пока нигде не светиться, в том числе и на российских просторах. Мало ли чего? А вдруг ФСБ выявит факт поставок героина в Ливерпуль и Лондон? Газетчики-то написать могут все что угодно, но это не всегда производит сильный общественный резонанс. А вот будучи оглашенной с трибуны ООН, подобная информация может стать настоящей информационной бомбой и повлечь масштабные парламентские расследования, что весьма чревато непредсказуемыми последствиями.

Возможно, это и так... Ну а что же на сегодня? А на сегодня против России начала раскручиваться какая-то очень мутная комбинация, в которой задействовано немало участников кем-то задуманного действа. Ради такого случая, надо полагать, Мирзяров и был «расконсервирован». На данный момент таковых насчитывается не менее семи человек. Тут и «припадочный», и африканский «дипломат», и загадочный «невзрачный», нанявший шереметьевских для похищения Тома Хантли...

Хотя... Стоп! Если в составе той четверки был и агент МИ-6 Альфи Мирзяров, который, безусловно, подобное поручение мог получить напрямую из Лондона, то на кой бы тогда сдался специальный вербовщик их «квартета» в лице «невзрачного»?! Хм... Что-то тут концы не вяжутся. Что, если Мирзяров работает не на МИ-6, а на то же самое «Пламя Истины»? Ведь МИ-6 и ЦРУ — верные слуги «мирового правительства». А логика происшедшего с Хантли-Урриморским в сферу его интересов как-то не укладывается. Ёшкин кот! Нужна дополнительная информация, иначе концов в этом донельзя запутанном клубке не найти никогда. Только где бы ее взять? Может, Стас что-нибудь дельное раздобудет?..

* * *

...Крячко отправился в Шереметьево на своем верном «мерине». Пусть это был лимузин и старого фасона, зато блестящий и шикарный. А еще на Станиславе была его знаменитая потертая кожанка и «шпионского» фасона темные очки — в них он смотрелся просто убойно. Его мощная мускулатура, перекатывающаяся под одеждой, заведомо внушала уважение и даже почтение немалому числу поглядывающих в его сторону индивидуумов. Сейчас он походил на бывшего байкера, который удачно вклинился в какой-то прибыльный бизнес и внезапно разбогател. Но при этом в душе остался все тем же грубовато-хрипловатым романтиком больших дорог, бешеных мотогонок и студеного ночного ветра.

К поставленной перед ним задаче Стас отнесся с фантазией и выдумкой. Выяснив, где обитает нужная ему Зойка-Зайка, он решил обставить знакомство не банально-пошлым: «Час у тебя почем?», а романтично-возвышенным спектаклем на тему «Благородный незнакомец спасает прекрасную блудницу из грязных лап отморозков-беспредельщиков».

Замначальника информотдела капитан Жаворонков, однажды уже весьма успешно сыгравший роль оторвяги-гопника, на сей раз получил задание сыграть мелкого главаря шайки грабителей, который решил поразвлечься с девицей асоциального поведения, популярной среди местной «братвы». В подкрепление ему были выделены два стажера, не обделенные театральными дарованиями.

Операция, условно названная Стасом «Гоп-стоп, путана!», началась ближе к одиннадцати. Когда Жаворонков, через бинокль наблюдавший из салона «Форда Мондео» за подъездом девятиэтажки, увидел, что из его дверей на улицу вышла расфуфыренная красотка с вызывающе ярким макияжем, он коротко скомандовал:

— Вперед!

«Форд» тут же рванул с места и через несколько секунд поравнялся с красоткой, которая лишь с пренебрежением покосилась в его сторону, словно желая сказать: «Видывала кое-что и покруче!..» Скорее всего, чувствуя себя фавориткой местного преступного мира, она спокойной, «фасонистой» походкой продолжила свой путь. Но двое крепких парней в «трениках» и кепках, выскочивших из «Форда», бесцеремонно заступили ей дорогу, нахально разглядывая красотку и дымя сигаретами.

— Ты что ль, Зойка-Зайка? — с типично зековскими интонациями поинтересовался «чувак» в серой кепке и белесыми усами.

— Возможно... — с явным недовольством обронила та, столь же бесцеремонно разглядывая их самих. — Чего надо?

— Тебя надо! Витя-Чипс — слыхала про такого? — хочет с тобой малость «в люблю» поиграть.

— Дорого ему обойдется! — фыркнула Зойка-Зайка. — Мне до фонаря этот ваш Витя-Чипс. Катитесь-ка вы, щеглы, пока не познакомились с Азнауром-Колуном.

— Нам по фигу, сколько ты там просишь за ночь, по фигу и твой чурек! — доставая пистолет, хохотнул второй из парней — плотный, с толстенной шеей.

В этот момент, как бы потеряв терпение, из машины вышел статный молодой мужчина в щегольском костюме. Окинув Зойку-Зайку изучающим взглядом, он коротко кивнул:

— Породистая телка! Садись, поехали с нами. Грузите ее! — добавил он, увидев, что с какого-то мгновения начавшая терять присутствие духа красотка стала испуганно озираться, растерянно хлопая накрашенными ресницами.

Судя по всему, она надеялась, что хоть кто-то из прохожих вмешается в эту ситуацию и воспрепятствует нехорошим замыслам невесть откуда взявшихся наглецов. Однако редкие прохожие, издалека чуя неладное, или сворачивали с тротуара и продолжали путь другой дорогой, или спешили прошмыгнуть мимо, отвернувшись от происходящего.

— Садись в тачку, и чтобы ни звука! — подручный Вити-Чипса внушительно помахал пистолетом и, взяв Зойку-Зайку за руку, повлек ее к авто.

Но в этот момент мчавшийся по улице шикарный «Мерседес» старого выпуска, резко свернул в их сторону и лихо выписав вираж, остановился у самого края тротуара, почти в упор прижавшись бампером к «Форду». Парни, уже начавшие заталкивать свою пленницу в авто, ошарашенно уставились в сторону «мерина», из которого вышел неординарного вида его владелец, явно не из «ботаников».

— Бог в помощь! — насмешливо произнес он грубоватым голосом.

Снова вынырнувший из кабины «Форда» Витя-Чипс с показным ухарством и одновременно затаенной тревогой нарочито вызывающе спросил:

— Тебе какого черта тут надо? Деловой, что ли?

Его подручный тут же навел пистолет на незнакомца. Тот, измерив его взглядом, молниеносно выхватил крупнокалиберную «беретту» и почти дружески посоветовал:

— Спрячь подальше эту пукалку — тебе же спокойнее будет. А ну как промахнешься? Вон ведь и держишь свою «пэмэшку» неправильно, и рука с непривычки подрагивает... Практикуешься, наверно, редко? А вот я никогда не мажу. Даже если бы и надо было. Ты меня понял? — внушительно добавил он.

Подручные главарька отчего-то сразу же сникли. Да тот и сам тоже моментально обмяк и забеспокоился.

— Не, братан, — уже совсем другим тоном заговорил Витя-Чипс, — тут у нас, в натуре, какие-то непонятки получились... Тебе нужна эта телка? Не, ну если ты заказал ее раньше — какой тут может быть базар?

— Раньше, раньше... — согласился незнакомец. — Намного раньше!

— А! Ну тогда че базарить-то? Раз такое дело — тему закрываем! Пока! Будь здоров!

Отпустив Зойку-Зайку, компания оперативно запрыгнула в свой «Форд» и, откатив назад, резко вырулила на дорогу. Взревев, «американец» умчался, скрывшись за ближайшим поворотом.

— Как ты? — сунув пистолет в карман, почти приятельски улыбнулся незнакомец в кожанке. — Душа, поди, в пятки провалилась?

— Да, есть немного... — приходя в себя, Зойка-Зайка тоже улыбнулась. — А ты откуда?

— Из Ставрополя, — многозначительно сообщил незнакомец. — Меня Гошей зовут. Гоша-Костоправ. Ну, это потому, что если вот такие щеглы начинают на меня чирикать, их потом в травматологии от пяток до ушей закатывают в гипс.

Вскинув большой палец, Зойка-Зайка восхищенно рассмеялась.

— Я тут недавно, всего дня три... — неспешно оглядевшись по сторонам, сообщил Гоша-Костоправ. — Антикварные лавки приехал прошерстить — может, чего дельного попадется... Ну и набраться новых столичных впечатлений. Слушай, красавица, а где тут дом сорок пять по улице Светлой?

— А вон он! — Зойка-Зайка указала на девятиэтажку, из которой только что вышла сама. — А тебе кто там нужен?

— Короче... Мой дружбан, Боря-Химик, дал тут один адресок. Ему присоветовал его знакомый, Юрка-Перец. В общем, нужна мне одна тут Зойка-Зайка. Не знаешь такую? О! Постой, постой... — Гоша-Костоправ вопросительно воззрился на свою собеседницу. — А ты, часом, не она ли? Мне ж Боря так и описал — красивая, четвертый номер бюста, ноги от ушей... Ты — Зойка?

Польщенная столь выразительным описанием ее женских достоинств, та хитро улыбнулась.

— Не исключено... — кокетливо ответила она. — А ко мне-то по каким делам?

— Да дело обычное... — интригующе приглушив голос, подмигнул Гоша-Костоправ. — Если я приехал к красивой девчонке, ну не в ладушки ж с ней играть? Мне не надо всяких там «садо», «мазо»... Мне нравится по-нормальному, чтобы уж оттянуться, так оттянуться. Не боись. За ценой не постоим!

— Гоша! — подойдя к незнакомцу и глядя на него с огорчением, Зойка-Зайка положила руку ему на плечо,. — Я бы не против, но у меня сегодня... У-ху-ху-ху-ху!.. — она изобразила всем своим видом смущение.

— «Критические дни», что ль? — Гоша-Костоправ наморщил лоб. — Вот, блин, как всегда! Насчет этого невезуха у меня постоянная.

— Гошенька, дней через пару приезжай — я твоя, и даже безо всяких «деревянных» и баксов. Клянусь! Хорошо? — Зойка-Зайка умильно наморщила свой носик. — Поверь — я не какая-нибудь там мымра неблагодарная — добро помню и ценю. Лады?

— Лады, созвонимся! — великодушно согласился Гоша-Костоправ. — Слушай, ну, может, хотя бы на чай пригласишь? А то перед пацанами будет неловко — поехал к такой красотуле, и на тебе, обломилось. Хоть уж в гостях побывал — и то дело.

— Да не вопрос! — Зойка-Зайка жизнерадостно улыбнулась. — Паркуйся где-нибудь вон там, поближе. А я пока что забегу в маркет, кое-чего взять надо. Так что — будь спок! Чаи прогоняем!

...Через четверть часа «Гоша-Костоправ», он же — Стас Крячко, сидел за столом в уютно обставленной квартире и отхлебывал чай из дорогой, фарфоровой чашки, вприкуску с щербетом и прочими вкусностями и сладостями. Попутно, с брутально-многозначительным видом, неспешно сочинял байки про свою якобы криминально-коммерческую деятельность.

Когда разговор зашел о Ставрополе, он с огорчением поведал драматичную историю о том, как его племянницу «оприходовали» четверо каких-то «абреков». Найти подлецов и разобраться с ними ему не удалось. Согласно информации, полученной от тамошней «братвы», «абреки», опасаясь серьезной расплаты, смылись в Москву.

Случилось это, доверительно поведал «Гоша-Костоправ», года два назад. Уже трижды побывав в Москве по своим делам, он пока что так и не смог напасть на след злокозненных сквернавцев-«абреков». Вот и в этот раз, попытавшись выйти на них через своего московского приятеля Борю-Химика, скорее всего, будет вынужден уехать домой ни с чем.

Отчего-то став очень задумчивой, хозяйка квартиры, словно на что-то решившись, отставила чашку и лаконично сообщила:

— Похоже, я их знаю...

— Да, ладно тебе!.. Что, и вправду знаешь? — «Гоша-Костоправ» недоверчиво уставился на Зойку-Зайку. — Точно?!! О, как оно бывает: то — ничего ничего, а тут сразу — такая пруха!

Его собеседница, взяв с него слово, что он ее никоим образом не «засветит», рассказала о своих клиентах — четверых парнях со Ставрополья, которые последнее время довольно часто заезжали к ней. Платили за ее услуги, не жадничая. Кстати, и не наглели. Если Зойка-Зайка чувствовала себя «не в форме» — не напирали. Просто кутили у нее в квартире, трепались на разные темы. По именам она их знала хорошо.

Главным в той компании был рослый и крепкий на вид кандидат в мастера спорта по греко-римской и вольной борьбе Исмаил Мирзяров. Его правая рука —обладатель коричневого пояса дзюдо Лема Куйраев. Еще двое своими спортивными разрядами не хвастались, но тоже смотрелись парнями не хилыми. Рамазан Сайфуллаев отменно владел искусством ножевого боя, а Антон Рахимбеков имел хорошую снайперскую подготовку.

Слушая ее, «Гоша-Костоправ» периодически всплескивал руками, вполголоса повторяя:

— Они, они заразы! И где бы их теперь найти бы?!

Когда Зойка-Зайка рассказала ему о последней операции четверки по похищению иностранца, она обратила внимание своего гостя на особо беспокоящее ее обстоятельство:

— ...В тот вечер они крепко набрались, и когда им кто-то позвонил, Мирзяров с ним о чем-то долго разговаривал. Говорили на своем родном языке. Поэтому я ничего не поняла. Потом Исмаил сам набрал чей-то номер и уже по-русски сказал примерно следующее: «Леха, если заметишь, что Таракан собирается ссучиться, уберешь его немедленно. Он слишком много знает...» Я сделала вид, что ничего не расслышала, но мне вдруг стало страшно — я ведь тоже знаю слишком много. Гоша, если эти отморозки с моего горизонта исчезнут навсегда, то... Клянусь — можешь ко мне приезжать в любое время, когда и сколько захочешь. Честно! Насчет бабок не напрягайся... Тут, как подумаешь о том, что в любой момент могут глотку перерезать — и никакого золота не надо, лишь бы их больше никогда уже не видеть...

«Гоша-Костоправ» с понимающим видом кивнул.

— Они исчезнут! — без рисовки, но с какой-то жесткой решимостью пообещал он.

Эти слова его собеседницу моментально привели в наилучшее расположение духа. Просияв, как если бы страшащий ее уголовный «квартет» уже сейчас канул в небытие, она благодарно сжала его ладонь.

— Го-о-ша-а-а! Как же мне с тобой повезло! Кстати, одну минуточку!.. Я — сейчас...

С таинственной улыбкой Зойка-Зайка поднялась со стула и быстро скрылась за дверью, как успел заметить «Гоша-Костоправ», спальни. Он вдруг догадался, что именно прямо сейчас от нее услышит, и поэтому поспешно достал свой сотовый. Интуиция его не подвела. Вскоре из спальни до него донеслось жизнерадостное восклицание:

— Гоша! А у меня все уже хорошо! — Почти сразу же выйдя в залу, Зойка-Зайка добавила: — Вот халат и полотенце — шагом марш в душ!

Но «Гоша-Костоправ» в этот момент, как бы ее не слыша, орал в свой телефон:

— ...Окунь, ты че, с ума сошел? Вы чего там творите-то?! Вы еще в центре города устройте перестрелку, чтобы вся ментярня сбежалась! Ну, ничего себе, прикол! Бошки поотрываю всем, без разбору! Все! Хорош базарить! Остановились! Я ща приеду... Зой, спасибо за чай. Надо бежать. Буду жив — завтра заскочу! Кстати, вот мой номер. Если чуть где вблизи эти орлы промелькнут — ховайся и немедленно звони мне.

Быстро написав на салфетке номер своего сотового телефона, Стас Крячко вышел на улицу, сел в свой «Мерседес», одолеваемый противоречивыми чувствами, и поспешно отбыл.

С одной стороны, он был доволен не только тем, что получил желаемую информацию, но и кое-чем другим. Скажем, по итогам его сегодняшней поездки в Шереметьево у Гурова и Орлова уже не будет повода «выдавать на-гора» что-нибудь ироничное о его излишнем пристрастии к прекрасному полу. Да! Пусть знают, что он не раб своих страстишек и, если захочет, то в силах отказаться от того, что само, можно сказать, на халяву валилось ему в руки. Вот такой он конкретный, ответственный мужик, знающий себе цену!

А вот с другой... Одновременно Станислава глодала досада, причем по той же самой причине. Ну, чего уж там кривить душой?! Да, он проявил принципиальность, ответственность, нравственную (не к ночи будь помянута!) стойкость. И что хорошего?!! Сам себя, идиот, лишил весьма волнительного «десерта», каковой, безусловно, законно заслужил. Черт побери! Теперь его еще долго будет «жаба душить» из-за этого очень и очень спорного обстоятельства: а надо ли было корчить из себя святого угодника? Все равно ведь — что, Лева, что Петро — хрена с два оценят по достоинству принесенную им жертву. Тьфу!

В этот-то момент его размышления и прервал звонок Гурова. Обронив однозначное «Угу!» на просьбу приятеля заехать на станцию «Скорой», Крячко в телеграфном стиле сообщил об услышанном от Зойки-Зайки.

— А ты у нее уже был? — Лев этому почему-то очень удивился. — Во даешь! Когда ж ты все успел-то? Прямо метеор, да и только... Ну, и как она? В смысле...

— Интима, что ль? — буркнул Станислав, почувствовав подначку. — Не понадобилось! Она и без этого сама все рассказала за чашкой чая...

— Ух ты-ы! — в голосе Гурова звучало неподдельное восхищение. — Стас, я тебя не узнаю! Молоток! Хотя, если честно, то на твоем месте я бы не устоял. Век воли не видать! — рассмеялся он.

— Да иди ты, балабол! — тоже со смехом сказал Стас, отключая связь.

Звонок приятеля как-то сразу сгладил его досаду и привел в нормальное расположение духа. Свернув в сторону улицы Аэродромной, Крячко уже и не вспоминал о только что терзавших его сомнениях, всецело сосредоточившись на поставленной перед ним задаче.

...Бригада «Скорой помощи», чуть более недели назад выезжавшая в аэропорт к британскому «Боингу» за больным с тяжелым нервно-психическим расстройством, ждала Станислава в бытовой дежурке станции. Старшая бригады — доктор лет сорока, назвавшаяся Мариной Александровной, казалась флегматичной. Столь же невозмутимым выглядел и водитель — еще крепкий, жилистый дядя предпенсионного возраста, с большущими усищами. Две крупненькие санитарки и худощавый, интеллигентного вида фельдшер о чем-то без конца шушукались и пересмеивались.

Услышав вопрос Крячко об интересующем его пациенте, все пятеро сразу же задвигались, оживленно реагируя на упоминание о том странном госте столицы. Докторша, тщательно протерев очки носовым платком, сокрушенно покачала головой и сказала Стасу о том, что столь малоприятных «мужичишек» даже среди бомжей едва ли найдешь.

— ...Я не буду описывать детали того, как этот тип стал вести себя, когда кончил ломать комедию с припадком. Но у меня постоянно было такое ощущение, что он в душе как будто глумится над нами, испытывая к нам крайнюю неприязнь... — Марина Александровна пожала плечами. — Хотя, вообще-то, я даже не представляю, чем мы это заслужили. Но он, без преувеличения, смотрел на нас так, как будто заранее считал какими-то отбросами, своими личными врагами.

— Да, — следом за ней заговорил фельдшер Володя, — это я тоже заметил. Выходя из нашей машины, он стал на тротуар, оглянулся и посмотрел на нас презрительно. А потом запрыгнул в тачку, которая остановилась позади нас, и куда-то смылся. При этом так мерзко ухмылялся!..

— Кстати, об этой самой иномарке! — Стас вскинул палец. — Никто не запомнил — что это была за машина, какой цвет кузова, госномер?

— Да чего ж не запомнить-то? — подал голос водитель, поправив усы. — Черная «бэха», насколько я их знаю — седьмой серии, номер — эс три, два, один вэ гэ, регион... О, черт! По-моему, семьдесят седьмой... Или девяносто девятый? Вот знать бы, что это понадобится, — обязательно бы запомнил. А так... Ну, на кой бы он мне нужен? Я и запомнил-то его только потому, что, как правильно сказала Марина Александровна, держал себя этот деятель очень высокомерно. Мужик крайне неприятный — козел, одним словом...

Санитарки полностью согласились с мнением своих сослуживцев — скотина, еще тот хмырь и урод. Уточнив еще кое-какие детали, Стас отбыл в главк.

Глава 6

...Намечая пути и методы разрушения духовно-нравственных устоев русских, нам необходимо учитывать наличие такого института, как русская православная церковь (РПЦ). В отличие от западных христианских церквей — католической, лютеранской, англиканской, иных ответвлений христианства, РПЦ являет собой наиболее консервативную структуру, не склонную к либеральным реформам. И в этом плане РПЦ представляет для нас колоссальную помеху, с которой непросто справиться.

Безусловно, за десятилетия властвования коммунистического режима в России в условиях атеистической идеологии выросло уже несколько поколений людей, многие из которых относятся к церкви или индифферентно, или даже негативно. Это сильно ослабило православие, и даже начавшийся в конце восьмидесятых процесс укрепления позиций РПЦ на государ-

ственном уровне ее паству если и приумножил, то не самым значительным образом. Тем не менее мы не можем и недооценивать влияния РПЦ на умонастроения в русском обществе. Даже в среде людей, не склонных посещать культовые объекты, она обладает прочным авторитетом. Таких насчитывается в среднем около шестидесяти процентов.

За прошедшие годы нашими агентами влияния, в том числе успешно внедренными в клир РПЦ, сделано очень многое. Весьма эффективно используя самые разные методы провокации (демонстративное бытовое разложение священников, широкое распространение информации, характеризующей клир РПЦ с самой негативной стороны и т.п.), мы сумели среди значительной массы людей посеять сомнения в искренности православного учения.

Однако крушение РПЦ и полное уничтожение ее структурных подразделений возможно лишь тогда, когда от нее отвернется не менее трех четвертей населения России. А это — чрезвычайно непростая задача. Например, массовое осуждение в русском обществе либерально-протестной акции группы «Пусси райт», блестяще организованной нашими сторонниками, говорит о том, что подобные варианты действий несколько преждевременны.

К сожалению, римско-католической церкви, намного более толерантной в отношении к догматам, не удалось склонить православие к определенному сближению, что позволило бы поэтапно реформировать РПЦ в нужном нам аспекте, а затем подчинить ее Риму. Поэтому на данном направлении нам нужно приложить дополнительные, в том числе и финансовые усилия. В частности, следует искать пути и возможности всемерного коррумпирования склонных к этому иерархов РПЦ, чтобы расколоть ее изнутри, раздробив на несколько автономных, жестко конкурирующих меж собой структур. Каждая из них по отдельности уже не сможет противостоять экспансии наших идей.

Также не оправдала себя и ставка, сделанная нами на так называемых «родноверов» — приверженцев древних славянских языческих культов. Как показала практика, лишь немногие из идеологов родноверов готовы идти с нами на контакт и действо-

вать в рамках наших идей и установок. Крайне нетолерантную позицию занимает и православная старообрядческая церковь. Большинство ее приверженцев встречают в штыки даже намек на отступление от христианских догм. Староверы еще более жестко, чем РПЦ, отрицают любые западные либеральные ценности. Поэтому оба вышеперечисленных направления нашей идеологической работы следует признать бесперспективными.

Прочие российские официальные религиозные конфессии — ислам, буддизм, иудаизм — мы также не должны упускать из поля зрения. На сегодня наиболее успешно ведется работа среди российских мусульман. Усилиями центров распространения ваххабизма, в настоящее время в России насчитываются сотни тысяч его активных сторонников, крайне негативно относящихся к русским и всему тому, что с ними связано.

Российский буддизм в большинстве своем лоялен к федеральным властям и, внешне демонстрируя тенденции толерантности, на деле привнесенное из СЦМ негласно блокирует и нейтрализует. Иудаизм, являя понимание наших идей, в определенной мере сходных с положениями Каббалы, тем не менее проявляет излишнюю осторожность, ориентируясь на мнение российских верхов. Поэтому наш главный, самый деятельный резерв — это церкви нетрадиционных вероучений (ЦНВ), именуемые в России сектами. На сегодня таких религиозных формирований насчитывается около тысячи, и они охватывают до десяти процентов населения страны, в основном славянского. Именно ЦНВ — наше главное оружие, призванное сокрушить православие. И именно сюда мы должны направить львиную долю нашей финансовой и иной помощи. Ежегодно в России должно появляться не менее десятка новых проповедников, школ, вероучений. Когда охват идеями ЦНВ достигнет не менее чем трети населения, православие будет вынуждено или идти на соглашение с Западом, или кануть в Лету. И это будет означать, что Россия уже шагнула в предназначенную для нее пропасть.

(Из меморандума совещания Рыцарей-Властителей высшего круга посвящения тайного ордена «Пламя Истины»)

* * *

Когда Стас вошел в свой кабинет, Лев Гуров, оторвавшись от каких-то бумаг, вопросительно глянул на него.

— Что рассказали в «Скорой»?

Усмехнувшись, Крячко рассказал о «прибабахнутом шизике», который устроил в самолете клоунаду с нервно-психическим припадком, а потом, якобы отойдя от приступа своей странной хвори, начал изображать из себя нечто заоблачно-великое.

— Да, явно ненормальный субъект... — задумчиво отметил Лев, взяв со стола лист бумаги. — Кстати, вот его портрет.

Он подал Стасу фоторобот, составленный с участием Бугса и Сингхана. Небрежно взяв лист бумаги с изображением физиономии впалощекого типа с толстым носом и глазами навыкате, Крячко язвительно хохотнул.

— Если это и есть тот клоун из «Боинга», то вообще непонятно, чего он морду перед медиками гнул? — Стас недоумевая пожал плечами. — С таким фуфельным фейсом надо не цену себе набивать, а ходить в парандже. Нет, надо же! Страшила страшилой, а еще чего-то о себе воображает...

Слушая его, Гуров рассмеялся.

— Видишь ли, есть особая, редкая психическая болезнь... Не помню ее названия — очень уж оно замысловатое, но такие люди испытывают патологическую неприязнь к себе подобным. Представляешь? Подходит мужик к зеркалу и начинает в него плевать, потому что сам себе ненавистен.

— А как же они, такие вот, размножаются? — Хмыкнул Крячко.

— А никак они не размножаются! Оттого это заболевание и относится к очень редким. Вот, мне кажется, тот «припадочный» из самолета как раз из таких и будет.

Стас с недоверчивым видом кашлянул в кулак и как-то неопределенно пожал плечами. Лев сгреб со стола ненужные бумаги, сунул их в один из ящиков стола а затем, как бы припомнив, сообщил:

— Перед твоим приходом звонил Петр — сказал, чтобы мы заглянули к нему. Так что нам пора шлеппен зи битте на ковер к их превосходительству.

— Ну вот! — фыркнул Стас. — Скоро раз по пять на дню будем бегать к нему на доклад.

Однако он ошибся. Орлов пригласил их не только для доклада, но для того, чтобы рассказать о некоторых результатах своих личных изысканий.

Выслушав текущие сообщения оперов о том, что ими было наработано за последние часы, генерал неспешно заговорил:

— Занятный получается сюжет... Значит, в Интернете Лева нашел упоминание о боевике и наркоторговце Альфи Мирзярове, а главарь шайки похитителей — Исмаил Мирзяров. Вот и возникает вопрос: что бы это значило? Это один и тот же человек, два однофамильца или братья?

— Кстати! — Гуров постучал пальцем по подлокотнику кресла. — Один из фотороботов людей, замеченных Эльбидаевым, очень смахивает на человека на снимке, который был размещен на сайте. Правда, сняли Альфи Мирзярова издалека, да и качество съемки не ахти, но сходство просматривается.

— Ну а что? У нас, между прочим, есть человек, который может сказать наверняка, с кем конкретно мы имеем дело... — Орлов выразительно посмотрел на Станислава. — Надеюсь, для тебя не будет в тягость еще раз сгонять в Шереметьево и показать фоторобот той особе?

Крячко от неожиданности даже закашлялся и, не говоря ни слова, безнадежно махнул рукой — ладно уж... Гуров, с трудом сдерживая смех, вполголоса прокомментировал:

— Судьба-а-а-а....

Петр на жест Стаса благосклонно кивнул и продолжил:

— На сегодня у нас главный вопрос — куда могли податься эти четверо с похищенным ими англичанином? И пока что у нас на этот счет нет и малейших зацепок. Какие будут соображения?

— Если считать, что этот «квартет» со Ставрополья, то, реальнее всего, свалить они могли только туда, — с задумчивой миной предположил Крячко. — Как говорят? Дома и стены помогают... В общем, искать их надо в северокавказском регионе.

Покрутив головой, Орлов широко развел руками.

— Мысль-то хорошая, да региончик уж больно великоват! — сокрушенно сказал он. — Всей жизни не хватит, чтобы его обшарить... Я сегодня созванивался с нашими коллегами в Дагестане, Краснодаре, Ставрополе. Ну, пообещали информацию о похищенном англичанине взять на заметку — вдруг где-то что-то просочится? Но, говорят, пока что о похищенных иностранцах их агентура ничего не сообщала.

Лев, потерев лоб, негромко произнес:

— Тогда, получается так, что это долгая будет история... Я вот о чем подумал: надо запросить из всех регионов данные по неопознанным трупам за последнюю неделю. Особенно, если их найдено сразу четыре, к тому же после ДТП с возгоранием...

Стас и Орлов разом воззрились на него, явно ошарашенные услышанным. После некоторого молчания Петр озадаченно обронил:

— Ничего себе, идейка... А почему тебе в голову пришло именно это? Есть какие-то конкретные соображения?

Молча кивнув, Гуров пояснил:

— Не исключено, что я и ошибаюсь. Но логика тут такова. То, с чем мы столкнулись — не заурядная уголовщина и даже не оргпреступность. Тут дело попахивает международным политическим бандитизмом. Надо думать, ставки в этой игре — запредельные. В сравнении с ними и человеческая жизнь — грош ломаный. Пусть их даже и четыре — какая разница? Одним больше, одним меньше?.. В большой игре смерти и тысяч человек не трагедия, а статистика. Поэтому мне подумалось: заказчики похищения — люди не наивные и хорошо представляют себе, что в аэропорту, как ни маскируйся, кто-то да заметит происшедшее. Это уже почти гарантированно повод к расследованию и явный риск провала. А большая игра таких рисков не терпит. Выход? Самый простой — физически уничтожить исполнителей.

— Думаешь, заказчик может пойти на это? — Орлов соединил кулаки и подпер ими голову.

— А почему бы нет? — Лев усмехнулся и покачал головой. — Он от нас где-то очень далеко, команду отдал через четвертые-пятые руки... Чем он рискует?! Да, ничем. Даже если предположить, что нам до него и удалось добраться, хотя — я больше чем уверен! — он находится где-нибудь в Лондоне или Вашингтоне, то он гарантированно сможет открутиться от любого обвинения. Тоже мне проблема!

— Что-то мне подсказывает — Лева прав... — озабоченно высказался Станислав. — Что спорить? Уже давно идет третья мировая война. Когда-то она была холодная, теперь — подпольная, заугольная, еще какая-то. А на войне — как на войне, говорят французы. Там средства неважны. Там важен результат!

О чем-то размышляя, Петр побарабанил пальцами по столу и откинулся на спинку кресла.

— Пару часов назад я связался с нашим МИДом ... — Орлов говорил, глядя куда-то в пространство. — Там есть один старый сотрудник — умнейший мужик. И он по секрету сказал мне вот что... Исходя из реальной ситуации и в природе, и в международной политике, времена нас ждут не самые лучшие. Катаклизмов все больше, климат все хуже, экономика пошла вразнос. Вот некоторые премудрые заправилы иностранных государств и «денежные мешки» уже сейчас начали готовить себе «запасные аэродромы». А самыми надежными по безопасности местами на сегодня считается ряд территорий Сибири и Среднерусская возвышенность.

— Ну так про это по телеку без конца долдонят! — Крячко тоже откинулся на спинку кресла и закинул ногу на ногу. — Слава богу, перестали голосить про календарь майя. Теперь, поди, ищут еще какую-нибудь страшилку.

— Ну, есть телестрашилки, а есть — реальность, — Петр развел в разные стороны растопыренные пальцы. — А реальность такова... Как рассказал этот мой знакомый, пользуясь нашими несовершенными законами, иностранцы через подставные фирмы скупают российские земли миллионами гектаров. Ну а чтобы за покупкой был присмотр, присылают сюда своих человечков, которые тут берут вид на жительство и потихоньку обживают наши территории. Нанимают и из местных. Мало кому известно, что на Алтае, по некоторым нигде не афишируемым данным, обосновалось уже несколько сот таких «смотрителей». При этом надо иметь в виду, что практически все они в той или иной мере работают на западные спецслужбы. А еще, рассказал он, америкосы уже давно и упорно ищут сепаратистов, которые бы ратовали за отделение Сибири от прочих территорий России. И, надо сказать, находят.

— Как все это так «удачно» совпало! — Гуров язвительно рассмеялся. — Ползучая «приватизация» наших земель и появление в России британского герцога под вымышленным именем, который, к тому же, является кровным родственником Романовых. Оч-чень интересный коктейль! А если предположить, что похищение — вовсе не похищение, а инсценировка для дураков? Что, если америкосам уже удалось сформировать «пятую колонну», и прибытие герцога — некий сигнал к началу каких-то активных действий? Надо будет созвониться с Вольновым. Его-то контора что думает по этому поводу?

— Думаю, это не лишне... — согласился Стас. — Петро, так если считать, что этих четверых из Шереметьева в живых может уже и не быть, есть ли смысл ехать к той Зойке-Зайке с фотороботом?

— Поедешь, поедешь... — Орлов нахмурился. — Погибли или нет — это пока еще только версия. А нам надо точно знать, кого именно видел на рынке Эльбидаев, кто работает на МИ-шесть и кто похищал Хантли. Кстати, Лева, фотороботы похитителей не худо бы показать и Гвоздю. Он бы уж точно сказал, были эти двое в числе похитителей или нет. У тебя, Лева, что сейчас?

— Жаворонкову дам имена подозреваемых — пусть пробьет по всем базам. Заодно пусть возьмет информацию по неопознанным трупам.

— А я прямо сейчас поехал в Шереметьево! — сообщил Станислав с видом отчаянного сорви-головы, который решился прыгнуть с высоты без парашюта. — День-то уже идет к концу. А то, если завтра с утра туда поеду, считай, полдня потеряю...

— Правильно мыслишь! — одобрил Петр. — Если эта твоя Зойка-Зайка по фотороботам членов банды опознает, то надо будет ее задействовать, чтобы с ее помощью составить фотороботы еще двоих.

— Петро! Ты чего! Я же работаю под прикрытием. Для нее я — криминальный делец Гоша-Костоправ. Предлагаешь рассекретиться?

— Зачем?! — Орлов, недоумевая, пожал плечами. — Вон, Лева для Гасана Эльбидаева — тоже криминальный делец. Но с широкими контактами и возможностями. Так что и рассекречиваться ему не пришлось, и фотороботы уже готовы. Прояви фантазию!

— Ладно, попробую... — наморщив нос и поднимаясь из кресла, обронил Крячко. — Ну, что, по коням?

— Кому — по коням, а кому — по бабам... — хитро подмигнув и тоже вставая, вполголоса сострил Гуров.

— А тебя завидки берут? — Стас ухмыльнулся.

— А то ж... — согласился Лев, хлопая приятеля по спине. — Аж в пятках засвербело!..

— Вот черти!.. — глядя им вслед, Петр, смеясь, покрутил головой.

...Зайдя в информотдел, Лев в дверях едва не столкнулся с куда-то спешившим капитаном Жаворонковым. Увидев Гурова, тот радостно воскликнул:

— О! Лев Иванович! А я к вам! Тут мне криминалисты коекакие фотороботы прислали, и я с ними немного поработал. Так вот, один фоторобот удалось «авторизовать». Посмотрите?

— За этим и пришел... — усмехнулся Лев, направляясь за Валерием к его компьютеру.

— Вот, смотрите! — щелкнув клавишей мышки, Жаворонков открыл файл с очень знакомым портретом какого-то человека.

Присмотревшись, Гуров понял, что это фотография «припадочного». Просто на цветном снимке он выглядел несколько иначе, чем на неконтрастном, черно-белом фотороботе.

— Замечательный результат! — одобрил он, всматриваясь в сопроводительный текст. — Как же тебе это удалось?

— Грамотно использовал имеющиеся технические возможности, — скромно пояснил капитан. — Просто не так давно нам поступило новое оборудование, которое автоматически идентифицирует фотоизображения, находя похожие не только в наших базах данных, но и на серверах Интернета. Так вот, в наших базах данных такого человека не оказалось. А вот в Интернете робот его нашел. Правда, искать пришлось часа два с половиной. Ну, это ж сколько тысяч гигабайт информации ему пришлось перелопатить! Зато результат налицо. Правда, похожих вариантов электроника выдала больше двух десятков. Но всем параметрам — примерный возраст, рост, да и визуальное сходство — соответствовал только этот.

Уперев руки в бока, Лев, чуть наклонив голову вбок, рассматривал снимок.

— Понятно... Значит, это у нас некто Шлюгин Роман Аристархович, руководитель филиала некоммерческой гуманитарной организации «Добрые самаритяне Москвы». Надо же!.. Кто бы мог подумать, что такой мизантроп возглавляет гуманитарную организацию?! Молодец, Валера! Замечательный результат! — Лев пожал Жаворонкову руку. — Сбрось-ка мне эту информацию на ноутбук, а сам пробей вот эти имена. Вдруг что интересное обнаружится?

Он быстро написал на листе бумаги имена четверки из Шереметьева, добавив имя Альфи Мирзярова.

— Кроме того, Валера, надо взять статистику неопознанных трупов молодых мужчин, в том числе погибших в результате ДТП за прошедшую неделю, — отдав список, добавил Гуров.

— Ну, тогда я подключу практиканта — один могу и не справиться... — Жаворонков развел руками.

Направляясь к двери, Лев оглянулся:

— Я тебе сейчас на компьютер сброшу ссылочку — там на сайте есть фото человека, похожего на один из фотороботов. Проверь на аппаратуре — один и тот же человек там изображен или это разные люди?

Открыв у себя в кабинете материал, присланный ему Жаворонковым, Лев более детально изучил информацию по НКО «Добрые самаритяне Москвы». Как следовало из явно рекламного текста, скорее всего, размещенного в Интернете самими «самаритянами», данная НКО была призвана оказывать помощь беспризорным детям. Пробежав глазами по пустословным абзацам декларативных речений общего характера, изложенным высокопарным слогом, Гуров понял — здесь едва ли что найдешь по существу. Постучав по клавиатуре, он набрал в поисковой системе запрос по Роману Шлюгину и возглавляемому им филиалу НКО.

Из того, что ему предложила электроника, о «Добрых самаритянах Москвы» повествовала всего одна статья. Это была интернет-версия больше года назад опубликованного в одной из городских газет материала журналистки Татьяны Снегиревой. Той самой, что с некоторых пор стала Жаворонковой.

Автор статьи с присущим ей чувством юмора рассказала о некоторых непонятно для чего существующих в Москве некоммерческих гуманитарных организациях, которые живут на небедное финансирование неких зарубежных спонсоров. В частности, об этих самых «Добрых самаритянах Москвы». Как удалось выяснить Татьяне Снегиревой, заявленная этой НКО забота о беспризорных детях в реальности вообще никак не проявлялась. Собственно говоря, даже чисто физически эта организация нигде не базировалась. Нигде нельзя было найти ее адресные координаты, контакты, информацию о тех или иных проводимых ею мероприятиях.

Отсюда возникает вопрос, отметила журналистка, для чего же тогда они вообще появились, эти странные «благотворители»? Только лишь для того, чтобы задекларировать свою заботу о бедных русских детях? Получается, как в одном старом анекдоте: прокукарекал — а там хоть и солнце не вставай?!

И вообще, продолжила она, очень странным смотрится этот слишком уж широкий и шикарный жест неких, не рекламирующих себя доброхотов, которые кидаются пачками денег только для того, чтобы в Москве на них тихо и безбедно, можно даже сказать, виртуально существовали эти самые «добрые самаритяне». Поэтому и разбирают сомнения... На Западе — а финансы текут «самаритянам» именно оттуда — деньги считать умеют и на что попало тратить не станут. Тогда, говоря грубоватым народным слогом, а на фига козе баян?! Чего ради и на что именно заграница вбухивает огромные средства?

Задействовав все свои связи и возможности, автор материала сумела-таки выйти на представительницу «Добрых самаритян Москвы». Ее звонок «самаритянку» очень удивил. А уж то обстоятельство, что звонившая представляла столичную газету, и вовсе повергло в шоковое состояние. Около минуты в трубке царило молчание, после чего «самаритянка» растерянно пролепетала: «А кто вам дал наш телефон?»

Большая часть заданных ей вопросов — сколько беспризорных детей и в какой форме за последний год ими было облагодетельствовано, каковы планы на ближайшее будущее, как зовут главу данной НКО — так и осталась без ответа. Удалось выяснить немногое. Госпожа Ольга — она так себя назвала — изволила-таки сообщить, что их организация в Москве существует уже более пяти лет. По косвенным вариациям ее ответов удалось понять, что филиалы «Добрых самаритян Москвы» есть и в ряде других крупных российских городов, таких как Самара, Воронеж, Новосибирск, Владивосток.

Сколько денег ежегодно поступает на счета «самаритян», госпожа Ольга сообщить затруднилась. Но в Интернете Снегиревой удалось найти и такую информацию — полтора миллиона долларов. Это сорок пять миллионов рублей. Деньжищи, однако, нехилые. И на что же они идут? Если не на благотворительность, то — на что?

А ведь деньги, между прочим, отметила автор, весьма серьезный «горючий материал», способный стать настоящим оружием в руках определенного рода людей. На такие вот теневые деньги можно запросто вести, например, закулисную скупку стратегических объектов недвижимости и производства, на них можно нанимать отморозков для создания хаоса и неразберихи в тех или иных регионах, закупать оружие и вести подготовку незаконных военизированных формирований.

Кавказское бандподполье, напомнила она, существует не на голом энтузиазме, а за счет вполне реальных долларов американского, европейского, саудовского и иного происхождения. Поэтому не пора ли нашим соответствующим структурам более плотно заняться «забугорными доброхотами», пока мы еще можем считать Россию своей страной? А то ведь однажды наступит такой момент, когда даже за право дышать всем живущим в России придется платить непомерно высокую цену.

«Молодец! Отлично написала! — мысленно резюмировал Гуров, снимая трубку телефона. — Наш-то друг Вольнов, интересно бы знать, читал этот материал или нет?..»

Он набрал номер телефона полковника ФСБ Александра Вольнова. Услышав его голос, Лев поздоровался и нейтральным тоном поинтересовался, знакомо ли ему такое имя, как Шлюгин Роман Аристархович, слышал ли он об НКО «Добрые самаритяне Москвы»? Вольнов, немного подумав, ответил, что НКО — не в его сфере должностных обязанностей, но такое название он слышал. Вот имя ему совершенно незнакомо.

— ...Он где-то засветился в связи с исчезновением Хантли-Урриморского? —догадался Александр.

— Вот именно! — подтвердил Гуров.

Лев в деталях, но кратко и емко изложил все, что ему удалось узнать о «Добрых самаритянах Москвы» и Шлюгине лично. В частности, от Бугса и Сингхана, сотрудников «Скорой» и из статьи Снегиревой.

— ...Очень любопытная информация! — согласился Вольнов. — Обязательно передам соответствующему отделу. Пусть сотрудники займутся. Что касается очень многих НКО — я не говорю обо всех без исключения, — то тут даже слепой увидит, что это не более чем «крыша» для западных спецслужб. Для нас это уже давно головная боль. Через эти шарашки в Россию закачиваются миллионы непонятно на что идущих долларов. А прихлопнуть их можно только по решению суда, доказав их противозаконную деятельность. Но они же не дураки и работают очень хитро. К тому же их интересы охраняют целые орды либеральных адвокатов. Уж про Бугву ты наверняка и сам наслышан. А закрой их в обычном, административном порядке — воя не оберешься. Тут же наши «либералы» побегут со своими шествиями, голося о «возрождении эпохи тоталитаризма». И ведь не докажешь этой свистобратии, что в горячо обожаемой ими Америке закрываются любые НКО без судебной волокиты. Сочло ФБР, что данная организация наносит вред Соединенным Штатам — все, выметайся!

Слушая его, Гуров рассмеялся.

— Понятное дело! Если бы где-то в сорок втором у нас функционировали подобные «крыши», организованные абвером, то их закрытие СМЕРШем вызвало бы бурные протесты со стороны рейхсканцелярии и «политических деятелей», наподобие Муссолини, Антонеску и Петена. А сегодня — видишь! — таких цац трогать нельзя. «Не демократично»! Да уж!

— Лев Иванович, ну а в части поиска этого британского, условно говоря, «Маркиза Карабаса» — я имею в виду Хантли, в каком направлении думаете двигаться? — поинтересовался Вольнов.

— Мнения тут разные... — задумчиво ответил Гуров. — Стас полагает, что искать похитителей и похищенного надо на Северном Кавказе, где-нибудь на Ставрополье. Он считает, что похитителям легче всего скрыться в тех местах, которые они хорошо знают, где у них сильные связи.

— М-м-м... Ну, определенные резоны в этом, конечно есть, — согласился Александр. — Ну а ты-то сам что об этом думаешь?

— Ну, я мнения несколько иного... Учитывая возню Запада вокруг Сибири, все эти визги и стоны по поводу ее, придуманного ими же, статуса «общечеловеческого достояния», по поводу нашего «территориального эгоизма» — ну, раз не хотим отдавать «прогрессивному человечеству» в лице США и НАТО! — то вывод напрашивается сам собой. Заметь, как занятно складывается вся эта мозаика. Как только хитрозадые «цивилизаторы» заговорили о принадлежности Байкала и Сибири в целом всему миру, как только начали подогревать уездный сепаратизм, тут же, откуда ни возьмись, к нам прибыл некий герцог с примесью крови Романовых. Я больше чем уверен — таких случайных совпадений не бывает. Готовится что-то очень серьезное. Поэтому уже на днях думаю выехать в Барнаул. Ну, на мой взгляд, в случае чего, побывать стоит в Новосибирске, Кемерове, Томске...

— Лева, а у вас там на этот счет есть какие-то свои наработки? — лукаво поинтересовался Вольнов.

Судя по всему, у него имелась сходная точка зрения.

— Нет, Саша, всего лишь интуиция. Она мне подсказывает по типу «горячо-холодно». Вот Кавказский регион я ощущаю «холодно», а юг Сибири и особенно Алтай — «горячо».

— Солидарен! — поддержал его суждения Александр. — У меня ощущения примерно те же. Я скоро отправляюсь в Барнаул. Так что, если вы со Станиславом надумаете туда отправиться, можете составить компанию.

— Принято! — откликнулся Гуров.

Обсудив возможные варианты взаимодействия, собеседники попрощались. Когда Лев положил трубку, в дверь кто-то постучался, и в кабинет заглянул капитан Жаворонков.

— Разрешите? Лев Иванович, я проработал на компьютере фото с сайта и фотороботы похитителей. Ни один не идентичен снимку. Но у одного из фотороботов визуальное сходство с фотографией несомненно есть — техника это тоже подтвердила. Поэтому я считаю — эти люди, скорее всего, родные братья. Практиканты уже начали сбор данных по неопознанным трупам. Я сейчас доработаю с базами данных по этой ставропольской четверке и тоже подключусь. Думаю, ближе к завтрашнему дню что-нибудь накопаем.

— Молодцы! Занимайтесь. Утром тогда сообщишь, — поднимаясь из-за стола, одобрительно сказал Гуров.

Сам он решил, не откладывая дела в долгий ящик, съездить к Гвоздю. Конечно, гораздо проще было бы вызвать его повесткой, но такая уж у Льва была натура: работать без шумихи, суеты, ненужных напрягов — хоть для себя, хоть для других. Да, получив повестку, Гвоздь, понятное дело, никуда не делся бы и примчался бы в главк как миленький. Только вот кабинетное общение никак не создает атмосферы особой доверительности. А это, как ни верти, немаловажный фактор в выявлении тех обстоятельств, которые при официальном разговоре могут не прозвучать.

Чтобы не промотаться впустую (пусть до Кирпичева и не более сотни верст, что, впрочем, и не два шага вовсе), Гуров на своем сотовом по памяти набрал номер Гвоздя, чтобы выяснить, на месте ли тот или нет. Гвоздь оказался дома. Он уведомил «уважаемого Льва Ивановича», что рад его видеть всегда, когда бы тот ни приехал.

Вызвав из главковского гаража служебное авто, Гуров отправился в сторону Клина, где справа от шоссе, ведущего к старинному русскому городку, располагалось большое село Кирпичево. Все тот же сержант Юра, лихо крутя баранку «десятки», как и обычно, был избыточно жизнерадостен и весел.

Взглянув в его сторону, Лев как бы между прочим заметил:

— Сияешь прямо как новенький рублик. Аж глаза слепишь... Что-то очень хорошее стряслось?

Сержант от души рассмеялся.

— Скажете тоже, Лев Иванович, — «стряслось»! Хотя... В принципе да, можно сказать и так — стряслось кое-что очень хорошее. Я бы даже сказал, невероятно хорошее.

— Хм... — Гуров повел головой, как бы желая этим сказать: «И что же означает это хорошее, если не секрет?..»

— Иринка ко мне вернулась! — с ликованием сообщил Юрий. — Представляете? Сегодня утром позвонила...

— Развелась со своим новым избранником... — понимающе констатировал Лев.

— Да она, оказывается, ни за кого и не выходила! — сержант весело рассмеялся. — Это она сочинила, чтобы меня как следует проучить. На работу отправился — звонок. Глянул — высветился номер Иринки. Я сначала даже глазам не поверил. Спрашивает меня: «Ну, как, еще не женился?» Отвечаю: «А на ком? Второй такой у меня уже не будет...» Ну она мне и сказала, что, мол, ладно уж, пожалею тебя, хотя ты этого и не заслуживаешь. Приезжай, говорит, после работы, буду ждать. Я не сразу понял и спрашиваю: «А муж возражать не будет?» Она смеется: какой муж! Ну и рассказала о своем «замужестве». Ой, какая же гора с плеч долой! Я на работу прямо не шел, а летел...

— Очень рад за тебя! Кстати, а ты не опасаешься, что тебя могут беспокоить некоторые тени прошлого? — сдержанно улыбнулся Гуров.

— А-а, вы про Джулию, что ль? — Юрий конфузливо поморщился. — Ну-у-у... Мы с ней, условно говоря, «остались друзьями». После того раза, как мы с вами ездили в Шереметьево, она мне снова позвонила. Опять начала: я тебя хочу, приезжай, скучаю... Говорю ей: ну, ничего у нас не получится. Из-за тебя от меня ушла невеста. Она уже за другого вышла замуж, а я ее все равно забыть не могу. Она: Ах, так?! Ладно! Завтра же выхожу замуж. Мне тут уже трое сделали предложение!.. И — все. Короткие гудки.

— Все равно расстроился? — Лев испытующе взглянул на сержанта.

— Если честно, то чуть-чуть... — пожал Юра плечами. — Ну, понимаете, если бы между нами ничего не было, то я бы о ней и не вспомнил даже. А раз было то, что было, женщину уже просто так не забудешь. Нет, Ирина для меня была и остается самым главным в этой жизни. Но... Теперь вот и эта где-то сбоку пристроилась.

...На одном из перекрестков, увидев указатель «Кирпичево», Юрий свернул вправо на примыкающую сбоку дорогу второстепенного значения. Минут через пятнадцать они увидели крыши домов, выглядывающие из-за стены зелени. Когда «десятка» вырулила на сельскую улицу, застроенную коттеджами и обычными частными домами, Гуров связался с Гвоздикиным, и тот в нескольких словах пояснил, как проехать к его дому.

Минут через десять они сидели в беседке, устроенной в центре небольшого фруктового сада. Гвоздикин, расставляя на столе чайные принадлежности, сетовал на плохую конъюнктуру рынка и совершенно сумасшедший рост налогов.

— ...Что-то совсем уж крепко прижимать нас начали! — сокрушенно повествовал он. — Давят, и давят, и давят... хуже, чем при Ельцине стало. Ей-богу! У нас тут уже половина ИП и ЧП закрылась. Что там вверху думают — понять не могу...

Перейдя к главному, из-за чего к нему и приехали гости, он внимательно осмотрел оба фоторобота и подтвердил:

— Да, Лев Иванович, среди тех четверых двое с такими мордами были. Точно помню!

— Скажи, Виталий, а вот людей, которые «упаковали» в машину и увезли иностранца, было только четверо? Где-то поблизости еще одного ты не заметил? Пусть участия он и не принимал, но наблюдал там за происходящим, как-то это корректировал... Нет?

Гвоздикин напряженно задумался.

— Знаете, Лев Иванович, в тот момент я ничего похожего не замечал. Но когда машина с иностранцем укатила, с того конца, где стояла «Тойота», к общей парковке прошел еще один брюнет. Правда, лица, еще каких-то подробностей я не запомнил. Там он сел в «Мазду» и на ней тут же уехал. Я как-то сразу даже и не понял, откуда он взялся. Как будто до этого момента отсиживался где-то в кустах или за углом. Вот даже не знаю, тот ли это, кто вас интересует?..

Отхлебнув отменно заваренного чаю с мелиссой, Гуров кивнул:

— Наверняка тот. И, возможно, он-то тебя хорошо запомнил. Я все больше склоняюсь к мысли о том, что нападение на тебя не было случайностью. Видимо, он решил «зачистить тылы». Ты уже написал заявление?

Помявшись, Гвоздь развел руками.

— Да, нет, Лев Иванович... Не стал, — конфузясь и вздыхая, ответил он. — Ну-у... Понимаете... Хоть они и уроды, но я и сам когда-то был в подобной шкуре. Наверное, это судьба воздает мне за мои былые грехи...

Лев раздосадованно всплеснул руками.

— Что с людьми делает жизнь! — негромко рассмеявшись, произнес он. — Виталий, к чему эта буддийская философия? Ты же здравый человек, а тут сотворил такую ляпу! Неужели ты не понимаешь, что это не хухры-мухры вокзальные мазурики, это убийцы, запрограммированные на твое уничтожение, которое маскировалось под заурядный «гоп-стоп». Если их выпустили, они ведь тебя и здесь найдут! Ёшкин кот! О своей семье бы подумал — эти твари никого не пожалеют.

Похоже, только теперь до Гвоздя дошло, какую он допустил оплошность. Он понурился и провел по лицу ладонью. Гуров, не теряя времени, быстро достал мобильник, набрал номер телефона дежурного по главку и распорядился установить местонахождение грабителей, задержанных несколько дней назад в здании аэровокзала Шереметьево.

— ...Если они все еще находятся под стражей, передайте от моего имени, чтобы их пока не выпускали. Вскрылись новые обстоятельства. Ну, по их причастности к совершению тяжких преступлений. Исполнять немедленно!

Потянулись минуты ожидания. Одна, две, пять... Внезапно, завибрировав, запиликал сотовый Льва, положенный им перед собой на столе. Звонил дежурный.

— Лев Иванович, их еще не освободили, но вот сейчас уже решается вопрос о том, чтобы их выпустить. Тут и прокуратура вмешалась, и адвокат приехал. Говорят, что раз заявления нет, то и держать их нечего. Вот, с вами хочет поговорить начальник райотдела... Переключаю!

В телефоне послышался щелчок, какой-то шелест, и раздался баритон:

— Лев Иванович, здравия желаю! Майор Сагайдуллин. Вы настаиваете на дальнейшем содержании под стражей задержанных в аэропорту? Но у нас на это нет реальных оснований, а прокуратура мне только сейчас звонила — требует отпустить. Что делать-то?

— Основания уже есть — потерпевший Гвоздикин прямо сейчас пишет заявление... — Гуров сделал знак рукой Юрию, и тот поспешно достал из его папки лист бумаги и авторучку, которые положил перед Гвоздем. — Через часок я к вам заеду. Этих людей нельзя выпускать ни в коем случае. За ними много чего числится. Если кто-то будет напирать — позвоните мне, я немедленно подключу к делу генерала Орлова. Это было не просто разбойное нападение, а имитация реально запланированного убийства под банальную уголовщину. Если их выпустить, они тут же могут убрать ценного свидетеля по одному очень важному делу.

— По-нял, Лев Иванович... — с запинкой ответил Сагайдуллин. — Все, ждем вас!

Положив телефон в карман, Лев усмехнулся.

— Да, это называется, повезло... Если бы их отпустили, мы бы этих «удальцов» больше уже не увидели бы. Так что, Виталий, пиши и думай больше не о своих былых грехах, а о семье.

Тот, вздохнув, лишь безнадежно махнул рукой — бывает! — и продолжил писать заявление.

Глава 7

...Опираясь на великие идеи гения минувшего века Аллена Даллеса, мы не можем пройти мимо такого столпа русского самосознания, как культура и искусство. При всей своей кажущейся эфемерности эти стороны интеллектуально-эмоциональной жизни любого народа являются мощным стимулятором, порождающим прочную привязанность к своей земле, к своему этносу. В рамках исполнения доктрины «Карфаген» мы крайне заинтересованы в том, чтобы каждое новое поколение русской молодежи все дальше и дальше отходило от своих культурных и нравственных корней. Русские должны забыть о том, что они русские, и научиться ощущать себя «гражданами мира», не привязанными ничем и ни к чему.

Русские должны отрешиться от сентиментальных привязанностей к месту рождения, к могилам предков, памятникам истории и культуры, самой России в целом. Но для выполнения этой суперважной задачи нам необходимо добиться того, чтобы русские начали презирать и даже ненавидеть все русское, чтобы само слово «русский» стало синонимом ничтожности и ущербности, синонимом отсталости и примитивизма.

За годы коммунистического режима народная культура русских, ставшая официально-академичной, утратила свою массовость и обратилась в чисто эстрадно-сценический рудимент. Наши эксперты, проводившие мониторинг вкусов и пристрастий русской молодежи, с удовлетворением отметили радикальное преобладание в ее среде увлеченности западной эстрадой и русской эстрадой западного образца над формами эстрадно-сценического искусства, носящего оттенок русской классической культуры. На сегодня можно смело констатиро-

вать, что русская народная песня, русский народный танец в гуще русского общества умерли безвозвратно.

Принимая во внимание результаты исследований эмбриопсихологов, исследующих дородовую и послеродовую психику детей, согласно которым будущие нравственные установки формируются с первых же дней эмбрионального развития, следует использовать и этот механизм подсознательной прививки крайней неприязни детей к русской культуре и искусству. В древности будущие поколения русских взращивались на ведических песнопениях самого разного характера, начиная от колыбельной и кончая погребальной песнью тризны. Сегодня мы имеем уникальный шанс полностью вытеснить остатки былого ведизма и заменить его на пустые синтетико-культуристские эрзацы, чтобы уже в генах будущего ребенка было записано отторжение от так называемых культурных корней и истоков.

Но наше нейтрализующее сопровождение, призванное закрепить эти внутренние установки, должно быть продолжено и в детском саду, и в школе, и в вузе. Огромную роль в этом должно сыграть массовое распространение компьютерных игр. Кроме того, мы должны через наших агентов влияния в Минобразовании и Минкульте неустанно уничтожать даже намек на возвращение к чему-то исконно русскому. В частности, огромная роль в этом принадлежит театру, эстраде и кино. Театр и кино, как указывал великий Аллен Даллес, должны воспевать все самое низменное и отвратительное в обыденном понимании этих слов.

На сцене и киноэкране русские персонажи должны изображаться дегенеративными, тупыми, грязными, бездарными, вечно пьяными ничтожествами. Представителей Запада, напротив, следует изображать высоконравственными интеллектуалами в отличной спортивной форме, веселыми и доброжелательными. На эстраде наша финансовая поддержка должна в первую очередь поступать тем, кто пародирует и осмеивает все русское, и особенно культуру и искусство. Даже русская национальная кухня, национальная одежда у самих русских внутренне должна ассоциироваться с безвкусицей и безграничной глупостью.

Самыми разными мерами психологического характера, в том числе и вышеперечисленными, мы снивелируем самосознание русских, низведя его до уровня примитивного человека, которому безразлично — кто правит его страной, чем он питается, живы ли его близкие, жив ли он сам.

(Из меморандума совещания Рыцарей-Властителей высшего круга посвящения тайного ордена «Пламя Истины»)

* * *

...Стас Крячко снова ехал в Шереметьево на улицу Светлую. Его переполняли смешанные чувства. Предвкушение того, что ему должна была подарить Зойка-Зайка, и ощущение неестественности и пошлости происходящего. Сейчас он для популярной шереметьевской путаны — криминальный делец, в известном смысле — авторитет, Гоша-Костоправ. Это его роль. Теперь он должен будет показать, какой Гоша ненасытный, брутальный и в то же время обладающий уголовным шармом. Хотя самого себя играть всегда и легче, и проще. Ну и задача!..

Остановившись у дома номер сорок пять, он подошел к бронедвери подъезда и набрал на домофоне номер Зойкиной квартиры. Услышав донесшийся из динамика певучий голос, он простецки произнес:

— Зоя, это я, Гоша-Костоправ...

— Гошенька?! А я только что о тебе вспоминала! — защебетала Зойка-Зайка. — Заходи, заходи!

Электроника запорного устройства запиликала, освобождая стальную створку двери. Входя в подъезд, Стас вздохнул. Как же он надеялся услышать: «Ой, Гошенька, прости! У меня гости...» Ну а теперь — все. Теперь он Гоша-Костоправ, и он должен с этой ролью справиться в самой полной мере.

...Этот вечер Стасу запомнился надолго. И не только тем, что ему удалось получить весьма важную информацию, не только тем, что свидание с Зойкой-Зайкой превзошло все его ожидания...

Когда он, держа в охапке «донжуанский набор» — роскошный букет цветов и пакет с шампанским и коробкой дорогих конфет, открыл дверь квартиры, ее хозяйка встретила гостя в легчайшем халатике, источая ароматы каких-то чудных духов. Цветы Зойку-Зайку, можно сказать, ошеломили.

— Го-шень-ка-а! — принимая букет, восхищенно воскликнула она. — Какой же ты молодец! Вот это я понимаю — настоящий джентльмен со Ставрополья. У вас там все такие? Ну, проходи, проходи!

Вскоре Крячко, тоже облачившись после душа в халат, сидел с хозяйкой квартиры за столом и пространно рассуждал на всевозможные «деловые» темы. Они с Зойкой пили шампанское и говорили обо всяких разностях. Как бы что-то припомнив, Стас сообщил, что, используя свои связи в столичной «ментуре», он раздобыл фотороботы двоих парней из той четверки, которая сейчас так страшила его собеседницу. Выйдя в прихожую и достав из кармана ветровки небрежно сложенные вчетверо листы бумаги с распечатанными на ней на принтере черно-белыми портретами, он показал их Зойке-Зайке.

— Это они, что ль? — с оттенком пренебрежения в голосе поинтересовался Крячко.

— Да, Гоша, это они... — кивнула та. — Этот вот — Исмаил Мирзяров, а этот — Антон Рахимбеков. Он по матери русский, но, по-моему, самый злой из этой компании.

— Слушай, Зоя, а мы не могли бы заказать ментам портретики еще двоих? Ну, как их там? Куйраева и Сайфуллаева? — Стас выжидающе посмотрел на Зойку.

— Ну, если нужно — давай закажем. Только как это сделать? От меня-то чего требуется? — хозяйка квартиры недоуменно улыбнулась.

— Чего-чего... Да ничего особенного! — Крячко залихватски махнул рукой. — Я со своим корешем созвонюсь — он в главке компьютерщиком работает. Он тебя отведет к одним там ребятишкам. Они спецы по этой части — делать такие вот картинки. Час-два работы, и их тут же дают в розыск. А как только найдут, стукануть мне. Ну а уж я их угомоню, этих обормотов, в момент. Они от меня, твари, и под землей не спрячутся.

— У тебя и в самом деле такие крутяцкие связи... — с восхищением произнесла Зойка-Зайка. — А как получилось, что ты можешь какие-то дела решать через ментов?

Стас, которого уже «понесло», не моргнув глазом тут же выдал вполне правдоподобную версию.

— Как-то на подъезде к МКАДу увидел, как одного парня подставщики метелят. Типа, сами свой «Ауди» подставили, чтобы бабки слупить, а чтобы сговорчивее был, сами и «воспитывать» начали. Лупили почем зря. Ну, мне это не понравилось. Для меня — западло, если трое одного месят. Ну, остановился, вломил им так, что на четырех мослах к своей жестянке поползли. А парень тот оказался ментом. Он из правильных. На чужой беде погоны не зарабатывает. Я, конечно, свою подноготную выкладывать ему не стал, но смекнул, что иметь своего человечка в ментовке — дело неплохое. Он мне и сам сказал: «Гоша, если какие проблемы — звякни». Вот этим и пользуюсь. Вот, недавно через него еще на одного вышел. Тот такой инфой владеет — закачаешься! Ну а что? Они-то думают, я — предприниматель. Коммерсант... А у меня бизнес немножко другой. Какой? Хм... Если в двух словах, кое-что с ребятами из-за «бугра» завозим. Кое-что — за «бугор» вывозим... По мелочишке набегает.

— Как здорово! — мечтательно воскликнула Зойка. — Ты такой классный мэн — сроду таких не встречала!

Они не спеша пили шампанское, одним глазом поглядывая в телевизор, вели неспешные беседы. В какой-то миг Зойка вдруг сжала своими неожиданно сильными пальчиками кисть Станислава и, окинув его выразительным взглядом, жизнерадостно объявила:

— Гоша, вперед! О-о-дея-я-ла и по-душ-ки ждут ребят!.. — пропела она строчку давнего «хита» из детской телепрограммы.

...Остывая после недавнего шторма эмоций, Стас лежал на спине. Одну руку он заложил под голову а другой обнимал за плечо Зойку, которая лежала, устроив голову у него на груди.

Водя кончиками пальцев по его рукам, шее, лбу, щеке, девушка неожиданно призналась:

— Мне давно уже не было так хорошо, как сейчас с тобой! Такой улет!.. А ты, я смотрю, в постели профи — хоть куда... Где только такую академию кончал? Хотя и так понятно, что тут нужен особый талант. А у тебя, можно сказать, талантище. Значит, правильно я сделала, что отфутболила этого клопа занудного, Витяку Мамайцева. А то он еще днем начал названивать: «Сегодня вечер — мо-о-й! Сегодня вечер — мо-о-й!..» — передразнила она кого-то, Станиславу совершенно незнакомого.

— А кто он, этот Витяка Мамайцев? — поинтересовался Крячко.

— Отморозок — каких поискать... — с досадой сказала Зойка. — Без башни и тормозов. Его и кличут-то Псом. Только если его так назвать в глаза, сразу глотку перережет. Сам себя он зовет Джеком. Ну, намек на Джека-Воробья... У него и вся его кодла такая же — отморозки и козлы. Он в страхе тут целый район держит. Говорят, его даже Азнаур-Колун побаивается.

— Азнаур-Колун? Хм... Тоже раньше не слышал. Это что за фрукт? — Стас негромко рассмеялся. — Дровами, что ль, промышляет?

— Нет, он мастер спорта по какой-то там борьбе. И вот там бросок через плечо называется «колуном», а он через плечо бросает классно. Азнаур тут большой авторитет. Его многие признают, даже китайцы. Ну, он приличный такой клиент. Не то что этот Пес. Это... Слов нет, какая тварь. Он все хвастался, что много лет прожил в Сибири, и теперь он настоящий сибиряк.

— А где ж он там обретался? — подавив зевак, спросил Крячко скорее для поддержания разговора.

— Где-то на Алтае... Какой-то город, по-моему, Булей. Там озеро Булей, и город так же назвали.

— Занятное название — Булей... — лениво произнес Стас.

— О! Вспомнила! — Зойка руку вскинула вверх. — В последний вечер Исмаил говорил по телефону и упоминал это название. Сказанного им я не поняла, а вот «Булей» уловила сразу.

«Ёшкин кот! Так, может, он с кем-то договаривался везти туда Хантли?! — мысленно отметил Крячко. — Молодец, Зойка! Ты даже не представляешь, как здорово нам помогла! Уже только ради этого к тебе прийти очень даже стоило ...»

В этот момент, пиликая мелодию популярной песни, на столике рядом с кроватью завибрировал сотовый Зойки-Зайки. Девушка поднесла его к уху и с капризными нотками в голосе спросила, кто звонит. Комариным писком до Крячко долетел чей-то наглый, хамский голос:

— Через полчаса буду у тебя. Готовься!

— Да, пошел ты! — сердито ответила Зойка. — У меня клиент. Понял? Это крутой мужик, так что сегодня тебе тут делать нечего.

Но настырный человек на том конце беспроводной линии не унимался. Он зло заорал:

— Слышь ты, дешевка подзаборная! Ты кого динамить надумала? Я ща приеду и этого твоего козла выпотрошу, да и твою морду заодно об косяк отрихтую. Ты это хорошо слышала? А скоро еще и почувствуешь!

Решительно забрав телефон у девушки, Стас отчеканил:

— За козла ответишь, падло! По полной! Я тебя, гниду гнилую, лично размажу по асфальту. Забиваю тебе стрелку за МКАДом, на развилке у развалин часовни. Знаешь это место? Через час быть там. И без опозданий!

— Смотри, сам не опоздай, чмо педальное! — срываясь на визг, заорал Пес. — А то, гляди-ка, наделаешь в штаны и не появишься. Я собственноручно...

Но Крячко уже нажал кнопку отбоя и отдал телефон Зойке. Та, приподнявшись на локте, встревоженно посмотрела на него и негромко произнесла:

— Гоша, может, зря ты связался с этой тварью? Он ведь гарантированно устроит тебе засаду. Давай я ему позвоню и соглашусь на завтра. Уймется, сволочь...

— И не вздумай! — доставая свой телефон, Стас рассмеялся. — Я сейчас задействую свои контакты, и им займутся такие волкодавы, что этот Пес будет скулить и плакать, как щенок.

Он набрал номер Орлова и, услышав голос генерала, заговорил в нарочито блатяцкой манере:

— Петро, доброй ночи! Это Гоша-Костоправ. Слушай, я тут забил стрелку одному редкостному уроду. Ребятками в «брониках» не пособишь?

Он сообщил, куда и во сколько надо прибыть группе спецназа и какие там возможны неожиданности. Сообразив, что рядом с ним кто-то может находиться, Орлов ответил в том же ключе:

— Лады, Гоша, лады! Ща организуем. Все будет тип-топ!

Стас начал одеваться, и в этот момент снова зазвонил телефон Зойки-Зайки.

— Опять, что ль, Пес? — недоуменно обронила она, включая связь.

Но это был не Пес. По тому, как сразу же потеплел ее голос и какие радостные в нем зазвучали нотки, Крячко понял — это если и из клиентов, то самых ее любимых.

— ...Здравствуй, Алекс, здравствуй!.. — можно сказать, не говорила, а мурлыкала Зойка. — И я тебя тоже очень рада слышать. Нет, Сашенька, я не одна... Кто он? Прекрасный человек. Да... Он меня здорово выручил, и поэтому он не клиент, а тоже мой друг... А-а-лекс, я думаю... Алекс, а ты уверен, что тебе нужна именно я? Сам-то ты хорошо подумал?.. Что? Что ты говоришь?! Венча-а-ться?!! С ума сошел? Да мне теперь сто лет грехи свои замаливать! Ну, ты сказал!.. Ладно, Сашенька, я еще подумаю. Да и ты сам подумай хорошенько...

Она обессиленно рухнула на подушку, глядя в потолок. Заправляя рубашку, Крячко понимающе спросил:

— «Рыцарь сердца»?

— Ну да-а-а... Две недели назад познакомились, — в голосе Зойки звучали сомнения и горечь. — Он художник, у него загородный дом. Был женат. Но месяц назад застал свою жену с лучшим другом. Объявил ей, что любая путана в сравнении с ней намного честнее. Ну и, видимо, чтобы слово не расходилось с делом, сделал предложение мне. Ну, я-то не дура, я хорошо понимаю, что в тот момент у мужика просто крышу сорвало от такого сюрприза, какой ему преподнесли жена и лучший друг. И поэтому он почудить надумал. А завтра он остынет и будет думать по-другому. А Саша снова приехал, без звонка. У меня как раз эти четверо кутили. Он вошел и объявил, что любит меня и ему плевать на то, сколько у меня мужиков было. Исмаил со своими его чуть не избили. Я еле успела вмешаться. Сказала, чтобы кончал дурака валять и искал себе более достойную, чем я. Думала, образумился. А он — видишь, опять позвонил... Гоша, а ты бы что посоветовал?

Стас, застегивая ветровку, усмехнулся.

— Знаешь, шкурно я был бы заинтересован иметь возможность приезжать к тебе и в дальнейшем. Но если чисто по-человечески, то могу сказать одно — это твой шанс устроить свою жизнь. Не упусти его. Кстати, если будут допекать бывшие клиенты — звони. Любого на уши поставлю. Счастливо, принцесса с улицы Светлой!

Помахав девушке рукой, Крячко вышел в непроглядную ночную темень, разрываемую светом фонарей, и, сев в машину, запустил мотор.

...Схватка у руин часовни была ожесточенной и стремительной. Заранее прибывший туда спецназ сумел скрытно и неприметно подобраться к месту «стрелки», куда столь же скрытно подбирались выделенные Псом его самые надежные и подготовленные отморозки для организации засады. Мамайцев предполагал, как и обычно, малость покуражиться, повалять дурака, после чего находящиеся в засаде очередями в спину менее чем за минуту порубят соперников прямым кинжальным огнем. Примерно таким способом полгода назад Пес сумел покончить со своим конкурентом, уроженцем Средней Азии Рахмоном Турсуновым, по кличке Бача.

Но на сей раз ситуация сложилась по-другому. Ровно в час ночи по заброшенной дороге к руинам часовни подлетел шикарный «мерс» старой модели, из которого вышли четверо. Все — монолитно-мощные, с завидными габаритами. Одновременно метрах в ста напротив них остановились три иномарки — две «Тойоты» и «Пежо», из которых, бряцая автоматами, выгрузилось около десятка человек.

Пес, рослый и мосластый, вышел вперед, чтобы немного поиграть в «крутого законника», заведомо зная о своем прикрытии, затаившемся в темноте. Но он не знал главного — что все находившиеся в засаде уже обезврежены. Закованные в наручники, с кляпом во рту, они валялись позади руин, боясь пошевелиться, поскольку охранявший их верзила-спецназовец заранее предупредил о том, что отшибет внутренности всякому, кто надумает рыпаться.

— Ну, и где там этот «крутяк», который нам надумал «стрелки забивать»? — бахвальски заорал Пес. — Что, штаны застирывает?

Его прихвостни, чувствуя свое численное превосходство, загоготали. Они знали: еще несколько мгновений, и с прибывшими будет покончено. Крячко, тоже выйдя вперед, язвительно поинтересовался:

— Это ты, что ль, «великий герой»-импотент, который только и силен прятаться за своей кодлой? То-то Зойка мне и говорила, что ты дохляк и дрищ, каких поискать. Ну, что, Пес, слабо один на один выйти без «пушки» и «пера»? Слабо-о! По морде твоей вижу! Ты же где-то тут засаду спрятал. Да? Типа, выйдем помахаться, а они мне в спину шмальнут? Так, что ль?

Ошеломленный осведомленностью чужака, осатаневший от ярости Мамайцев хрипло заорал:

— Лады! Никто не стреляет! И твои тоже пусть не дергаются. Понял?! Вот, смотри! Ни «пера», ни «пушки»! Выходи, падло, я те ща устрою сеанс незабываемого кайфа!

Один из спецназовцев, для маскировки сопровождавших Станислава в обычной одежде, негромко спросил:

— Товарищ полковник, а вам это надо — вот так рисковать?

— Спокойствие! — не оборачиваясь, обронил Крячко. — Все будет в полном порядке. Как только я его вырублю, сразу начинаете задержание.

— Понял! — откликнулся тот и тут же по радиосвязи предупредил находящихся в засаде о готовности номер один.

В свете уже полной луны и автомобильных фар, слепящих с обеих сторон, противники вышли на середину пространства, разделяющего обе настороженно замершие группировки. Схватка началась сразу же, без вступлений и прелюдий. Оба соперника, по-волчьи молча, яростно ринулись друг на друга. Пес явно имел очень неплохую подготовку по рукопашному бою. Однако он никак не ожидал, что его противник окажется не менее, а то и более подготовленным. Это-то его и подвело.

Ринувшись в атаку подобно ослепленному яростью носорогу, Мамайцев не встретил никакого сопротивления. Даже наоборот, Стас «помог» ему потерять равновесие и со всего размаху грохнуться на асфальт. Вскочив на ноги, обезумевший от захлестывающей его злобы Пес выхватил из рукава нож с выкидным лезвием и, выполнив обманный финт, попытался вогнать его в основание шеи ненавистного соперника. Однако его рука наткнулась на железобетонной прочности блок чужой руки, после чего его кисть с ножом попала в мощный захват чужака и, будучи выкрученной в совершенно неестественное положение, сразу же как будто онемела, а его тело пронзила нестерпимая боль.

Взвыв, как настоящий пес, попавший в капкан, Мамайцев вынужден был согнуться в бублик. Получив жестокий удар по почкам, он рухнул на асфальт, так и не успев подать кодовой команды: «Жарь!» Бандиты, напряженно наблюдавшие за поражением своего главаря, неожиданно услышали зычный голос, усиленный мегафоном:

— Никому не двигаться! Вы окружены! Любая попытка сопротивления будет пресекаться огнем на поражение! Оружие на землю! Всем лечь!

Это было настолько неожиданно и шокирующе, что банда Пса поняла: проиграл не только он, но и все они. Неуверенно озираясь, смятые и деморализованные бандиты побросали ножи и автоматы и стали неохотно укладываться на пыльный асфальт...

...Как потом выяснилось на допросе, Пес своим идеалом считал печально известного бандита Цапка, который больше десятилетия держал в страхе краснодарскую станицу Кущевскую. Мамайцев был уверен — случай с массовым убийством семьи фермера и его гостей, что и стало поводом к тому, что местная и краевая милиция-полиция и прокуратура наконец-то «заметили» существование банды, — не более чем ошибка и дурость подручных главаря. Уж он-то, был уверен Пес, сработает ювелирно точно, и едва ли кто-нибудь когда-нибудь сможет его хоть в чем-то уличить и разоблачить.

Тем более, он имел серьезный компромат на ряд должностных лиц. В частности, видеозапись свидания зама начальника райотдела полиции с малолеткой. Имелась и видеозапись получения взятки помощником прокурора. Но самым убойным сюжетом было участие крупного чиновника из местной управы в оргии. В ходе подпольной «веселухи» ее участники не только без меры пили и беспорядочно занимались сексом, но и курили «травку», а также нюхали кокаин.

Но в данном случае вся эта информация, купленная за немалые деньги, помочь Псу уже не могла... Происшедшее его столь оглушило, что он из безгранично-наглого, самоуверенного и высокомерного моментально обратился в жалкого, подобострастного слизняка, трясущегося при одной только мысли, что ему светит пожизненное. Это ведь только на свободе хорошо бравировать своим пренебрежением к «смерти в рассрочку». Совсем другое дело — когда уже реально видишь вокруг себя бетонные стены и крохотный клочок неба через толстую решетку и при этом абсолютно отчетливо сознаешь, что это теперь — НАВСЕГДА. Уж тут становится не до бравады, а словосочетание «пожизненный срок» отчего-то начинает вызывать мурашки по коже и холодок внутри.

* * *

...Утром, придя на работу и прямо с порога не услышав призывного звонка телефона внутренней связи, извещающего о том, что генерал-майор Орлов жаждет его лицезреть, Гуров несколько даже удивился этому обстоятельству. Следом за ним заявившийся Стас тоже, войдя в кабинет и приветственно помахав Льву рукой, некоторое время недоуменно взирал на телефон. Но едва он сделал шаг к своему столу, как телефон тут же запиликал.

— Ну, наконец-то! — потянувшись за трубкой, сказал Гуров. — Все как обычно: только пришел — а тебе уже дзынь-дзынь, вали в моя кабинета...

Орлов, поздоровавшись, лаконично произнес:

— Жду!

— Ждет! — с утрированным пафосом объявил Лев, и приятели, продолжая обмениваться экспромтными остротами по этому поводу, направились к выходу.

Едва они вошли к Петру, который выглядел усталым и не выспавшимся, тот вперил взгляд в Станислава и односложно спросил:

— Как?

Поняв без пояснений, что Орлов имеет в виду ночную операцию, Крячко столь же односложно ответил:

— Путем!

Измерив подчиненного взглядом, Петр издал саркастичное «х-ха!» и язвительно добавил:

— Ты считаешь, твой цирк с поединком — это «путем»?!! Тебе людей дали? Дали. Банду надо было задержать? Надо. Тогда какого же черта ты устроил клоунаду, типа, выходи, супостат окаянный, попробуй силушки богатырской! — он утрированно-патетически постучал себя в грудь кулаком. — Горе мне с тобой! Кстати, это уже не первый такой фокус. Помяни мое слово — однажды это тебе аукнется. И еще как аукнется! Кроме задержания банды Мамайцева, за что тебе объявляю благодарность, что-нибудь по основному делу узнать удалось?

— Да, есть маленько, — ничуть не смутившись этой генеральской язвительности, Крячко широко улыбнулся. — Зоя рассказала про занятный городок на Алтае...

По определенным причинам опуская некоторые детали, он поведал про точку на карте Сибири с несколько странным названием — Булей, которое девушка уловила в телефонном разговоре Исмаила Мирзярова. Слушая Стаса, Орлов подпер голову кулаком правой руки, а пальцами левой забарабанил по столу.

— Так, та-а-к... — глядя на пальму в кадке, задумчиво протянул он. — Думается, это не случайно. Конечно, на все сто тут трудно быть уверенным, но процентов на девяносто следует полагать, что эта четверка отправилась с похищенным именно туда. Поэтому...

Его перебил телефон, запиликавший в кармане Гурова. Лев поспешил нажать на кнопку отбоя, но было поздно — он удостоился сурового, осуждающего взгляда Петра.

— Ну, говори уж давай... Все равно меня перебили... — недовольно произнес он.

Гуров, найдя во входящих номер того, кто ему только что звонил, нажал кнопку вызова, попутно припоминая, что это телефон Валерия Жаворонкова. Он оказался прав — это был замначальника информотдела.

— Лев Иванович, извините, если оторвал от дел, но мне тут только что пришла срочная информация, — голос капитана звучал с интригующими нотками. — Из Кемерова сообщили, что вчера незадолго до вечера жительница поселка Смоляково, что невдалеке от облцентра, заявила в местную полицию о четырех трупах молодых мужчин южного этнотипа, которых случайно обнаружила в лесу. Она ходила по грибы и увидела, как лисица что-то выкапывает из-под хвои. Подошла поближе, а там край чьей-то одежды... Документов при них не оказалось. Я отправил в Кемерово фотороботы двоих бандитов из Шереметьева. Жду их ответа. Пока все.

Поблагодарив капитана за сообщение, Лев сунул телефон в карман и сообщил, как нечто заурядное:

— В окрестностях Кемерова нашли четыре трупа, которые предположительно похожи на четверку из Шереметьева.

В кабинете повисла тишина. Петр и Станислав смотрели на Гурова с той же степенью удивления, как если бы он достал из кармана живого кролика.

— Ну-ка, ну-ка, подробнее! — к Орлову наконец-то вернулся дар речи.

— Подробностей пока что мизер... — Лев развел руками и пересказал то, что узнал от Жаворонкова.

— Да-а, Лева! Получается, ты был абсолютно прав... — выпятив нижнюю губу, произнес Петр, о чем-то напряженно размышляя. — Если и в самом деле убитые — это те, кто похитил Хантли, то, получается так, что его надо искать в той стороне. Интересно, а за что же их могли грохнуть?

— Слишком много знали! — хохотнул Крячко.

— Скорее всего, да... — в знак согласия кивнул Гуров.

— Хм-м-м... Не исключено и это. Хотя... Узнать все это мы сможем только тогда, когда получим возможность допросить Хантли-Урриморского, — резюмировал Орлов. — Ну а ты что выяснил?

Упоминание о пятом участнике похищения, который, судя по результатам компьютерного исследования, проведенного Жаворонковым, мог быть братом главаря шайки, поставило Петра в тупик.

— Постой, постой! — он хлопнул ладонью по столу. — Интересная получается арифметика. Пять минус четыре равняется одному. То есть, следует понимать, пятый сейчас по-прежнему обретается где-то в Москве? Иначе его бы тоже там прихлопнули.

Лев пожал плечами.

— Возможны и иные варианты... — усмехнулся он. — Например, ты не допускаешь, что пятый-то как раз и пристрелил всех этих четверых?

— Что, и своего брата тоже? — вступая в разговор, недоверчиво прищурился Стас.

— И брата тоже... А почему бы нет? — Гуров внимательно посмотрел на своего приятеля. — Надо полагать, на пятого у его хозяев есть такие рычаги воздействия, что выбор у него мог быть только один — согласиться, заведомо зная, что подобная судьба очень скоро может постичь его самого.

Петр с сомнением в голосе хмыкнул, но возражать не стал.

— Что у вас на сегодня? — задал он свой дежурный вопрос.

— Я хочу допросить гопников, которых на днях задержал в Шереметьеве, — сообщил Лев, покачивая носком ботинка. — У меня появились подозрения, что на Гвоздя они напали не случайно. Когда он рассказал мне про пятого похитителя, то подумалось, что это мог быть заказ на устранение лишнего свидетеля — тот его заметил и дал команду убрать.

— Но почему же они его не убрали сразу? — Орлов, не соглашаясь, покачал головой. — Почти неделю ждали удачного момента? Что-то тут не вяжется...

— Я уже и сам об этом думал. — отмахнулся Гуров. — Но... Все-таки есть ощущение того, что похищение англичанина и попытка убийства Гвоздя меж собой как-то связаны.

— Ну, тебе виднее... — пожав плечами, Петр переключил свое внимание на Стаса. — Что у тебя?

Крячко в ответ лишь безмятежно улыбнулся.

— Тоже допрос, только другой компании — вчерашних бандюг во главе с неким Псом. Вообще-то, больше всего он меня и интересует, поскольку довольно долго жил в городе Булей и должен бы знать, кто и чем у них там промышляет.

— Добро! Приступайте! — Орлов сделал рукой некий величественный жест, на что Лев и Стас, переглянувшись, ответили синхронным дурашливым реверансом.

Сделав вид, что ничего особенного он не заметил, Петр немедленно углубился в бумаги, краем глаза наблюдая за тем, как приятели выходят из кабинета.

Полчаса спустя Лев Гуров прибыл в Шереметьево. В райотделе, где находились задержанные, он приступил к поочередному допросу обоих «удальцов». Минувшим днем он завез в райотдел заявление Гвоздикина, что тут же сняло все вопросы прокуратуры относительно их пребывания в КПЗ. Ну а сейчас ему предстояло выяснить — кто же заказал им убрать бывшего воровского авторитета Гвоздя.

Первым Гуров вызвал некоего Кирилла Ромчика, который в этом уголовном «дуэте» явно не был заводилой. Как видно, уже успев скиснуть из-за затянувшейся неопределенности с решением его судьбы, Ромчик выглядел напряженным, словно ежеминутно ждал удара. Искоса поглядывая на Гурова (уж теперь-то он знал, с кем свела его судьба — сокамерники просветили досконально), задержанный то и дело шумно вздыхал и стискивал руки.

Задав дежурные вопросы для протокола, Лев перешел к главному, спросив Ромчика, знал ли тот, на кого они напали со своим напарником. Помявшись, задержанный неопределенно пожал плечами, как если бы не понял, чего от него добиваются. Выдержав некоторую паузу, Гуров уже более жестко задал тот же вопрос, напомнив своему собеседнику о сроке заключения, который ему светит, и на сколько может сократиться отсидка, если он прекратит валять дурака и начнет давать показания. Как видно, этот момент задержанного впечатлил больше всего.

— Ну-у... В общем-то, знали, гражданин начальник... — уже более охотно признался он. — Мне Питбуль сказал, что надо уделать одного мужика, который раньше у братвы был в уважухе. Ну а теперь он обычный фраер, которого какой-то важный мэн заказал. Типа, бояться нечего, хоть вышиби мозги — за него сейчас никто не подпишется.

— А что это за «мэн»? Как выглядит, чем занимается? — поинтересовался Лев.

— Лично я его не видел ни разу — с ним якшался Питбуль, — Ромчик отрицательно покачал головой. — Он мне все потом передавал. Вот, сказал, что того типа мочить не обязательно — можно просто проломить башку, чтобы подольше в больнице лежал, желательно в коме. А за что с ним так — вообще не знаю...

Задав подследственному еще несколько уточняющих вопросов, Гуров вызвал другого, названного Ромчиком как «Питбуль», по паспорту — Геннадий Питряхин. Тот держался самоуверенно и даже вызывающе. Впрочем, это длилось не дольше того, как он услышал, какие именно показания дал Ромчик. Это его тут же вывело из равновесия, и показушная бравада моментально сменилась озлобленным раздражением.

— Ссучился, Меринꙗка паскудный! Раскололся, тварь...

Попсиховав пару минут и на какое-то время впав в мрачноватую безнадегу, Питряхин в конце концов тоже счел, что полная откровенность лучше «несознанки». Он признался, что его на днях нанял «какой-то мужик» для того, чтобы он «ушатал» бывшего авторитета Гвоздя. Причинами подобного заказа он не интересовался — аванс в долларах и предполагавшаяся еще более крупная доплата к тому не располагали.

На предложение Льва описать заказчика Питбуль изложил чем-то уже знакомый словесный портрет. Слушая его, Гуров почти сразу же понял, что речь, скорее всего, идет о некоем «неприглядненьком», о котором он уже слышал от Амбара.

— Его лицо хорошо запомнил? — поинтересовался он, внутренне ощутив, что тот загадочный тип не играл главную роль во всех тех загадочных событиях, что происходили в Шереметьеве. — Фоторобот составить поможешь?

— А это мне зачтется? — безрадостно спросил Питряхин.

— Считай, что сопротивление сотруднику полиции из дела уже ушло, — деловито уведомил Гуров.

— Заметано... — тягостно вздохнул тот, явно, сожалея то ли о том, что суда все равно избежать не удастся, то ли об упущенной пачке долларов.

Правда, когда Лев, догадавшись о реальной подоплеке его вздохов, вкратце поведал, как его заказчик лихо устраняет любых свидетелей, Питбуль растерянно захлопал глазами и позеленел. Похоже, только сейчас он сообразил, какое благодеяние совершил полковник Гуров, задержав его в аэропорту и отправив в КПЗ. В противном случае, скорее всего, в данный момент он лежал бы с простреленной головой где-нибудь в лесу...

У Станислава Крячко допрос оказался не менее результативным. Предоставив работу с членами банды Мамайцева дознавателям райотдела, сам он вплотную занялся главарем по кличке Джек, он же — Пес. Еще вчера мнивший себя владыкой если не всей Москвы, то изрядной ее части, главарь шайки обратился в дворнягу, подобострастно виляющую хвостом. Он охотно давал показания, топил всех своих подельников, спеша заверить, что сам он ни к одному кровавому случаю причастен не был. Из его поспешных речей следовал один главный вывод — во всем, что творила его банда, виноват кто угодно, только не он сам.

Нескончаемые уверения, что «пацаны подкинули идею», «пацаны настояли», «пацаны, можно сказать, приперли к стенке», неустанно подчеркивали, сколь малозначащую роль он сам играл в деятельности банды. Поэтому, немного подыгрывая «страдальцу» — то сочувственным взглядом, то понимающей миной, Стас незаметно перешел к периоду жизни Мамайцева в Булее. Тот, поняв это как «лирику», позволяющую уйти от неприятных вопросов о дне нынешнем (главарь даже не догадывался, сколь усердно в этот момент топили его самого недавние «соратники» по криминальному промыслу), охотно делился воспоминаниями.

По словам Мамайцева, в Булее он прожил около десяти лет, и поэтому его там и поныне знает «каждая собака». Отвечая на вопрос об иностранцах, которые пытаются там обосноваться, скупая земли и недвижимость через подставные российские фирмы, Мамайцев рассказал, что есть уже несколько закрытых элитных поселков, где якобы проживают «новые алтайцы». Хотя на самом деле местных толстосумов там — считаные единицы. И, скорее всего, их туда приняли для блезира, чтобы показать, что обитатели поселка — сплошь законные россияне.

— ...Брехня, Станислав Васильевич, гольная брехня! — ударяя себя в грудь кулаком, запальчиво повествовал Мамайцев. — Там хозяйничает одна иностранщина. Туда даже участковый носа не сует. Если есть русские или коренные алтайцы, то это или богатенькие коммерсанты, или какая-нибудь вшивота, нанятая смотрителями их владений. Вот, там, скажем, поле. Кто его хозяин? Ну, по документам — что-то типа «Агро-супер». Зарегистрирована фирма в Барнауле, ее хозяин — какой-нибудь Иванов-Петров-Сидоров. Только на деле-то все совсем не так! Настоящий хозяин сейчас в Америке, и зовут его Сэм Смит или Джон Гудбай. Во как!..

Как далее поведал подследственный, в ту пору он владел небольшой охранной фирмой, и ее услугами довольно часто пользовались обитатели этих загадочных поселений. От своих подчиненных Мамайцев слышал не раз, как те сетовали на трудности в общении со своими клиентами.

— ...Ну, это прямо комедия! — всплескивал он руками. — Корчат из себя русских, а сами по-русски чего-то мямлят еле-еле...

По словам Мамайцева, рядовое население догадывается о том, что немалой частью их краев владеют иноземцы, но об этом предпочитают помалкивать. Горькая судьба журналиста одной из местных газет, который открыто говорил о «левых» схемах захвата земель в их районе и однажды «случайно» попал в ДТП, при этом заживо сгорев в машине, давала понять: меньше знаешь — крепче спишь.

— А кто, по-твоему, мог бы быть организатором этого «случайного» ДТП? — поинтересовался Станислав.

Оглядевшись, как если бы они были не одни, Мамайцев пригнулся и заговорил приглушенным голосом:

— Гражданин начальник, у этих людей руки очень длинные, а уши есть везде и всюду. Я вам скажу все, что знаю, только вы уж, пожалуйста, зачтите мне это для суда. Хорошо? Детьми клянусь — и на «червонец», и на «двадцатник» соглашусь, только чтобы не пожизненное! В общем, как мне рассказал один мой охранник, он краем уха слышал про какого-то барона Дэвидштейна. Этот тип проживает в загородном коттеджном массиве Лазурный Сад, но под русской фамилией. Ее я не знаю. Он и говорит-то — от нас не отличишь. Вот он-то, ходят слухи, и является самым главным по скупке земель, по перемещению туда богатых иностранцев. Вон, по телеку уже не раз говорили, что скоро быть мировому катаклизму, после которого только Алтай останется цел...

— Ну, об этом я слышал уже не раз, — Крячко усмехнулся. — Такого бреда сейчас распространяют немало, и поверить в возможность подобного катаклизма могут только легковерные простаки. Но этот барон, надо понимать, человек далеко не наивный. Видимо, у него какие-то иные цели... Кстати, а какой он из себя — информация есть?

— Откуда, гражданин начальник?! — Мамайцев отрицательно покрутил головой. — Всякий, кто всего лишь знает о существовании барона уже рискует остаться без головы! Мой охранник на этом капитально погорел. Он то ли где-то про этого барона ляпнул не к месту, то ли по пьяни развязал язык, а через неделю чуть не сгорел в собственной квартире. Ночью просыпается, а дышать нечем, все кругом горит, дверь не открыть... Ну, он парень сноровистый, на простыне этажом ниже спустился, выбил окно и тут же смылся невесть куда. Он мне уже с дороги по телефону об этом всем рассказал. А куда дал деру, так и не признался.

— Он был одинок? — уточнил Стас.

— Как перст... А вскоре и я погорел, скорее всего, из-за этого же гребаного барона. Как по заказу меня начали прессовать проверками, пошли отказы постоянных клиентов, было состряпано несколько судебных дел. Ну, там, и по хранению оружия, и по финансовым нарушениям... В общем, вылетел я в трубу. В «белокаменку» приехал злой как собака. За это Псом и прозвали. Ну а дальнейшее вам уже известно...

Пообещав своему подследственному, что его содействие следствию будет учтено при вынесении приговора, Крячко отбыл в главк.

Глава 8

...Одновременно с подрывом нравственных корней русских и славян в целом не менее важной задачей является подрыв экономики России, всех жизненно важных институтов российского государства — армии, полиции, систем безопасности и жизнеобеспечения, всех социально значимых структур.

Финансы — «кровь экономики», и это совершенно справедливое мнение. Финансовая анемия любого государства очень быстро истощает его жизненные силы и ведет к коллапсу всех форм производства. Россия на сегодня во всех отношениях — и экономическом, и военном — на порядок слабее бывшего Советского Союза. Как уже было подчеркнуто выше, его распад — это главное достижение и завоевание века минувшего.

К огромному сожалению, Россия, вопреки всем авторитетным прогнозам, оказалась гораздо прочнее СССР. Даже катастрофические трудности в жизни ее населения, успешно созданные при активном, решающем участии нашей агентуры в конце 80-х — начале 90-х, не стали поводом к массовым протестным выступлениям, которые могли бы перерасти в гражданскую войну. Русские предпочли терпеть нужду и фантастический рост цен, но в своей основной массе остались на государственнических позициях. Это особый феномен, нуждающийся в более глубоком изучении.

В плане подрыва стабильности российских финансов важнейшим позитивным фактором следует считать прочную привязку рубля к доллару и зависимость российской экономики от экономики СЦМ. Великолепным стратегическим ходом следует считать реализацию идеи наших агентов влияния, которые создали российский финансовый резерв на базе американской и европейской банковской систем. Благодаря этому «валютному депо» русские несут ежегодные финансовые потери на уровне десятков и сотен миллиардов долларов, что европейскую и американскую экономику, напротив, весьма ощутимо стабилизирует.

Кроме того, российскую экономику финансово истощает постоянная, всевозрастающая утечка капиталов, активно поддерживаемая нашими банками. Продолжая на официальном уровне активную информационную кампанию, направленную против «отмывания криминальных денег», СЦМ в реальности должны всячески поддерживать тех, кто расхищает российский бюджет. Всякий, обвиненный российскими властями в казнокрадстве и взяточничестве, нашими СМИ должен быть позиционирован как инакомыслящий, незаконно преследуемый российской тоталитарной верхушкой и защищен от риска депортации в Россию.

Отрадным обстоятельством следует считать тот факт, что за последние двадцать лет из России вывезено (как тайно, так и официально) около триллиона долларов США. Подобный успех следует закрепить и углубить. Россия должна ежегодно терять не менее половины своего бюджета, что гарантированно спровоцирует массовые протестные акции, которые мы обязаны поддержать и информационно, и финансово. Вся Россия должна стать аналогом Трясинной площади, ведомой лидерами оппозиции наподобие Удодцова, Нагибального и прочих.

Эти люди отлично подготовлены нашими специалистами и хорошо профинансированы. Их следует считать нашим главным стратегическим кадровым резервом будущей, толерантно-либеральной России. Перспективой перехода к новой форме государственно-общественного устройства должна стать «цветная революция» со свержением нынешней правящей верхушки и формированием под нашим контролем «правительства национального возрождения», которое мог бы возглавить видный российский финансист Ананий Лахудрин. Это могло бы стать первым шагом к возрождению в России контролируемой нами конституционной монархии.

Сегодня Россия все больше и больше напоминает пороховую бочку. Наш кадровый «фитиль» в нее уже внедрен. Когда настанет «час икс», бестрепетной рукой мы высечем искру, и российский колосс на глиняных ногах в мгновение ока развалится на части.

(Из меморандума совещания Рыцарей-Властителей высшего круга посвящения тайного ордена «Пламя Истины»)

* * *

Ближе к обеду Лев вернулся в управление и, войдя в кабинет, увидел там тоже только что вернувшегося Стаса. Тот, сияя улыбкой, с кем-то говорил по сотовому телефону. Сразу поняв по замаслившимся глазам приятеля, что у того на связи кто-то из его знакомых дам, Гуров молча прошел к своему столу и, сняв трубку телефона внутренней связи, созвонился с Жаворонковым. Услышав его голос, капитан сообщил, что минут десять назад заходил к ним в кабинет, но там никого не оказалось. А звонить на мобильный он не решился — вдруг звонок поступит в какой-то неподходящий момент?!

— ...В общем, Лев Иванович, все совпадает — по нашим фотороботам кемеровские коллеги опознали двоих из убитых. Это Исмаил Мирзяров и Антон Рахимбеков. А утром к криминалистам приходила некая Зоя Аргунцева, которая помогла составить еще два фоторобота по той уголовной четверке из Шереметьева. Я их тоже отправил в Кемерово. Хотя уже и без этого уверен, что двое пока не опознанных — из той же шайки.

— Молодец! — одобрил Гуров. — Сегодня же похлопочу о премии — заслужил. Что-то еще?

— Да, Лев Иванович, — в голосе Жаворонкова появились интригующие нотки. — Мне удалось найти и взломать один из сайтов кавказских ваххабитов. Как оказалось, большая часть материалов там на русском языке, благодаря чему мне удалось найти в числе тех, кто проходил обучение в ваххабитских центрах на Ближнем Востоке, весь этот наш шереметьевский «квартет» — Исмаила Мирзярова, Куйраева, Сайфуллаева, Рахимбекова. Кроме того, в досье нашел упоминание о том, что Исмаил Мирзяров проходил дополнительную подготовку в некоем особом центре под названием «Гаруда». Вот что это за центр, где он находится и чем занимается — найти вообще не удалось. Похоже, засекречен он очень и очень.

Поблагодарив Валерия за ценную информацию, Гуров положил трубку и, усмехнувшись, поинтересовался у Стаса, который уже закончил свой разговор:

— С Зойкой-Зайкой о чем-то секретничал?

— Не-а... — Крячко категорично мотнул головой. — С Зойкой — о чем разговаривать-то? Она с сегодняшнего дня уже не при «делах» — все, отговорила роща золотая... Теперь она — невеста художника. Нет, утром, после посиделок у Петрухи, я ей позвонил и рассказал про усопшую четверку. Она, надо сказать, очень обрадовалась — такая гора с плеч долой! Потом спросила, а надо ли ей теперь ехать к «ментам», чтобы составлять фотороботы. Ну, я сказал, чтобы ехала — мало ли какие могут быть варианты? А это мне звонила Женя, та самая знакомая, которую я буксировал.

— Помню, помню — хозяйка «Шкоды». — кивнул Лев. — Скорее всего, она тебя упрекнула в том, что ты ее забыл, сказала, что соскучилась, что ждет в гости...

— Ну-у... Приблизительно так... — уклончиво подтвердил Стас. — А ты сейчас с кем созванивался?

— С Жаворонковым... — лаконично пояснил Гуров.

Он вкратце рассказал об услышанном от Валерия. Стас, прищелкнув пальцами, удовлетворенно резюмировал:

— Похоже, с этим расследованием мы выходим на финишную прямую? Отличненько! Мне Мамайцев такую информацию дал — обалдеть! Впору идти на доклад к Петрухе...

Его перебил звонок телефона внутренней связи. Беззвучно смеясь, Лев многозначительно указал пальцем на это шумливое устройство связи.

— Твою дивизию! — Крячко всплеснул руками. — Он что, через стены слышит, когда его упоминают?

— Похоже на то... — поднимая трубку, с иронией отметил Гуров. — Это я уже и сам не раз замечал.

Орлов, как всегда, был деловит и категоричен. Узнав, что оба приятеля на месте, он пригласил их к себе, сообщив, что к нему заглянул полковник Вольнов.

— О, Санек подгреб! — с хрустом потянувшись и встав из-за стола, отметил Станислав. — Вот и отлично! Будет чем и его удивить. Не кочегары мы, не плотники и не в составе фэ эс бэ-э-э!.. — пропел он, направляясь к выходу.

...Вольнов при появлении приятелей поднялся с кресла и поздоровался с ними, попутно сообщив, что может рассказать для них нечто очень интересное. Ответив на рукопожатие, Стас ухмыльнулся и уведомил, что и они пришли не с пустыми руками. Орлов, величественным кивком выразив свое одобрение результативности работы своих лучших оперов, вслух отметил:

— Да, Александр Николаевич, как видишь, мы тут тоже время даром не теряем... Что там у вас, мужики?

Сообщение Стаса о некоем бароне Дэвидштейне из Лазурного Сада Вольнова очень удивило.

— Хм... — выслушав Крячко, он задумчиво потер лоб. — По своим каналам нам уже удалось установить, что в округе городка Булей и в самом деле проживает некий гражданин с весьма сомнительной репутацией. Что-то наподобие криминального авторитета, связанного с западными спецслужбами. Но вот как его хотя бы условно зовут, нашим информаторам выяснить не удалось. К тому же двое из них пропали без вести при очень загадочных обстоятельствах. Значит, это — барон Дэвидштейн... Впервые о таком слышу.

Информация Льва о «неприглядненьком», фоторобот которого, предположительно, будет готов уже сегодня, Вольнова очень обрадовала.

— Да, у нас есть информация о некоем господине Хадове, который по своему официальному роду деятельности занимается коммерцией — у него торговая точка где-то в Подмосковье, а по неофициальному — очень тесно связан с транснациональной уголовщиной. Но вот его фото раздобыть пока не удалось. Да и место жительства неизвестно — скорее всего, Хадов — это его псевдоним для внешних контактов. Не удивлюсь, если у него таких псевдонимов несколько.

Не оставила его равнодушным и информация об учебном центре «Гаруда».

— ...Это название мне хорошо знакомо, — сдержанно отметил он, отчего-то сведя брови. — Готовят там террористов экстра-класса. Это совместный проект ЦРУ, МИ-шесть и Аль-Каиды. Отбор туда — один из десяти. Мы пытались внедрить в учебный центр своего сотрудника, и все прошло как по маслу. Но в лагерь прибыл перебежчик, ранее работавший в северокавказской ФСБ. Он знал об этой операции и поспешил доложить о ней своим ваххабитским хозяевам. Парня вычислили и после пыток зверски убили. Но и этот урод свое получил. Он «случайно» утонул в море на одном из израильских пляжей... Значит, и Исмаил Мирзяров был из той же «обоймы»? Любопытный момент...

Подытоживая разговор, Орлов с хитрой усмешкой предположил:

— Ну, что, мужики, наверное, пора заняться этим Булеем вплотную? Как смотрите на то, чтобы отправиться на Алтай? Скажем, прямо завтра? А?

Слушая его, Гуров рассмеялся.

— Ты спрашиваешь нас так, как будто у нас есть выбор — соглашаться или не соглашаться. Хотя, в принципе, я и сам собирался сказать, что есть серьезный повод отправиться в те края. Уже, по сути, точно установлено направление, куда могли увезти Хантли. Уже есть предполагаемое место, где его могли бы удерживать. Если только он сам не участник всего этого спектакля.

— Не уверен... — Крячко отрицательно мотнул головой. — Все же, сдается мне, если он и главный персонаж постановки, то едва ли знает сам, какова его реальная роль и чего именно от него ждут дирижеры-режиссеры из их спецслужб.

— Согласен! — кивнул Вольнов. — Тут слишком многое не вяжется, чтобы считать англичанина активным соучастником происходящего.

В кабинете ненадолго установилось молчание. Участники этого обсуждения мысленно анализировали обилие раздобытых ими фактов, которые пока что никак не желали выстраиваться в стройную версию. Реальные замыслы тех или иных участников развернувшихся событий в известной мере продолжали оставаться все еще не решенной задачей со многими неизвестными.

— И все-таки для меня пока что так и остается загадкой все тот же вопрос: для какой цели был похищен герцог Урриморский? — Потирая виски, Орлов нарушил затянувшееся молчание. — Если не сказать — полной белибердой. Нет, в самом деле! Если авторы провокации хотели вызвать таким образом международный скандал, то не проще ли было бы убить Хантли прямо в аэропорту, а не тащить его через всю страну на Алтай?! Если в их планах — восстановление монархии в России и намерение сделать герцога российским царем, то это выглядит абсурдно! Где логика? Где здравый смысл?

Чему-то усмехнувшись, Вольнов понимающе покачал головой.

— Отвечу на это так... — неспешно заговорил он. — Как-то ко мне заглянул мой старый друг. Он мастер спорта международного класса по шахматам. Выпили за встречу, сели с ним «забить партеечку». Я сильный шахматист — случалось, и перворазрядников клал на лопатки. А тут... Вижу — он делает как бы неправильные, в чем-то даже противоречащие логике ходы. Ну, я развиваю наступление, прорываюсь к его королю. И вдруг... В какой-то миг вся моя оборона оказывается в нокауте, а он полностью овладевает инициативой и всего через ход ставит мне красивейший мат. Догадываешься, о чем речь?

— Как бы да... — изучающе глядя на Александра, кивнул Орлов.

— Вот и здесь то же самое... Уверен — эту многоходовку продумывали лучшие гроссмейстеры политических интриг и организации государственных переворотов. На развал Советского Союза работали десятки специально созданных институтов, сотни — если не тысячи! — изощренных интеллектуалов. И вся эта махина продолжает работать и поныне! Понимаешь? В США тяжелейший финансовый кризис, а эти секретные институты финансируются еще лучше, чем это делалось в восьмидесятые. Я и сам пока что до конца не могу понять логики всей этой «урримориады». Но готов предположить, что «пилотным проектом» наших заклятых друзей по расчленению России избран именно Алтай. Думаю, у них там уже наработаны самые разные варианты того, как подорвать устои и создать общеизвестный управляемый хаос.

— Думаешь, это у них прокатит? — с сомнением спросил Гуров.

— А ситуация с Кавказом и Закавказьем девяностых тебе ни о чем не говорит? — Вольнов рассмеялся с оттенком горечи. — Кто бы мог подумать лет за пять до армяно-азербайджанского конфликта, что такое вообще возможно? Кто бы мог подумать, что внутри самой России произойдет жестокая, кровавая война? Поверьте на слово — это была всего лишь проба силы, полигон по отработке вариантов развала нашей страны, на котором «кукловоды» изучали пути и способы достижения своих, далеко идущих целей...

— М-да-а-а-а... — отрешенно глядя в пространство, протянул Петр.

— А мы на том же Алтае уже наделали очень много такого, чего делать вообще не стоило бы. — Александр выразительно постучал себя по голове. — Взять хотя бы историю со вскрытием могилы «алтайской принцессы». Кто, какой идиот настоял на том, чтобы это сотворить, — отвезти мумию шаманки в Москву и выставить напоказ?! Вы вспомните, какое было массовое возмущение! Теперь любое ЧП, происходящее на Алтае, его коренным населением, да и некоренным тоже, воспринимается как месть духов гор. Ситуация там уже выведена из равновесия. А ее к тому же ежедневно и ежечасно усугубляет дурость местных коррумпированных чинуш, которые, как и везде по России, берут взятки, казнокрадствуют, принимают решения, лишенные здравого смысла.

— Да, тут ты, конечно, прав... — с тягостным вздохом откликнулся Стас. — Я еще когда-то — уже давненько! — помню, смотрел по телеку выступление одного известного писателя. Он говорил о том, что на Алтае хотят забабахать очередную «стройку века» — ну, что-то наподобие водохранилища, что ли. И причем на том самом месте, где выходят пласты ртутных руд. Если бы тот проект был выполнен, экологическая катастрофа гарантированно случилась бы...

— Вот, вот, вот! Это самое я и хотел сказать, — Вольнов чуть развел руками. — Я тоже теряюсь в догадках по поводу случившегося с Урриморским-Хантли, мне тоже слишком многое непонятно. Но могу сказать определенно, что наша контора сложа руки тоже не сидит, идет поиск и сбор информации, ее анализ. Постоянно прорабатываются варианты того, как реагировать на те или иные действия наших, скажем так, оппонентов. Для себя я вижу главную задачу — вместе с вами найти пропавшего англичанина и уже тогда окончательно определиться с версиями — какая стоящая, а какая и не очень...

— Логично... — Петр, наморщив лоб, коротко вскинул вверх указательный палец. — Сейчас мы можем только предполагать, кто есть кто и что есть что. Добро! Собирайтесь в дорогу, заказывайте билеты на самолет до Барнаула. Все бумаги я вам сейчас подпишу... Когда смогли бы отбыть?

— Лучше всего отправляться сегодня, поскольку все прямые рейсы, как это явствует из их расписания, приходятся на вечер, — чему-то улыбаясь, пояснил Вольнов. — Если не вылететь сегодня, то целые сутки будут потеряны. Я сегодня уже отправляюсь — билет в кармане на двадцать два часа. Четыре с лишним часа полета, и в начале шестого по тамошнему времени я уже на месте. Кстати, еще два билета дополнительно на всякий случай я забронировал. Так что можем отправляться вместе.

Орлов одобрительно сказал:

— Вот это я понимаю — предусмотрительность. Тогда — в дорогу!

— Саша, самолеты-то у компании, которая нас повезет, хоть не убитые, на них летать-то можно? А то у меня хроническая аллергия на некрологи в мой адрес... — поморщившись, проворчал Крячко.

Все негромко рассмеялись.

— Стас, успокойся! — Вольнов подмигнул. — Там такие классные стюардессы — как их увидишь, так про все свои опасения позабудешь сразу же.

— Ха! Уж лучше бы они были страшнее атомной войны! — вперив взгляд в потолок, все так же ворчливо объявил Крячко.

— Это с чего бы так вдруг? — на лице Петра отразилось недоумение.

— С чего бы... А вот с того! — Стас подбоченился. — О чем будешь думать, глядя на красивых стюардесс, если самолет вдруг начнет падать? Ну, понятное дело — жалеть о том, что жизни конец. А если рядом страшные бабищи — о чем жалеть-то? Еще и рад будешь, что наконец-то покидаешь этот мир!

Глядя на смеющихся собеседников, он не выдержал и тоже рассмеялся.

— Ладно уж, полетим... — уже более оптимистичным тоном добавил Крячко. — Хотя, конечно, именно в такие моменты начинаешь жалеть, что не родился Карлсоном.

— У тебя аэрофобия? — с интересом спросил Вольнов.

— Да как сказать? — Крячко вздохнул. — Если сам сидишь за рулем, то любой форс-мажор воспринимаешь спокойно. А вот когда рулит другой... Тут уже отчего-то начинаешь сомневаться — а тот ли это человек? Да ладно, ты не обращай внимания. Все! Раз летим — значит, летим!..

...Поздним вечером вместе с прочими пассажирами они вошли в авиалайнер и заняли свои места. При этом оказалось, что место, доставшееся Вольнову, находится в передней части салона эконом-класса, Гурову выпало сидеть в середине, а Станиславу — почти в самом конце. Впрочем, как компенсацию за недавние тревоги и переживания по поводу предстоящего полета судьба послала ему двух молодых, симпатичных соседок.

Сидя в окружении такого «цветника», Крячко моментально забыл о том, где именно он находится и что очень скоро крылатая машина вознесет его на высоту в несколько километров. Пустив в ход все свое обаяние, он с первых же минут сумел установить с попутчицами самые живые и непосредственные контакты и вскоре знал о них если и не все абсолютно, то очень многое.

Соседка справа — яркая блондинка лет двадцати восьми, назвавшаяся Ангелиной, по ее словам, коренная барнаульчанка, а в Москву прилетала на какой-то семинар по экономике. Лина окончила местный университет и уже несколько лет работала ведущим специалистом в крупной региональной компании. Соседка справа — изящная шатенка лет тридцати, которую звали Викой, работала учителем физики в одной из школ краевого центра. Как оказалось, ранее девушки уже летали одним рейсом в Москву и поэтому были знакомы.

Соседки охотно рассказывали улыбчивому попутчику о своем родном городе, о его достопримечательностях, о самом Алтае в целом. По ходу разговора отметив, что кое с кем из их земляков он по долгу своей службы уже «пересекался», Стас спросил Вику и Лину, не слышали ли они о заселении их родных краев иностранцами. Те, с недоумением переглянувшись, пожали плечами.

— Если честно, то об этом ничего не знаю... — безмятежно рассмеялась Лина. — Возможно, кто-то к нам и в самом деле переехал. Но я об этом не слышала ни разу. Про то, что наши, местные толстосумы скупают и землю, и недвижимость, читала и слышала уже не раз. А вот про иностранцев — что-то не припомню.

Того же мнения была и Вика, что Стасу позволило сделать вывод о глубокой законспирированности процесса скупки угодий. О городке Булей девушки слышали, но бывать им там не доводилось. Впрочем, название Лазурный Сад Вике было знакомо. Она как-то читала в одной из областных газет о странных происшествиях, связанных с этим поселком. Автор статьи ставил вопрос перед областным УВД о необходимости тщательнейшего расследования нескольких ЧП, случившихся в Лазурном Саду, в результате которых погибли люди. Причем все эти происшествия были признаны или несчастными случаями, или суицидом.

— Ну и что же ваше УВД? — полюбопытствовал Крячко.

— Точно не знаю, но недели две спустя в той же газете была другая статья, уже обвиняющая этого журналиста в том, что он из карьерных и иных побуждений не очень хорошего свойства подтасовывал и фальсифицировал факты. — Вика пожала плечами. — Кто-то говорил, что это был чей-то заказ. Вроде бы, какого-то туза...

— Занятная история... — отметил Станислав. — Викусь, а где он сейчас, этот журналист? Как его звали, ты не припомнишь?

— М-м-м... — Виктория растерянно улыбнулась. — Как-то даже и попыталась запомнить. Хотя фамилия у него такая... Северная, географическая.

— А-а, так это ты про Михаила Карского? — поняв, о ком идет речь, вспомнила Лина. — Да, журналист он был классный. И «съели» его за принципиальность и правдивость. Он сейчас, по-моему, или в Иркутске, или в Новосибирске — где-то там.

В этот момент Стас вдруг понял, что они вовсе не на земле.

— А мы что, уже летим? — он посмотрел в иллюминатор и увидел в ночной темени россыпи огоньков, уходящих вниз и вдаль.

— Ну да, — со смехом подтвердила Вика. — Мы на взлет пошли, когда Лина рассказывала вам про наш барнаульский музей автоугона имени Юрия Деточкина. Значит, было очень интересно!..

Постепенно разговоры пошли на убыль, усталость стала брать свое, и вскоре большинство пассажиров погрузилось в беспокойный дорожный сон. Под монотонный шум турбин незаметно для себя уснул и Крячко. Что ему снилось, он толком не запомнил, но когда открыл глаза, то увидел в окне красный шар светила, встающий из-за горизонта, и в его памяти тут же промелькнула смутная картинка — он едет по пустыне на верблюде, а над ним нестерпимо ярко сияет тропическое солнце.

...Прямо из аэропорта, находящегося почти в двух десятках километров от города, взяв такси, опера и Вольнов поехали в одну из местных гостиниц. Александр, бывавший здесь уже не раз, предложил ехать в «Тобол» — отель среднего класса, очень уютный и с хорошим обслуживанием.

Таксист, бритоголовый крепыш с рыжеватыми усами, флегматично руля по трассе, вдоль которой тянулись торговые и сервисные объекты, с кем-то без конца общался по телефону, монотонно роняя односложные «д-да» и «н-нет», лишь изредка вставляя «угу» и «понял». Даже когда его «Дэу» покатила по улицам Барнаула, он продолжал общаться со своим собеседником. При этом он ухитрялся удачно вписываться в дорожную суету и избегать соприкосновения с бегущими рядом машинами.

Вояжеры с интересом рассматривали местную архитектуру, где века прошедшие удачно сочетались с современным градостроительством, и достопримечательности. Гостиница «Тобол» располагалась в старой части города, в окружении старинных купеческих особняков, построенных добротно, на века. Несмотря на ранний утренний час, у отеля, воздвигнутого в стиле классицизма, было оживленно.

Обосновавшись в оказавшихся свободными одноместном номере и двухместном, который заняли Лев и Стас, все трое отправились в гостиничный буфет. После завтрака они вышли в расположенный рядом с гостиницей скверик, где, сидя на лавочке, вне стен и возможной прослушки, обсудили планы на будущее и текущие дела.

Первым заговорил Крячко, которому не терпелось рассказать об услышанном от своих попутчиц (прощаясь с девушками на стоянке такси, верный своей привычке, он вручил им свои визитки и забил в телефон номера их мобильников). Информация о Михаиле Карском его собеседников очень заинтересовала. Особенно Вольнова. Он немедленно набрал номер дежурного своей конторы и попросил срочно установить место нахождения этого журналиста и поручить местным сотрудникам ФСБ негласно встретиться с ним, чтобы узнать максимум информации о загадочном поселке Лазурный Сад.

— Думаю, через пару часов нам уже станет кое-что известно... — отключая связь, отметил он. — Кстати, у меня тоже оказались разговорчивые собеседники. По их словам, начальник одного из областных райотделов полиции не так давно оказался в центре скандала.

Как далее поведал Александр, земельщики этого райцентра с согласия администрации, допустив ряд нарушений земельного и гражданского законодательства, продали какой-то мутной фирме обширный массив — пашню, луга и даже водоем. Но тут вдруг оказалось, что этот кусок земли гектаров с полста уже продан. И довольно давно. И тоже фирме, и тоже мутной, в связи с чем между, так сказать, хозяйствующими субъектами разгорелась нешуточная тяжба. Причем внесудебная — оба участника спора заведомо знали о том, что приобрести данный участок не имели никакого права — он относился к особой категории земель. И поэтому в суд обращаться бессмысленно.

Дошло до прямых стычек их корпоративных охранных подразделений. И вот в этот, по сути, криминальный конфликт ввязался местный райотдел, приняв сторону новых приобретателей. Прежние обладатели массива попытались найти защиту у областного чиновничества, щедро «подмазав» свою жалобу долларами. Информация о происходящем просочилась в одну из независимых газет, и эта подковерная возня была предана огласке. Состоялся суд, который признал обе сделки незаконными.

Обеим фирмам пришлось расстаться с землей. По служебной проверке в земельном комитете были наказаны несколько мелких сошек, которым объявили выговоры. Главный полицейский района и вовсе вышел сухим из воды — он сумел доказать, что его ввели в заблуждение коварные фирмачи. Задержав силами своего райотдела прибывшую на «стрелку» хорошо вооруженную команду охранников прежнего землевладельца и даже не обратив внимания на точно такую же кодлу его оппонента, он искренне полагал, что предотвращает опасную вооруженную стычку.

— ...О каком районе шла речь, мои рассказчики не помнили, но я почему-то думаю, что речь идет именно о Булейском, — завершил свое повествование Вольнов.

— Та-а-к... — окинув взглядом Александра и Стаса, многозначительно протянул Гуров. — Следуя логике разговора, теперь и я должен внести что-то значимое в общую копилку нашего расследования. Хорошо! Мои соседи — муж и жена, пенсионеры, всю жизнь проработавшие в областных управленческих структурах, тоже кое-что мне рассказывали. По их словам, последние годы на Алтайщине серьезно обострились взаимоотношения между финансово-промышленными группировками, так или иначе связанными с Западной Европой и США, и теми, что тянутся сюда из Китая. И те и другие в той или иной мере связаны с организованным криминалом. С запада сюда рвется Коза Ностра, с востока — триады. Мои соседи дали мне телефон своего знакомого, бывшего сотрудника ОБХСС, который этим вопросом владеет очень даже неплохо.

Хлопнув себя ладонями по коленкам, Вольнов рассмеялся.

— Вот что значит профессионалы! Кстати, без ложной скромности, к оным отношу и себя, грешного, — добавил он, понизив голос. — Нет, в самом деле! Таким и в дороге покоя нет. Вон, даже своих соседей раскрутили на предметный разговор. И, кстати, не напрасно — информация, мужики, получена ценнейшая... Ну так что, скоординируем наши действия на сегодня? Предполагаю поработать под прикрытием. Возьму пару своих ребят из местного управления и с ними разыграем, скажем, каких-нибудь сантехников, электриков, чтобы как следует изучить обстановку в Лазурном Саде. У вас какие соображения?

— Наверное, будем работать на контрасте! — Испытующе взглянув на Александра, Лев продолжил: — Ты с ребятами — негласно. А вот мы со Стасом — наоборот, с шумом и треском. Для чего это нужно? Во-первых, на вас — уже точно! — никто не обратит внимания, поскольку оно будет целиком и полностью приковано к нам. Во-вторых, это спровоцирует активную слежку со стороны тех, кто нас интересует. И если мы их возьмем — а на этот счет опыт у нас со Стасом богатый, — то хотя бы будет рабочий «материал» для, так сказать, следственных мероприятий.

— Идея классная! — одобрил Станислав. — Сейчас поедем в областное управление и устроим там хороший тарарам. Гарантия, что все гадюки подколодные тут же отреагируют.

Вольнов пожал плечами.

— Ну, вам виднее... — произнес он, о чем-то напряженно думая. — Но, надеюсь, шум будет поднят не по поводу Хантли?

— Саша, ты за кого нас принимаешь? — Гуров укоризненно покачал головой. — Разумеется, дежурный повод будет никак с этим не связан. Скажем, мы прилетели проверить информацию по публикациям Карского. В его бывшую газету тоже обязательно заглянем, о дележке земель шум поднимем... Вроде того, что это вы, братцы, мышей ловить перестали? Но идиоту же понятно, что у наших «клиентов» в УВД есть свои информаторы. И будем исходить из того, что «клиенты» — вовсе не дураки. Они начнут подозревать, что цели и задачи нашего визита не совсем те, какие мы огласили. Но и уверенности в обратном у них не будет. А вот этой-то неопределенностью мы и воспользуемся. Шпионить они за нами будут — и к гадалке не ходи. Кстати, это очень удачно, что мы живем в разных номерах. Думаю, и такие вот летучки теперь нам проводить придется как-то по-другому, уже не столь открыто. Переходим на нелегальное положение.

— Да, лишний раз убеждаюсь в том, почему ваш рейтинг в главке самый высокий... — сказал Александр. — Добро, работаем!

...Менее чем через час в областное управление внутренних дел вошли двое сурового вида мужчин в штатской одежде, оба весьма нехилых габаритов, с хорошей выправкой. Но их появление сюрпризом для здешних управленцев не стало. Незадолго до этого в УВД позвонили из столичного главного управления угрозыска. Его начальник генерал-лейтенант Орлов уведомил, что по ряду фактов, связанных с деятельностью регионального управления полиции, у главка возникло к этому ведомству немало серьезных вопросов. В связи с этим для разбора ситуации на месте в Барнаул были направлены два ответственных сотрудника. Впрочем, Гуров и Крячко про этот звонок знали отлично, более того они сами предварительно созвонились с Петром и попросили его подготовить почву соответствующим образом.

Пройдя к одному из замов начальника УВД (сам начальник, будучи в отпуске, в это время где-то отдыхал), тучному полковнику лет пятидесяти, гости из столицы попросили его в общих чертах изложить им текущую оперативную обстановку и рассказать о конкретных обстоятельствах проблемных случаев, связанных с Булейским районом. Лев сразу же заметил, что при одном лишь упоминании о Булее хозяин кабинета поморщился, как от зубной боли. Судя по всему, у областных контор мороки с этой территторией было предостаточно.

— ...Ну, что вам сказать об оперативной ситуации в целом? — сокрушаясь, замначальника развел руками. — Она — как и везде, скажем так, стабильно непростая. За минувший год по тяжким нам удалось добиться заметного снижения. А вот по кражам и мошенничеству произошел определенный рост... Что касается публикаций журналиста Карского в «Народном слове», то его же коллеги уже опровергли многое из им написанного. Парень гонялся за дешевой популярностью, вот и сочинял статейки на основе фактов, взятых с потолка.

— То есть, надо понимать, в окрестностях Лазурного Сада ничего такого, о чем он писал, не происходило? — недоуменно спросил, Крячко.

— Ну-у... Как не происходило? Без этого не бывает. Где-то что-то обязательно случается. Но вопрос-то в том, как все это преподнести, как интерпретировать. В коттеджном массиве Лазурный Сад, как и везде, как и в любом населенном пункте, люди рождаются и умирают. Да, там было три или четыре случая смерти людей, которые, в общем-то, никак не подпадали под признаки того, что происшедшее — следствие чьего-то злого умысла. В общем, случилось так, что в самом коттеджном массиве и соседней с ним деревне всего за неделю произошло сразу два суицида и два несчастных случая — ДТП и один утонувший.

— А более конкретно можно — как именно и при каких обстоятельствах это произошло? Что это были за люди, чем занимались, где проживали? — внимательно глядя на своего собеседника, невозмутимым тоном поинтересовался Гуров.

— Знаете, это вам надо к майору Томиляну. Он владеет подобной информацией. Его кабинет — по этому же коридору, номер восемь.

— Зайдем... — Лев в знак согласия кивнул. — Еще вопрос. Что там за земельные споры в Булейском районе? Почему ваш подчиненный оказался замешан в этом жульническом конфликте?

Похоже, этот вопрос для хозяина кабинета оказался самым сложным. Он тягостно вздохнул и в общих чертах повторил все то, что операм уже и так было хорошо известно (хитрые и коварные фирмачи подставили наивного и кристально честного человека).

— Ну а хотя бы что это за фирмы — как называются, где зарегистрированы, — вам известно? — уточнил Станислав.

— Это тоже у майора Томиляна... — ответил полковник. — Простите, а я мог бы спросить, откуда в главк поступила информация о... Ну, о тех или иных происшествиях в нашем регионе?

— Ответить можем в пределах возможного, — Гуров сдержанно улыбнулся. — По электронной почте нам пришло письмо от конкретного лица с изложением ряда фактов, требующих проверки. В интересах следствия автора письма назвать пока не имеем возможности. Кстати, нам необходим транспорт для поездок по городу и району.

— Поможем! Обязательно выделим! — энергично закивал полковник.

Завершив разговор и определившись относительно обещанного им автомобиля, опера отправились в восьмой кабинет. Его хозяин — рослый, смуглый майор лет сорока — был подвижен и радушен. Блистая оптимистичной улыбкой, он достал из ящика стола несколько папок с бумагами и охотно рассказал обо всех четырех случаях смерти людей, заинтересовавших гостей из столицы.

— Житель деревни Матвеевка Андрей Горлачев, — деловито читал Томилян, листая бумаги. — Фермер, сорок лет, покончил с собой, повесившись. У него семья — жена и трое детей школьного возраста. Причина суицида, по мнению семьи и соседей, проблемы в личной жизни, проблемы с хозяйством... Был найден в гараже, где хранил свою сельскохозяйственную технику. Первичный осмотр места происшествия проводил участковый Синяков. Далее...

Следующим из суицидчиков был назван пенсионер Федор Аристов, тоже житель Матвеевки, отравившийся сильнодействующими таблетками. Предположительная причина такого поступка — онкологическое заболевание, причинявшее сильные боли. Обнаружен был соседями, которые, заметив, что утром старик не выгнал свою скотину на пастбище, зашли его проведать.

Из погибших в результате несчастного случая первым был назван военный пенсионер Леонид Синица, проживавший в «Лазурном Саду». Он был сбит насмерть неустановленным легковым автомобилем, когда переходил дорогу в неположенном месте невдалеке от коттеджного поселка.

— А там что у них, скоростная трасса? — Гуров внимательно посмотрел на майора. — И вы сказали — «в неположенном месте». Там есть дорожная разметка, и он проигнорировал «зебру»?

Майор в ответ лишь беспомощно развел руками и указал на папку с бумагами.

— Здесь так написано... Можете лично убедиться. Вот, смотрите!

— Да верю я, верю... — Гуров отмахнулся. — Автомобиль, ставший причиной смерти Синицы, найти так и не удалось?

— Нет, товарищ полковник, не удалось... — огорченно подтвердил майор.

Как явствовало из материалов, подшитых в четвертой папке, в озере Булей во время одиночного купания утонула тридцатипятилетняя жительница Матвеевки София Ненилова. Женщина работала продавцом в деревенском продуктовом киоске, принадлежащем жителю Лазурного Сада Джафару Мамедову. Погибла она при невыясненных обстоятельствах, факт ее смерти был установлен случайно — дети, ходившие на рыбалку, нашли на берегу ее одежду. Признаков, которые бы говорили о примененном к ней насилия, не установлено.

— У нее семья, или она была одиночкой? — поинтересовался Крячко.

— А-а-а... Да! Была в разводе, одна воспитывала дочь двенадцати лет, — поспешно пояснил майор. — Да вы сами можете ознакомиться с этими материалами.

Устроившись за столом у окна, опера пролистали папки с актами экспертиз, протоколами, справками, свидетельскими показаниями, фотографиями с места происшествия. В этот момент запиликал телефон Гурова. Звонил Вольнов.

— Лева, разыскали наши ребята Михаила Карского. Оказывается, он пару месяцев назад вернулся в Барнаул. Сейчас он прописан по адресу: улица Кедровая, семьдесят семь, квартира одиннадцать. Как у вас со Стасом?

— Изучаем дела... — односложно ответил Гуров.

— Лишние уши рядом? — догадался Александр. — А мы сейчас на выезд. Ну, ты понял, куда именно. Удачи!

— Что, нашелся Карский? — шепотом спросил Станислав. — О-о-о! Это очень даже здорово!

Проработав бумаги, опера вернули их майору, который к этому моменту разыскал материалы по земельному спору между двумя фирмами. Открыв папку, забитую бумагами, Лев и Стас приступили к изучению материалов. Согласно документам, первым приобретателем спорной территории была некая торгово-посредническая фирма «Прометей-Базис», которая завладела этим участком еще около десяти лет назад. Основанием для сделки стало решение районной администрации, вынесенное в две тысячи четвертом году. К нему прилагалась справка — скорее всего, «липовая», свидетельствующая о том, что данные земли утратили статус заповедных и теперь могут использоваться как для сельскохозяйственного производства, так и для жилищного строительства.

Лишь основательно порывшись в подшитых бумагах, опера смогли-таки разыскать адрес, где находится головной офис «Прометея-Базиса». Как оказалось, в Москве! Сама же фирма была зарегистрирована на Кипре, а ее бенефициаром являлась другая фирма, зарегистрированная на Мальдивских островах.

— Интересно ветер дунул, интересно дым пошел! — рассмеялся Стас, покачав головой. — По сути, иностранная шарашка купила кусище земли. К тому же в природоохранной зоне. Это вот до какой степени надо потерять совесть, чтобы внаглую распродавать Россию по кускам кому ни попадя?! Я не сталинист, но кое в чем Коба был прав — таких только к стенке! А кто же конкурент этого «Прометея»?

Усмехнувшись, Гуров указал пальцем на еще одну справку, где в графе «Информация об ответчике» было сказано: «Фирма «Галактика-Прим» — консалтинговая и патентная деятельность, головной офис — Санкт-Петребург, место юридической регистрации — Либерия. Бенефициар — банк «Джимми Крик», Лондон, улица принца Вильяма».

— Тоже, как говорится, хрен редьки не слаще... — Крячко подпер голову кулаком. — Вся мировая уголовная шантрапа понабежала. Ну, что тут думать? Похоже, крупных акул тут нам никак не выудить — все главные фигуранты за «бугром». В нашем распоряжении только щучки местного разлива. А из них хорошей ухи не сваришь... Куда думаешь сейчас?

Потерев глаза, Лев задумчиво предложил:

— Давай каждый возьмем по направлению. Скажем, я могу съездить в редакцию «Народного слова», а ты — к Карскому.

— Да, в принципе, я не против... — охотно согласился Стас. — А в редакцию-то теперь зачем, если есть сам Карский?

Гуров негромко рассмеялся и, оглянувшись в сторону майора, объявил:

— Спасибо за помощь. Нам пора, до свидания.

Когда они вышли на улицу, он добавил:

— Мы создаем информационный фон, как и определились заранее. Нам нужно создать вокруг себя как можно больше шума и ажиотажа. Кстати, начинай отслеживать шпиков и постарайся не нарваться на их козни. Я так понял, эта публика на многое горазда!

Увидев невдалеке от входа в управление «четырнадцатую» со служебными номерами, Лев подошел к машине и, уточнив у шофера, не он ли за ними закреплен, махнул Станиславу рукой:

— Поехали!

Лихо стартовав с некоторой даже пробуксовкой, авто ринулось в бегущий по улице нескончаемый поток машин. На первом же перекрестке, свернув влево, «четырнадцатая» покатила в сторону улицы Кедровой.

...Армия, полиция, разведка и контрразведка любой страны — это аналог защитных сил живого организма, обеспечивающих его жизнестойкость путем блокирования и даже физического уничтожения любого агента, несущего в себе угрозу. Ослабление этих структур влечет немедленный рост самых разных рисков внешнего и внутреннего характера, способных радикальным образом повлиять на будущее такой страны. В частности, вынудить ее руководство так или иначе менять политический курс и даже признать свою зависимость от других государств.

Высокое Собрание Магистров и Рыцарей уже констатировало факт существенного снижения боеспособности российской армии, которая численно уступает былым вооруженным силам СССР, имеет более слабую идеологическую составляющую и несравненно более низкий моральный дух. Тем не менее обладание Россией атомным и термоядерным оружием, как и раньше, вынуждает СЦМ считаться с ее мнением и настроениями. Поэтому вырвать «ядерные клыки» у русской армии — наша задача номер один.

Неоднократные попытки радикально сократить российскую ядерную военную мощь, к сожалению, желаемого результата пока не достигли. Блестящие результаты западной дипломатии, сумевшей в середине 90-х заставить русских уничтожить МБР «Сатана» и военные поезда с мобильными пусковыми установками баллистических ракет, на сегодня уже во многом сошли на нет. Русские в кратчайшие по историческим и технологическим меркам сроки сумели не только восстановить общий потенциал боеголовок, не только восстановить военные поезда с МБР, но и создать новый класс контейнерных ракетных комплексов, способных стать для СЦМ фактором сильнейшей военной угрозы.

Подводя итог вышесказанному, считаем необходимым, не прекращая поиска дипломатических вариантов решения проблемы российских стратегических наступательных вооружений (СНВ), основной центр приложения своих сил перенести на человеческий фактор. Ядерное оружие приводится в действие людьми. И эти люди должны иметь мировоззрение, внедренное в их умы нами и только нами. То есть мы вновь возвращаемся к необходимости активнейшей работы с российской школой, с российской молодежью в целом.

Постоянное, настойчивое промывание мозгов прозападной, антиславянской идеологией, внедрение эгоцентричных жизненных ориентиров, нравственное разложение легкодоступными наркотиками и порнографией — это тот базис, который поможет нам перепрограммировать целое поколение русских, которое само, своими руками пустит на слом авиацию и флот, танки и ракеты. Недавний успех 90-х позволяет надеяться на то, что на этот раз мы сумеем сделать Россию по-настоящему безоружной и беззащитной. Во всяком случае, удачное продвижение нашими агентами влияния на пост главы российского оборонного ведомства человека, который всего за несколько лет не менее чем на десятилетие отбросил назад российскую оборонную мощь, полностью подтверждает данные прогнозы.

Одновременно с крушением Советского Союза нам удалось уничтожить и одну из главных его силовых опор — Комитет государственной безопасности (КГБ). Следует признать, что при всей своей антизападной сущности данное формирование было наименее коррумпированным и аккумулировало в нравственном плане самые лучшие кадры. Его сегодняшний аналог во многом копирует общероссийские нравы и настроения нынешней поры, уступая КГБ и по моральной, и по правовой составляющей.

В те же 90-е нам удалось ослабить двух других советских монстров спецслужб, занимающихся внешней разведкой политического, экономического и военного характера. Тогда же нам удалось внедрить в эти структуры немалое число хорошо законспирированных «кротов». Эту деятельность нужно и сегодня всячески углублять и активизировать. Российская разведка должна служить средством дезинформации высшего руководства страны. Россия должна быть подобна слепому, которого подводят к краю пропасти, о чем он даже не подозревает.

В сфере внутригосударственного устройства России нам удалось добиться намного большего. В частности, коррумпирование органов внутренних дел, независимо от недавно проведенной русскими чисто косметической реформы МВД, остается весьма высоким. Большинством населения России полицейские формирования сегодня воспринимаются как государственная корпорация, замкнутая на собственных интересах и в первую очередь призванная обслуживать интересы правящего режима. Примерно такое же отношение у русских и к суду, и к прокуратуре.

Это — весьма отрадное явление, и его необходимо всячески усугублять. В частности, продолжить элитаризацию, корпоризацию и коммерциализацию юридического образования, дальнейшее превращение полиции, суда и прокуратуры в некие замкнутые, кастово обособленные секты, где все построено на корпоративной солидарности, круговой поруке и даче взяток. Для этого, используя свои финансовые и любые иные возможности, на ключевые посты, ведающие в данных ведомствах работой с кадрами, следует чрезвычайно активно продвигать наших агентов, которые бы вытесняли и изгоняли из силовых и правовых сфер самых честных и достойных, заменяя их на продажных и беспринципных.

В работе с крупными чиновниками упомянутых структур следует активнейшим образом вести подкуп как их самих, так и членов их семей, не жалея на это никаких денег. При этом все процедуры передачи денег должны фиксироваться видеосъемкой, чтобы мы имели возможность держать на крючке любое должностное лицо. Не менее эффективным средством контроля крупного чиновничества является широкое использование так называемых медовых ловушек. Корпоративные и персональные секс-оргии с участием элитных проституток обоего пола, тайно фиксируемые нашими агентами на видео, — чрезвычайно эффективное средство расшатывания внутриполитической ситуации в России и ухудшения ее имиджа на международной арене.

Россию должны ежедневно сотрясать коррупционные и секс-скандалы, которые, подобно землетрясению, разрушающему самые прочные крепостные стены, быстро разрушат российскую государственность. И мы к этому приложим максимальные усилия.

(Из меморандума совещания Рыцарей-Властителей высшего круга посвящения тайного ордена «Пламя Истины»)

* * *

Войдя в офисное здание времен семидесятых, Гуров быстро разыскал на третьем этаже несколько кабинетов, в которых располагалась редакция газеты «Народное слово». Он неспешно шагал по людному коридору, где одни куда-то бежали, другие стояли в коротенькой очереди к двери с табличкой «Отдел рекламы и объявлений». В конце коридора он подошел к двери с табличкой «Приемная» и едва не столкнулся лоб в лоб с чем-то раздраженным высоким гражданином в очках с мощной оправой. Интуитивно поняв, кто перед ним, Лев поздоровался и спросил:

— Вы — главный редактор? Тогда я к вам.

Он достал из кармана удостоверение и, развернув его, поднес к самому носу мужчины.

— Здравствуйте... — несколько растерянно ответил тот, окидывая нежданного гостя недоуменным взглядом. — А... Вы... По какому вопросу?

— Меня интересует случай с вашим бывшим журналистом Карским — Гуров доброжелательно улыбнулся, однако редактор ответил на это чрезвычайно кислой миной.

— Одну минуточку можно? — просительно произнес главный газетчик и, обернувшись к стоявшему поодаль мужчине, сердито прикрикнул: — Самсонов, забери свою сочиняйку и полностью ее переделай. Мне нужен материал, а не набор каких-то слов. Быстро давай!

Мужчина с унылым видом потащился к кабинету с табличной «Корреспонденты».

— Прошу! — отступив назад, главный редактор изобразил приглашающий жест.

Они сидели за столом в его кабинете и, отпивая чай, оперативно приготовленный секретаршей, обсуждали события двухлетней давности. По словам хозяина кабинета, назвавшегося Григорием Анатольевичем, Михаила Карского он всегда ценил и поддерживал, несмотря на его «фрондерские закидоны». На вопрос Льва, что именно он имеет в виду, его собеседник глубоко вздохнул и развел руками.

— ...Видите ли, мы живем в реальном, материальном мире, и это все определяет, — заговорил он тоном философа, глядя куда-то в окно. — Да, если исходить из высоких нравственных принципов, мы обязаны давать информацию, так сказать, невзирая на обстоятельства и лица. Но жизнь есть жизнь, и она вносит свои коррективы. Скажем, тот же Миша Карский... Кстати, это его творческий псевдоним. Настоящая фамилия — Курохватов. Он ее всегда немного стеснялся и поэтому сменил на более благозвучную. Так вот, он был ярым принципиалистом и писал открытым текстом такое, что нас то и дело вызывали в суд.

— Что, были проигранные дела? — поинтересовался Гуров.

Его собеседник в ответ отрицательно качнул головой. Но, по словам Григория Анатольевича, были не только иски. Непримиримость Карского очень сильно раздражала немалую часть региональной власти. А это было куда серьезнее частного иска какого-нибудь строительного магната, в деятельности которого принципиальный журналист выявил элементы мошенничества при строительстве жилья.

— ...Вот и с этим Лазурным Садом он создал газете немало проблем, — главный редактор говорил с горечью и досадой. — Я не знаю, кого именно он там задел, но наезд на нас был мощнейший. Представляете, целая сеть городских киосков вдруг расторгла с нами договоры и отказалась реализовывать нашу газету. Стали уходить самые крупные рекламодатели... А еще областной бюджет вдруг прекратил наше финансирование, и мы не получили давно обещанную нам машину. А те, что у нас есть, не выходят из ремонта. По сути, нам полностью перекрыли кислород.

— И тогда вам посоветовали расстаться с Карским и написать опровержение... — Лев понимающе кивнул. — А можно узнать, кто именно это подсказал? Хотя, думаю, сказать не можете. Хорошо. Тогда попытаюсь догадаться сам. Кто-то из министерства печати и информации?

Грустно усмехнувшись, его собеседник чуть заметно кивнул в знак согласия, хотя вслух сказал нечто иное:

— По этому поводу абсолютно ничего сказать вам не могу. Кстати, содержание нашего разговора мне следует сохранить в секрете?

— Ни в коем случае! — Гуров рассмеялся и изобразил широкий жест. — Я буду вам очень признателен, если о моем визите к вам узнает максимальное число людей. Можете даже опубликовать критический материал о грубости столичного опера, рассказать, будто я вам угрожал, требуя восстановить на работе Карского, что обещал весь регион поставить на уши, что грозился найти тех, кто, по моему мнению, действует в ущерб интересам России и «порвать их как тузик грелку»... Вот примерно так!

Ошарашенно похлопав глазами, главный редактор тоже рассмеялся. Покрутив головой, он негромко сказал:

— Вас понял! Завтра же в газете такая информация будет. Сделаем все как надо!.. А Карского, кстати, я не увольнял. Когда начались все эти подлые подковерные штучки-дрючки, он сам подал на расчет. Так что, если надумает вернуться — примем без вопросов.

Выйдя из редакции, Лев услышал звонок своего сотового телефона. Стас сообщил, что за ним заезжать не стоит — он уже в гостинице, доехал туда на такси. Сев в машину, Гуров первым делом глянул в зеркало заднего вида и тут же заметил не так давно мелькнувшую позади «четырнадцатой» синюю «Шкоду». «Чешка» была припаркована метрах в полусотне от их авто и поставлена с таким расчетом, чтобы можно было без помех стартовать и немедленно отправиться в погоню.

Достав телефон, он связался с Вольновым и вкратце сообщил ему о машине предполагаемых соглядатаев. Тот пообещал немедленно связаться со своими местными коллегами и поручить им проверку этой машины по части ее персональной принадлежности.

— ...Брать их не думаешь? — поинтересовался Александр.

— Нет, пусть пока за мной помотаются, пусть думают, что я их не замечаю, — с оттенком иронии в голосе пояснил Гуров. — Сейчас, скорее всего, за мной таскается мелкая шушера. А вот завтра, мне так кажется, может подгрести рыбешка и покрупнее. Так что спешка тут ни к чему.

Когда «четырнадцатая» остановилась у «Тобола», он отпустил шофера на время обеда, распорядившись подъехать не позже тринадцати часов. Поднявшись на просторное крыльцо, Лев вгляделся в зеркальное стекло гостиничного вестибюля. Синей «Шкоды» ни вблизи, ни в отдалении заметно не было. Зато появилась белая «Ауди». Гуров и сам не понимал, почему именно эта машина бросилась ему в глаза, хотя в той стороне было достаточно и других авто. Но чувствовал: это шпики.

Они со Стасом подкрепились в гостиничном кафе и отправились в тот же скверик, где были ранним утром. Сидя на скамейке в тени большой белоствольной березы, опера обсудили итоги своих встреч.

Выслушав Льва, Крячко рассказал о своей встрече с Михаилом Карским. Когда он поднялся на четвертый этаж и позвонил в одиннадцатую квартиру, Михаил оказался дома, хотя уже собирался куда-то ехать. Появление крепкого, плечистого незнакомца в потертой кожаной ветровке он вначале воспринял настороженно, но затем, убедившись, что это и в самом деле опер, прибывший из Москвы, кому-то позвонил по телефону и перенес намечавшуюся встречу. Пригласив гостя пройти в залу, он объявил, что согласен ответить на все его вопросы.

Как рассказал Михаил, он и в самом деле добровольно ушел из газеты, чтобы от редакции отстала «стая подковерных злыдней». Уехать из города ему пришлось по той простой причине, что после тогдашнего скандала ни в одно издание города и области его брать уже не решались — его таинственный гонитель оказался вездесущ, как Фантомас, и всемогущ, как бюро бывшего обкома партии. Какое-то время поработав в Омске (а вовсе не в Иркутске или Новосибирске, как сказала Лина), этим летом Михаил решил вернуться назад. С одной стороны, соскучился по родному Барнаулу, а с другой...

Как оказалось, в ту пору у него здесь была невеста, с которой они собирались пожениться, с которой строились какие-то планы. Но еще до его ухода из газеты все его планы рухнули по причине пустячной ссоры. В Омск Михаил уехал, даже не простившись. Однако полгода назад, случайно встретившись с Катей в поезде, он понял: себя не обманешь. Да и она за это время многое переосмыслила. Поэтому они решили быть вместе и уже никогда больше не разлучаться.

На вопрос Станислава об источниках информации о происшествиях в округе Лазурного Сада Карский ответил откровенно: он пообещал людям полную конфиденциальность и слова нарушить никак не может. Однако пояснил, что этот коттеджный поселок и в самом деле в последние годы стал каким-то осиным гнездом, где постоянно происходят какие-то не очень хорошие, а то и вовсе скверные истории. Было несколько случаев бесследного исчезновения людей, случались пожары. В том числе и с человеческими жертвами.

— ...Ну и что ж там за упырь такой мог завестись? — спросил Крячко, внимательно слушавший Михаила. — Неужели нет хоть каких-то предположений?

— Предположения есть, но... Предполагать-то можно все что угодно! — Михаил, раздувая щеки, напряженно выдохнул и провел по лицу ладонями. — У меня самого версия такая. Я считаю, что в Лазурном Саду завелась секта сатанистов, которые маскируют свои жертвоприношения под несчастные случаи, суицид и безвестное исчезновение людей по неустановленным причинам. Другое на ум почему-то не приходит...

— А это не может быть связано с тем, что этот поселок... вернее, его население — всего лишь условные статисты, которые там не живут, а только лишь «греют» обжитые места для настоящих хозяев? — Крячко с любопытством взглянул на Карского. — А гибель и исчезновения людей — всего лишь устранение по тем или иным причинам неугодных главарю всей этой коттеджной шарашки?

Насколько можно было судить по лицу Михаила, этот пассаж его здорово озадачил.

— Такое имя — барон Дэвидштейн — слышать не доводилось? — продолжал Стас безмятежным тоном.

— Да, как-то раз слышал... — почти шепотом признался Карский. — Но человек, который мне его назвал, предупредил, чтобы я от всякого, кто его произносит, держался подальше, а сам не произносил даже наедине с самим собой. По его словам, этот барон — сущий дьявол. У него везде свои глаза и уши, он даже знает, кто и о чем думает.

— Миша, и ты в это веришь?! — Крячко выжидающе прищурился.

— Я и сам не знаю, верить в это или нет, но всего через неделю тот человек бесследно исчез. Пошел в магазин за сигаретами и — как в воздухе растворился. А через месяц в озере утонула продавщица, Софья Ненилова.

— Миша, я не настаиваю, но мне хотелось бы знать, как звали того человека и что именно он тебе говорил, — Стас выглядел предельно серьезным, его голос звучал уверенно и деловито.

Карский задумался, как видно, испытывая внутреннюю борьбу между боязнью стать жертвой таинственных отморозков и желанием помочь расследованию.

— Станислав Васильевич, за себя я не боюсь, и это в доказательствах не нуждается. Если бы я был трусом, согласитесь, то не стал бы писать то, что всегда писал. Я боюсь подставить Катю... — наконец, проронил он, понурив голову. — Если с ней не дай бог что-то случится, этого я не переживу.

Крячко, поднявшись с кресла, прошелся по комнате взад-вперед.

— Говоришь, он слышит на любом расстоянии и словно читает чужие мысли?.. — пробормотал он, глядя по сторонам.

Оглянувшись, Стас подошел к окну и посмотрел вниз. Ему в глаза сразу же бросилась белая легковушка, чем-то напоминающая «Хонду», которая стояла через дорогу от дома. Стас сразу же понял, чем она привлекла его внимание: там, где она находилась, он никогда бы не остановился. Место было — ни туда, ни сюда по части удобства даже для временной парковки. А эта «Хонда», скорее всего, стояла там не так уж и мало времени. И чего бы ради ей там торчать? Возможно, из-за того, что оттуда весь семьдесят седьмой дом как на ладони? И тут Станиславу в голову пришла одна хитрая мысль.

— Гляди-ка, машина какая-то подозрительная стоит на дороге! — громко сказал он, как бы для Михаила. — А пойду-ка, проверю, что это за там за шараш-монтаж торчит...

Это было невероятно, но даже с расстояния не менее чем полторы сотни метров он смог различить, как какая-то серая (скорее всего, пластмассовая) труба, выглядывавшая из приоткрытого заднего окна «Хонды», немедленно убралась внутрь, густо тонированное стекло резво поднялось вверх, а сама машина лихо рванула вперед.

— Есть контакт! — хлопнув ладонью по подоконнику, Крячко торжествующе рассмеялся. — Миша, хочешь, расскажу, как этот «дьявол во плоти» якобы читает чужие мысли?

Торопливо почти подбежавший к нему Карский тоже поспешно выглянул в окно.

— Нас подслушивали? — спросил он с горечью в голосе.

— И это очень хорошо, что подслушивали! — в глазах Стаса забегали хитрые искорки, как у прожженного картежника, которому долго не везло, но вдруг пришли хорошие козыри. — Ситуация такова. Есть специальный лазерный локатор, на большом расстоянии улавливающий колебания оконного стекла, и мощный компьютерный комплекс, который выделяет из множества шумов именно тот разговор, который интересует соглядатаев. Вот и вся дьявольщина, подпитанная техническими новшествами. Скорее всего, тот твой знакомый, будучи в магазине, в разговоре с Софьей проболтался о бароне, а их с улицы подслушали. Поэтому он и сам сгинул, и женщину погубил своим болтливым языком.

— Так, так, та-а-ак!.. — словно избавляясь от мистического ужаса, Михаил просветлел лицом и снова выглянул в окно. — Я понял! Вы специально сказали о подозрительной машине, чтобы проверить, есть ли прослушка. Верно?

— Молодец! — Крячко одобрительно рассмеялся. — Соображалка работает! Ну, рассказывай про этого барона — что там тебе тот бедолага успел наговорить? Не бойся! Я знаю хороший способ, как вас с Катей увести из-под удара и «сделать» их самих.

Теперь уже без тени боязни Карский рассказал, что о бароне ему поведал бывший житель Лазурного Сада, его звали Степан Степанович Зулькин. Тот одно время работал поселковым сантехником и, общаясь с людьми, слышал от них много чего занимательного. Вот ему как-то раз один житель поселка за бутылочкой «беленькой» кое-что и рассказал про Барона.

— Догадываюсь, кто бы это мог быть — скорее всего, военный пенсионер Леонид Синица? — Стас с понимающим видом покачал головой.

— Да, Синица... Зулькин мне фамилию не называл, а только намекнул, что ему насчет барона одна птаха нащебетала.

Крячко коротко рассмеялся.

— Конспиратор хренов! — сказал он с сарказмом — Тоже мне, зашифровал фамилию. Да тут любой бы дурак догадался, о ком именно идет речь! И что же он слышал от Синицы?

— Что этот барон — реальный хозяин всего поселка. Тамошний староста — это просто статист, пустое место. А вот по-настоящему командует только барон. Но командует не сам, а через своих прислужников. А те тоже не светятся. Они передают его распоряжения через местных алкашей, с которых какой может быть спрос? Попробуй, узнай, кто отдал команду — черта с два скажут! Он как паук — постоянно в тени, только за нужные ниточки дергает. Живет он вроде бы на улице Малиновой — там все улицы носят фруктовые или овощные названия. А вот какой дом — не знаю. Станислав Васильевич, ну а нам с Катей как теперь быть? Что посоветуете?

— Есть тут у меня задумка одна ... — подмигнув, Крячко воздел указательный палец.

...Слушая Стаса, Лев время от времени кивал, как бы подтверждая правильность его действий.

— Ну и что там у тебя за задумка? — спросил он, внимательно оглядев прилегающую территорию.

— Этот фокус мы однажды уже использовали — ловля на живца. Думаю провернуть его еще раз.

— Ну, а почему бы нет? — Гуров пожал плечами. — Давай рискнем!

...Часа два спустя на улице Кедровой у дома семьдесят семь остановилась «четырнадцатая» «Лада» с госномерами, из которой вышел все тот же крепыш в потертой кожаной ветровке. Он прошел в первый подъезд, а всего через четверть часа к тому же подъезду подлетела машина «Скорой», и двое дюжих санитаров, докторша и две медсестры торопливо скрылись за металлической дверью. Еще через пару минут санитары вынесли носилки, накрытые простыней, под которой различался силуэт человека, с кровавым пятном в том месте, где была его голова.

Носилки вынесли головой вперед. Это означало, что человек жив, но находится в очень тяжелом состоянии. Об этом же говорила и безвольно свисшая с носилок рука с краем рукава кожаной ветровки. Случайные прохожие удивленно оглядывались. Кое-кто даже подходил и спрашивал, из какой квартиры пострадавший и что вообще произошло.

Одна из медсестер, оглянувшись, скороговоркой пояснила любопытствующим, что это — опер из Москвы, полковник полиции, который шел в одиннадцатую квартиру по служебным делам, но оступился и, упав вниз головой, получил серьезную ЗЧМТ (закрытую черепно-мозговую травму). Один из зевак тут же, отойдя в сторону, достал сотовый и кому-то что-то сообщил.

Когда машина «Скорой» отбыла восвояси, из первого подъезда вышла молодая женщина, которая, оглядевшись по сторонам, направилась к остановке автобуса.

Гуров в это время подъезжал к старинному трехэтажному дому на улице Прибрежной. Он созвонился с бывшим работником ОБХСС, и тот предложил приехать к нему домой, чтобы там, за чаем, обсудить все интересующие Льва вопросы. Николай Прокопьевич, отставной майор милиции, еще крепкий и статный, радушно встретив коллегу, за чаем рассказал о немалом числе афер, в том числе и с землей, раскрытых им за годы службы.

— ...Да, с некоторых пор в наши края как мухи на мед начали слетаться всякие аферисты и авантюристы, — задумчиво рассказывал Николай Прокопьевич. — И все при куче денег, и все при покровителях... В основном международная оргпреступность. С запада рвется американская Коза Ностра, с востока — триады. Не исключаю завуалированного присутствия и якудзы.

— Они меж собой сотрудничают или конкурируют? — слушая его, поинтересовался Гуров.

— Скажем так — «дружат» против нас. Я раскрыл тринадцать случаев незаконной продажи земли иностранцам через подставные фирмы. И больше всего таких афер приходилось на Булейский район. Возьмем коттеджный поселок Лазурный Сад. Там где ни копни — сплошные нарушения. Но это только «хвост дракона» земельной коррупции. Одна из его голов, причем не самая крупная — в самом Булее. Это частный банк «Бийский капитал». Прочие — в Москве и даже за границей. Подозреваю, что именно через «Бийский капитал» прокачивались все «грязные» деньги, связанные с земельными махинациями. Я, было дело, уже начал к нему подбираться, но меня неожиданно отправили на пенсию. А на мое место пришел один из молодых да ранних. Расследование в отношении банка при нем сразу же прекратилось, якобы по причине отсутствия состава преступления... То, что это решение было оплачено — яснее ясного. Скажем, я всю жизнь проездил на «двойке». Этот за год купил себе «Форд Фокус».

Просидев в гостях около часа и узнав много интересного, Гуров вернулся в гостиницу. В вестибюле он почти носом к носу столкнулся с Вольновым. Соблюдая конспирацию, они сделали вид, что меж собой незнакомы. Вертлявый молодой портье, увидев Льва, шутливо поинтересовался:

— Где ж своего соседа потеряли?

— Он в реанимации... — грустно сообщил Гуров. — Тяжелая черепно-мозговая травма.

— Какая жалость! — как-то не очень искренне воскликнул тот (во всяком случае, Льву так показалось), несколько театрально всплеснув руками. — Вы сейчас к себе? — для чего-то спросил портье.

— М-м-м... Нет, пока схожу в буфет, а потом поеду проведать коллегу... — свернув в сторону буфета, с ленцой в голосе уведомил Лев.

Краем глаза он заметил, как портье, глядя ему вслед, достал из кармана мобильный телефон. Стало яснее ясного, что именно сейчас в их со Стасом номере происходит обыск.

Едва свернув за угол, Гуров тут же поспешил к лестнице, ведущей на верхние этажи. Подойдя к своему номеру, он достал из кармана памятный английский набор воровских отмычек, раздобытый им у лондонской карманницы. Лев подобрал нужную замысловатой формы отмычку из никелированной стали и без единого щелчка отомкнул замок.

Приоткрыв дверь, заглянул в номер. У стола, стоящего перед окном, он увидел их горничную, которая, что-то искала в его папке. Достав из кармана телефон и настроив его камеру на видеосъемку, Гуров бесшумно шагнул в комнату и, поставив телефон на придверную тумбочку, негромко спросил:

— Вам помочь?

Ойкнув, горничная резко обернулась в его сторону, как видно, не зная, что сказать. Но, скорее всего, сообразив, что этого гражданина «на сопли и мякину» не разведешь, словно камикадзе, идущий на смертельный таран, она решительно сбросила с плеч свой рабочий халат фирменных расцветок, вслед за которым на пол полетели блузка, бюстгальтер... Нахально нацелив в сторону постояльца грудь, горничная шагнула к нему, медленно спуская с бедер юбку и трусики.

Однако, к ее досаде, на этот спонтанный экспромт-стриптиз тот никак не отреагировал. Поморщившись, Лев отрицательно качнул головой и насмешливо посоветовал:

— Срам свой прикрой! Чего разнагишалась? Я — не Доминик Стросс-Кан, а ты не негритянка Диалло... Закругляйся с этим представлением!

На мгновение растерянно остановившись, горничная неожиданно завопила, царапая себя ногтями:

— Помогите! Насилуют!! А-а-а!!!

Не ожидавший такого демарша Лев громко рассмеялся, качая головой из стороны в сторону — настолько глупо и нелепо выглядела эта странная девица. Осекшись на полуслове, та вопросительно воззрилась на Гурова.

— Чего орешь, дуреха? — укоризненно спросил Лев и, взяв с тумбочки телефон, показал его горничной. — Все снято на видео. Показать? Теперь не ты, а я имею право подать на тебя в суд за такую провокационную выходку. А учитывая, что ты пыталась подкупить собой офицера полиции, находящегося при исполнении, отмотают тебе срок — мама не горюй!

Деморализованная происходящим, горничная некоторое время стояла столбом, растерянно хлопая глазами. Затем она дрогнула и, прикрываясь руками, торопливо заговорила уже совсем другим, умоляющим тоном:

— Господи! Вот так влипла... Слушай, а давай разрулим это без скандала? Нет, если и вправду хочешь — возьми меня, и проблему на этом закроем. А? Ну, чего ты? Неужели я такая страшная? Очень прошу — не надо в суд! Я не хочу в тюрьму! — на ее ресницах блеснули слезы.

— Прекрати! — строгим тоном остановил девушку Гуров. — Сначала оденься, а потом поговорим.

Когда горничная привела себя в порядок и, повинуясь жесту Льва, села на стул, он, тоже опустившись на свободный стул у стола, спросил:

— Кто и для чего поручил тебе рыться в моих бумагах? Врать не советую — «липу» почувствую в момент. Ответишь честно — снятое камерой тут же сотру. Слушаю!

Закивав в ответ, «стриптизерша» сообщила, что поручение ей дал портье Никита, который пригрозил, что невыполнение чревато немедленным увольнением. Он же проинструктировал и как себя вести, если ее вдруг застигнут врасплох. В бумагах постояльцев этого номера ей нужно было найти текущие планы работы и иные документы, которые бы прояснили цель прибытия московских сыщиков. Насте — так звали горничную — портье приказал сфотографировать найденное цифровой мини-камерой.

— Теперь меня отсюда гарантированно выгонят... — шмыгая носом, пожалобилась горничная.

— А кто хозяин вашей гостиницы? — о чем-то смутно начиная догадываться, поинтересовался Гуров.

— Так его тут вообще никто не знает, но я слышала, что его зовут Валентином Семеновичем. Живет он вроде бы в Булейском районе, забыла, в каком именно месте...

— Случайно, не в Лазурном Саду? — Лев пристально посмотрел на свою собеседницу.

— Да, да, именно там! — обрадовалась Настя.

— Смотри! — Гуров показал ей свой телефон. — Нажимаю на кнопку — все, файл стерт. Теперь вот что... О нашем разговоре Никите — ни слова. Это и в твоих же интересах. Значит, тебе нужны снимки бумаг... Хорошо! На, вот это, это и это — снимай своей камерой. Для отмазки сгодится, — он подал ей несколько мало что значащих справок.

Покидая номер, Настя оглянулась. Уже вполне пришедшая в себя и даже повеселевшая, она окинула Льва любопытным, оценивающим взглядом.

— А вот, если честно, то все-таки почему ты меня не захотел? — тряхнув волосами, неожиданно спросила она.

— Ну, женщины! — Гуров усмехнулся. — Тебя это очень волнует? Хорошо... У меня есть жена, к которой я до сих пор неравнодушен. Такой ответ устраивает?

— Мне бы такого... — горничная тягостно вздохнула. — Только похожего, скорее всего, найти уже нереально.

...Пройдя в холл гостиницы со стороны буфета, Гуров краем глаза заметил удрученно-досадливое лицо портье. Судя по всему, тот остался крайне недоволен тем, как горничная выполнила его задание. Лев вышел из гостиницы и направился к скверу. Отойдя за стену разросшегося бордюрного кустарника, созвонился с Вольновым.

— Саша, как-нибудь незаметно пройди в сквер к старому дубу. Есть интересная информация, — сообщил он, услышав отклик Александра.

Тот появился менее чем через пять минут. Лев вкратце рассказал ему об итогах своих встреч, а также об операции, которую самолично решил провести Станислав. Сообщил и о только что происшедшем в их номере.

— ...Значит, Валентин Семенович? — задумчиво переспросил Вольнов. — Надо будет пробить его через наши базы данных...

По его словам, сегодня с утра еще с двумя местными фээсбэшниками, под видом команды сантехников, проверяющих состояние подземных коммуникаций, они больше полдня провели на улицах Лазурного Сада. При этом спецслужбисты постоянно вели запись разговоров всех, кто находился дома, неприметно снимая их лазерными радарами с окон коттеджей.

— ...Ничего интересного не услышали... — с досадой сказал Александр. — Так себе, пустая болтовня. Вам со Стасом повезло больше. Особенно тебе!.. — покрутив головой, он рассмеялся, намекая на «представление», устроенное горничной.

Впрочем, кое-что интересное засечь в Лазурном Саду команде Вольнова все же удалось. Когда фээсбэшники, облаченные в комбинезоны сантехников, спускались в канализационные люки, взглянув на окна одного из коттеджей, напротив которого в тот момент они остановились, Александр встретился взглядом с жильцом этого дома. Тот хмуро наблюдал за ними, чуть раздвинув занавески.

— ...Поверишь ли, такая страхоглядная, здоровенная морда! Его в фильме «Вий» можно было бы и без грима снимать. Да! Какой-то весь темный, опухший... Буркала мутные, веки — в ладонь толщиной, щетина — в палец, уши толстые, мохнатые, носяра толстенный, нижняя челюсть — как у мерина-тяжеловоза. И, вот знаешь, взгляд у него такой неприятный, пронизывающий. Один из моих помощников, Ромка, в это время спускался в шахту. Он к этому дому находился спиной. И что бы ты думал?! Почувствовал его взгляд и обернулся. Он мне потом говорил, что в этот момент откуда-то ему в спину как будто могильным холодом повеяло.

— А что это за страшила, узнать не удалось? — на лице Гурова отразилось напряженное размышление.

— Нет... — Вольнов досадливо поморщился. — Представляешь, мимо шла какая-то женщина, мы к ней обратились с пустячным вопросом, чтобы завязать разговор. Она от нас так шарахнулась! Как будто перед ней были не сантехники, а монстры из преисподней. Там вообще атмосфера угнетающая, все зажато, все заторможено... Мы в тамошний магазин зашли за продуктами — цены, кстати, обалдеть! — и попросили булочек и сока. Продавщица улыбается, правда, как-то принужденно. Только я ее спросил — а чего это все тут такие зашуганные? — она вмиг переменилась. Посмотрела на нас так, будто мы потребовали отдать всю дневную выручку. Адрес-то этого «мордоносца» я запомнил — улица Малиновая, дом девять. Но, сам понимаешь, не пойдут же сантехники в местную администрацию выяснять, кто где проживает!

— Ничего, завтра мы со Стасом прикатим. Разберемся! — Лев хитро прищурился и огляделся по сторонам. — А на улице Малиновой, между прочим, как сказал Стасу журналист Карский, барон Дэвидштейн и проживает. Не его ли вы там видели? Черт! Если это он и в самом деле, то как бы чего, зараза, не заподозрил и не смылся!

Сунув руки в карманы брюк, Александр удивленно хмыкнул.

— Ё-п-р-с-т!.. — задумчиво произнес он с расстановкой. — Неужто и в самом деле это был он? Конечно, окончательные выводы делать рано. Если чья-то физия не понравилась — это еще не повод к подозрениям. Но!.. Как ни верти, из всего этого вырисовывается что-то уж очень необычное. Точно, точно, точно! Печенкой чую: этот мужичок — не просто обыватель. Слушай, Лев, а по поводу этого Никиты у тебя какие соображения?

— Вот это я с тобой и собирался обсудить, — Гуров наморщил лоб. — За ним бы наблюдение установить. Но через местное УВД этот вопрос пробивать не рискну. Уверен — есть там «крот». Наши подопечные уже сегодня будут знать, зачем на самом деле мы приехали, и — это можно гарантировать — они отреагируют сразу же.

— Понял! Сейчас же свяжусь со своей конторой. Что-нибудь придумаем. Я так понял, этого портье ты хочешь приберечь на крайний случай, если все прочие нити оборвутся?

— Именно так! — кивнул Лев. — Сейчас думаю взять такси, доехать до Кедровой. Соваться, конечно, не стану. Но Стасу может понадобится подстраховка.

— Давай-ка и я тоже поучаствую — мало ли чего? — Вольнов вопросительно посмотрел на Гурова.

— Нет, Саша, займись лучше этим Никитой. А еще — той Настей. Понаблюдай за ними. У меня какое-то нехорошее предчувствие. Как бы их не убрали — мне почему-то так кажется. Ну, Никиту ты знаешь. А вот Настя — она здорово похожа на Анджелину Джолли. Не обратил внимания?

— Ну, как же! — Александр усмехнулся. — Бюст четвертый номер. Такую трудно не заметить!

— Тогда — за дело! — ударив друг друга по ладони, они направились каждый в свою сторону, даже не подозревая, как стремительно будут развиваться в ближайшие часы события.

Глава 10

...Завершая рассмотрение вопроса о России и славянах в целом, решение которого позволит нам решить любые иные вопросы глобального характера, следует коснуться особого тезиса о значимости управляемого хаоса. Хаос в своей основе означает разрушение всех связей пространственно-временного континуума, начиная с интеллектуальных, кончая биологическими и даже физическими.

«Разделяй и властвуй!» — эта величайшая мудрость былых эпох не утратила своей актуальности поныне. Разделять необходимо все и вся. Дабы мы могли добиться территориального дробления нынешней России, начать нужно с дробления самой российской общности. Наши специалисты по ведению информационно-психологических войн должны разработать и пустить в ход методики возбуждения в русских массовой неприязни и даже ненависти всех и каждого ко всем и каждому.

Используя теорию гендерности и все те личностно-общественные противоречия, которые она создает, необходимо добиться того, чтобы возникла разноуровневая рознь в семьях — отцов с детьми, дедов с внуками, мужчин с женщинами. Традиционно прочные родственные связи русских должны быть разрушены и преданы забвению. На уровне общественных отношений, конфликтность должна непрерывно разрастаться между различными социальными группами, творческими, производственными и иными коллективами. Между властью и населением, между верующими различных конфессий, между различными этносами...

Хаос, хаос, хаос! Именно это должно стать нормой для российской действительности. И когда изнуренные всеобщей ненавистью и нетерпимостью жители России восстанут против собственной власти и друг против друга, к ним придем мы и провозгласим идею возрождения подлинной демократии, а затем и монархии как единственного средства, способного избавить народ от тягот и бед.

Поскольку сразу же возникнет вопрос о том, кто станет монархом России, мы подготовим несколько кандидатур, одну из которых посадим на российский трон. В частности, такими могут стать отдаленные родственники Романовых, как, например, герцог Дэниэл Урриморский. Это станет последним этапом в истории той России, какой ее мы видим сейчас.

Когда Россия и русские как народ канут в Лету (любые письменные и иные источники, где хотя бы раз упоминается слово «Россия» мы или перепишем, или уничтожим), наступит черед иных стран и народов. Как истинно сказано в величайшем кладезе мудрости былых эпох, называемом «Заповеди Люцифера»: «Завоевавший и низвергший Россию завоюет и низвергнет весь мир».

Как самая низшая раса нами в первую очередь будут удалены из этого мира негроиды и близкие к ним расовые группы. Затем наступит черед азиатов и латиноамериканцев. Разработанное в наших лабораториях генетическое оружие позволит выполнить эту работу быстро и эффективно.

Европейцы нами будут негласно пропущены через мощный генетический «сепаратор», который отсеет носителей ущербных афро-азиатских, а тем более славянских генов. Данный тезис означает, что даже те славянские народы, которые сегодня совместно с Западным миром противостоят России (поляки, чехи и т.д), не говоря уже о тех, кто лояльно относится к русским, с мировой сцены сойдут в любом случае. Исключение составят лишь постигшие и признавшие Единственно Верное Учение и открывшие свою душу Истинному Творцу и Разрушителю.

Наша высшая цель — пятисотмиллионное население земного шара, на вершине которого — нордические англосаксы. Единая власть, единая страна, единый язык — английский. Социум, разбитый на четыре четко разграниченные касты. Высшая, властителей, — не более ста тысяч избранных. Каста управителей — два миллиона привилегированных. Каста слуг — пятьдесят миллионов специально отобранных. Каста рабов — все прочие, человекообразный рабочий скот, не имеющий никаких прав.

Мы, верные слуги Истинного Творца и Разрушителя всего сущего, всецело чтя открытые для нас Озарения и Истины в «Заповедях Люцифера», препоручаем Ему свои тела, души и помыслы, обязуемся до последнего вздоха служить своему Величайшему Господину верой и правдой. Да будет так!

(Из меморандума совещания Рыцарей-Властителей высшего круга посвящения тайного ордена «Пламя Истины»)

* * *

Стас сидел в квартире Карского и, неспешно отпивая из бокала свежесваренный компот, меланхолично смотрел программу местного телевидения. Какой-то краевой министр, давая интервью корреспонденту, энергично обещал что-то активизировать, что-то сдвинуть с мертвой точки и вообще радикально изменить ситуацию к лучшему.

Взглянув на часы и мысленно отметив, что стрелка подошла к одиннадцати — по местным меркам уже пора ложиться спать, он выключил свет и достал из кармана презентованный Петром мощный, ультрасовременный семнадцатизарядный «стриж». Положив оружие перед собой на столик, Крячко вытянул ноги и откинулся в кресле. Теперь оставалось только ждать.

Устроенный им спектакль прошел на отлично. Когда Михаила, одетого в его кожанку, «работники «Скорой», роль которых исполнили сотрудники ФСБ, загружали в машину с красными крестами, наблюдая в окно, Крячко сразу же вычислил засыльного соглядатая — долговязого, сутулого парня, постоянно крутившегося рядом с подъездом. Никто и не заметил подмены одной из санитарок, роль которой взяла на себя Катя — ее тоже нужно было негласно эвакуировать. А прежняя санитарка, которая и прибыла со «Скорой», уже без белого халата, чуть позже ушла пешочком, никем не замеченная.

Ловушка для убийц была приготовлена. Теперь следовало дождаться их появления. Полчаса спустя после того, как в квартире погас свет, чуткий слух Стаса уловил шорох со стороны лоджии. Присмотревшись, он заметил в ночной темноте гибкую, подвижную тень, бесшумно спустившуюся сверху — скорее всего, по веревке, и через окно в остеклении лоджии спрыгнувшую внутрь.

По одним лишь акробатическим приемам неизвестного он сразу же оценил степень его подготовки. Это был чрезвычайно опасный противник, скорее всего, прошедший обучение в одном из кланов ниндзя японской якудзы. Стас о таких супер-убийцах наслышан был предостаточно. Эти люди представляли собой ходячий комплекс самых разных способов убийства — от метания любых разновидностей холодного оружия и применения огнестрельного до виртуозного применения мгновенно действующих ядов.

Например, не раз доводилось читать о том, что киллеры-ниндзя надевают на запястья специальные колючие браслеты, обработанные ядом. При попытке задержания такого убийцы всякий, схвативший его за руку, умирал всего пару мгновений спустя.

Поэтому, не будучи трусом, вместе с тем Крячко не был и отчаянно-недалеким любителем «махать шашкой». Задержать ниндзя он решил самым простым и надежным способом — взяв его на мушку и заставив лечь. Ну а потом уже можно будет вызвать соответствующее подкрепление — это проблемы не составит.

Пару секунд спустя дверь лоджии почти без шума распахнулась, и черная тень шагнула в комнату. В тот же миг, выхватив ее из темноты, вспыхнул яркий луч карманного фонаря, и прозвучал жесткий приказ:

— Лечь на пол и не двигаться!

Ниндзя, от макушки до пяток одетый во что-то обтягивающе-черное — белел лишь овал прорези в маске, открывавший глаза и переносицу, — на мгновение ошеломленно замер, после чего коротко нажал на спусковой крючок пистолета с глушителем, который держал на изготовку. Раздалось отрывистое «Пьюффф!», сопровождаемое глухим ударом пули, пробившей спинку дивана. Но чужак едва ли мог догадаться о том, что судьба свела его с человеком, который и сам был горазд на всякие каверзы.

Стреляя с прикидкой на то, чтобы попасть в противника, который, скорее всего, мог держать фонарик в левой руке, ниндзя жестоко ошибся. Ослепивший его «световой занавес» не позволил увидеть элементарного — его противник был от фонаря гораздо дальше, чем им предполагалось. Поэтому второго выстрела сделать он уже не успел. Почти одновременно с ним выстрелил и тот, кого скрывала темнота. Отрывистый, бьющий по барабанным перепонкам хлопок «стрижа» отбросил ниндзя назад, и он, рухнув на пол, забился в предсмертных конвульсиях.

Вскочив с дивана и осветив киллера, распростертого навзничь, Крячко яростно плюнул и выразился непечатным слогом — стрессовая реакция «включила автопилот», и его рука чисто автоматически выпустила пулю точно в сердце. Подойдя поближе с пистолетом на изготовку — а вдруг рана на груди и текущая кровь не более чем бутафория? — Стас убедился окончательно: ниндзя и в самом деле мертв. Это означало, что «языка» они не получат. Если даже у ниндзя и были сообщники, скорее всего, они уже смылись. Ну и ну! Вот это конфуз!

В этот момент Крячко обратил внимание на какой-то прямоугольный футляр из черного кожзаменителя, закрепленный на поясе убитого. Он наклонился, чтобы проверить, что это такое, но немедленно отпрыгнул назад и опрометью выскочил в прихожую. Интуиция его не подвела, поскольку почти сразу же сзади грянул оглушительный взрыв, сопровождаемый грохотом падающей мебели и звоном выбитых окон.

Вылетев на лестничную площадку, Стас плотно захлопнул за собой дверь. Он вполне обоснованно полагал, что мина, взорвавшаяся на поясе киллера, помимо осколочных элементов, могла содержать и заряд отравляющего газа. В это время на всех этажах захлопали двери, из квартир начали выбегать полуодетые, испуганные люди.

Пожилой мужчина с лысиной в полголовы, выбежав из двери, соседней с одиннадцатой квартирой, ошарашенно уставился на Станислава, набирающего на сотовом номер дежурного МЧС.

— Вы кто такой и что здесь делаете? Что это за взрывы вы тут надумали устраивать?! Я сейчас же вызову мили... То есть полицию!

— Тихо! — отмахнулся Стас и, услышав голос дежурного, сообщил, что в одной из квартир дома семьдесят семь по Кедровой сработало неизвестное взрывное устройство.

Причем, особо подчеркнул он, взрыв мог распространить и БОВ — боевые отравляющие вещества. Кроме того, Крячко добавил, что нужно немедленно вызвать к месту происшествия дежурную опергруппу и машину из морга. На вопрос дежурного, кто звонит, он уверенно, четко сообщил:

— Полковник Крячко, главное управление угрозыска, Москва!

— Поняли, выезжаем! — поспешил уведомить собеседник.

Услышав слова «полковник» и «угрозыск», сосед Карского, растерянно захлопав глазами, проворно скрылся за дверью своей квартиры. Притихли и многие другие, кто только что шумел и галдел по поводу «черт-те каких безобразий» и «куды только смотрит начальство?».

Решив созвониться со Львом, Стас начал набирать его номер телефона, но в этот момент он услышал, как кто-то бегом поднимается по лестнице. Пару секунд спустя на лестничную площадку с пистолетом в руке взбежал запыхавшийся Гуров.

— О! А ты тут откуда? — Крячко недоуменно воззрился на приятеля.

— От верблюда! — рассмеялся Лев, утирая лоб рукой и пряча оружие за пазуху. — Что у тебя тут стряслось?

— Да-а-а!.. — Стас безнадежно махнул рукой. — Какой-то ниндзя заявился. Ну, шмальнули друг в друга. Он-то мимо, а вот я его, блин, наповал. Да этот «стриж» — едри его корень! — настоящая противотанковая пушка. Пробил израильский композитный броник чуть ли не насквозь. Все, нет у нас «языка»!

— Е-е-сть!.. — рассмеялся Гуров.

...Прибыв на такси к дому семьдесят семь, Лев укрылся в куртине сирени, разросшейся за детской площадкой. Терпя нападки назойливых писклявых кровососов, он следил за окнами одиннадцатой квартиры. Звонить Стасу он не решился. С одной стороны, как вести разговор, если нужно было соблюдать полную тишину? А с другой — вдруг звонок поступит в тот момент, когда Стаса никак нельзя отвлекать?

Когда погас свет, Гуров стал наблюдать еще внимательнее. Примерно минут через двадцать после этого из-за росшей неподалеку купы молодых сосен появилась легковушка, двигавшаяся со включенными одними лишь подфарниками. Лев тут же понял: это они! Как и можно было предполагать заранее, машина укрылась в единственно подходящем для этого месте — за кустом сирени.

Когда заглох мотор и клацнула дверца, в свете приборной панели — плафоны авто были предусмотрительно выключены — Гуров смог определить, что неизвестных всего двое. Один, в костюме ниндзя, судя по движениям, проворный и изворотливый, что-то шепотом сказал другому и, подойдя к кусту, ненадолго замер. Лев услышал, как в ночной тишине что-то зажурчало.

«Тьфу, твою дивизию! — мысленно выругался он. — Приспичило ему!» У Гурова вдруг появился жгучий соблазн: вынырнув из кустов с пистолетом на изготовку, взять этих двоих на мушку и на этом покончить со всякими сомнениями и неопределенностью. Но, хорошенько подумав, счел это контрпродуктивным и преждевременным. Ну, задержит он их. И что он им предъявит? Наличие костюма ниндзя — еще не повод к задержанию... Ничего, Стас — не новичок, он справится. Главное, в случае чего, его вовремя подстраховать...

Тем временем, о чем-то пошушукавшись со своим напарником, ниндзя растворился в ночной темноте. Напарник, громоздкий и угловатый, сел в кабину и закурил, пряча в ладони огонек сигареты. Медленно тянулись минуты. Неожиданно в кабине что-то запикало. «Сотовый!» — догадался Гуров.

Что говорил ниндзя своему напарнику, слышать он не мог, а вот сказанное верзилой расслышал отлично:

— ...Чего?.. В подъезд? Ага!.. Да, да, я — ща!..

Напарник киллера вышел из машины и, пригнувшись, поспешил к дому. Но в этот момент, появившись словно из ниоткуда, сзади него бесшумно мелькнула чья-то крупная, рослая фигура. Мелькнула рука, обрушившая удар ребра ладони на основание черепа верзилы, и тот, словно тряпичная кукла, безмолвно рухнул на землю.

Связав руки бандита за спиной его же брючным ремнем и заткнув ему рот оторванным рукавом его же рубашки, Лев забросил задержанного в машину, продолжая наблюдать за домом. Минуты через три снова запикал мобильник верзилы. Ответить нужно было обязательно. Но что и как говорить-то?! Идея пришла мгновенно.

Издав тягостный, мученический стон, Гуров громким шепотом произнес маловразумительное:

— Ё-о-о-о-о-о!..

— Ты чего там мычишь? — недоуменно прошептал ниндзя. — Где ты?

— Н-нога-а-а... — кряхтя, выдавил Лев. — Сломал... А-а-а... — хрипло протянул он.

— Ты че там? Охренел? — явно начиная злиться, прошипел киллер. — Как ты ее сломал? Да Вий нас обоих выпотрошит собственноручно! Короче... Что делать, знаешь сам. Ампула у тебя в воротнике. Можешь приступать!..

Раздались короткие гудки. Заглянув в машину, Гуров увидел, что верзила уже пришел в себя и, хрипло мыча, пытался подняться на сиденье.

— Лежать! Понял? — жестко приказал он. — Ну-ка, подстрахуем-ка тебя от возможного побега...

Лев спустил с задержанного штаны до самых пяток и, вытащив шнурки из его башмаков, стянул ими штанины в плотный толстый жгут, после чего они на ногах верзилы обратились в подобие конских пут. Затем, посадив бандита, он одним рывком оторвал воротник его рубашки. Прощупав ткань пальцами, с левой стороны он нашел небольшое продолговатое уплотнение.

— Это что? Цианистый калий? — поинтересовался Лев.

— Угу... — через нос промычал тот.

— Вы приехали убивать Карского и его невесту? — снова спросил Гуров.

— Мгм... Мммм... Гым... Гым... — на разные лады снова замычал верзила.

— Ладно, сиди! У нас еще будет время тебя допросить.

Глядя на темные окна одиннадцатой квартиры, Лев пытался представить себе, что же там в данный момент может происходить. Неожиданно до его слуха донесся звук пистолетного выстрела. Гуров понял — это Стас. А еще через пару мгновений в квартире полыхнуло пламя взрыва, выбило стекла, и на разные голоса завыла сработавшая в автомобилях сигнализация. Моментально засветились все без исключения окна семьдесят седьмого дома, да и в квартирах соседних домов их жильцы тоже включили свет.

Без конца повторяя про себя: «Ё-мое! Ничего себе! Ё-мое! Ничего себе!..» — Гуров кинулся к дому, страшась даже подумать о том, что Стас мог пострадать от взрыва...

— ...Как видишь, судьба меня пока что пощадила, — выслушав Льва, Крячко жизнерадостно улыбнулся. — О! А вот и пожарные с местными коллегами! — добавил он, увидев через окно влетевшие во двор две пожарные машины и полицейские автомобили с мигалками.

Минут через десять на бандитском «Ауди» они мчались в сторону «Тобола». Прибывшей опергруппе они наспех дали необходимые пояснения и, спустившись во двор, решили воспользоваться дармовым транспортом.

— Машина не заминирована? — вытащив кляп изо рта верзилы, строго спросил Гуров.

Тот усердно закивал в ответ. Но, не удовольствовавшись этим, опера на всякий случай при свете фонарика тщательно осмотрели автомобиль. За руль сел Гуров. В его памяти уже отложился маршрут, по которому они ехали на Кедровую от гостиницы. Руля по улицам, он услышал звонок своего телефона. Это был Вольнов.

— Лева, что у вас там? — судя по голосу, Александр был чем-то встревожен.

— Везем «языка». Кстати, твое прозвище «Вий» попало в точку — это и есть барон Дэвидштейн. А у тебя что?

— «Вий» — это барон?!! — услышанным Вольнов явно был крайне озадачен. — Ну и ну! А у меня — полный трындец! Никита — готов. К ресепшену подошел какой-то тип, что-то у него спросил. Потом быстренько куда-то смылся, а портье на спину — брык! — и капут. Настя в вашем номере. Ее охраняет Ромка. О! Японский городовой! Бегу туда — выстрелы слышали?! Ё-о-шкин кот!..

Раздались короткие гудки. Сокрушенно помотав головой, Лев положил телефон в кюветку на приборной панели.

— Чего там у них? — напряженным голосом спросил Крячко.

— Киллер прямо на глазах Вольнова отравленной иглой или еще чем-то убил портье. Сейчас слышна стрельба в нашем номере — там Санька спрятал Настю. Про нее я тебе только что рассказывал. Дело дрянь! Барон почуял опасность и кинулся обрывать нити и заметать следы.

— Вот упыряка гребаный! — сердито обронил Станислав. — Ну ничего, от нас он не уйдет!

Сидящий сзади бандит тут же саркастически воскликнул «Х-ха!..». Оглянувшись, Крячко сердито отчеканил:

— Ты еще чего там хыкаешь? Хочешь сказать, я не прав?

— Да... — с все тем же сарказмом сказал невидимый в темноте верзила. — Вия вам не взять никогда. Его не случайно так прозвали. В сравнении с ним вы — щеглы. Начать уже с того, что ни я, ни Арби, который сейчас взорвался в квартире, его ни разу не видели. В лицо-то знают всего трое или четверо человек. Никто точно не ведает, где он живет. В поселке есть несколько его домов. И как он попадает из дома в дом — вообще никто понятия не имеет. Я так понял, в гостинице орудует Мочила? Это зовут его так. Ну, раз впрягся Мочила, со своими можете уже сейчас попрощаться — он никого не оставит живым. Посмотрите!

— Не гони пургу! — Стас презрительно рассмеялся. — Твоему напарнику — а подготовлен он был классно! — хватило всего одной моей пули. Ты тоже сидишь вон без штанов, связанный и скрученный. Хотя, надо думать, тебя тоже не хухры-мухры готовили. Тоже мне, кодла суперменов. Больше чем уверен, что наши мужики сейчас всю вашу братию положат в рядок!

В машине наступила тишина. Вскоре, свернув с бульвара влево, «Ауди» оказался у гостиницы «Тобол». В глаза сразу же бросились две машины «Скорой» невдалеке от входа в отель и несколько легковушек с полицейскими мигалками. Из здания и в здание без конца ходили и бегали какие-то люди. Когда из вестибюля вышли двое санитаров морга и вынесли кого-то на носилках ногами вперед, Стас, не выдержав, подбежал к ним и приподнял простыню: под ней лежал незнакомый мужчина со скандинавской бородкой-«рамкой». В центре лба убитого зияло пулевое отверстие.

Увидев вышедшего следом живого и невредимого Вольнова, Крячко с ликующим возгласом ринулся к нему.

— Саш! Слава богу! Наши все живы? — торопливо спросил он.

— Ромка ранен в плечо... — сокрушенно сказал тот. — Представляешь, сколько раз я тут был и даже не догадывался, что это настоящий гадючник с потайными ходами в стенах. Вот и Ромку несут! — Александр указал взглядом на еще одну пару санитаров, которые уже головой вперед вынесли помощника Вольнова. Следом за носилками спешила всхлипывающая Настя.

— Рома, ведь ты же не умрешь? Правда? Лев Иванович, — увидев Гурова, обернулась к нему горничная. — Он меня собой закрыл. Представляете? Если бы не Рома, мне был бы конец. Господи! Что ж это за зверье такое?!!

— Что там случилось-то? — Лев тоже подошел к Александру.

— Да Ромка еле успел среагировать, когда рядом с ванной вбок отъехало зеркало, и в номер запрыгнул вон тот, теперь уже покойничек. Роман к Насте метнулся, ее собой закрыл и получил пулю в плечо. Но и сам не дал маху — с первого же выстрела вышиб киллеру мозги. Да ничего, жить Ромка будет — парень он крепкий и живучий... И что ж мы теперь имеем-то? Барон нам фактически известен. Утром едем брать?

Гуров отрицательно покачал головой.

— Не утром, а прямо сейчас! Сам видишь, какое тут осиное гнездо. И мы его растревожили всерьез. Все! Надо спешно доводить это дело до конца. Я понимаю, что и ночь была бессонная, и устали все до крайности. Но если мы сейчас же не поедем в Лазурный Сад — капут. И барона упустим, и Хантли не найдем. А он — я в этом больше чем уверен! — где-то здесь.

Передав полицейским окончательно раскисшего верзилу (злорадствующий Стас не преминул сунуть ему сразу два кукиша под самый нос), наши вояжеры, а с ними и подоспевший Пашка, второй помощник Вольнова, вчетвером на бандитском «Ауди» помчались по трассе в сторону Булейского района. Сидя рядом с Гуровым на пассажирском кресле, Вольнов подсказывал дорогу.

Уже ближе к часу ночи, миновав спящий Булей по кольцевой дороге, «Ауди» помчался по трассе, проложенной над берегом непроницаемо черного озера, в котором отражалась одна лишь полная луна. Посмотрев на небо, Пашка негромко констатировал:

— Полнолуние, между прочим! Прямо в цвет получается — именно сегодня едем брать реального оборотня.

В поселке Лазурный Сад издалека виднелись цепочки уличных фонарей. Его состоятельные обитатели могли себе позволить то, что для большинства других российских сел уже немало лет было непозволительной роскошью. В очередной раз подсказав на перекрестке, куда свернуть и где лучше проехать, Вольнов объявил:

— Вон и КПП поселка — там круглосуточно дежурит вооруженная охрана.

— ...Которая гарантированно может раньше времени известить барона о нашем прибытии, — добавил Гуров. — Их надо нейтрализовать.

Когда «Ауди» остановился пред шлагбаумом, к нему с двух сторон подошли дюжие парни в черной форме охранного агентства и с автоматами, болтающимися на плече.

— Что так поздно-то? — склонившись к водительскому окну, спросил один из них. — Как с «зачисткой»? Ох, е-о-о!!! — увидев, что за рулем сидит кто-то незнакомый, он отпрыгнул назад, но было поздно.

Разом выскочив из авто, Лев и Вольнов, не давая охранникам опомниться и тем более поднять тревогу, в несколько секунд отправили обоих в глубокий нокаут. Обезоружив и связав, прислужников Вия оттащили в отдаленные заросли. Оставлять их в будке КПП было слишком рискованно — кто-то мог прийти с проверкой, узнать о случившемся, и тогда спонтанно начатая операция накрывалась медным тазом.

Машина покатила по улицам небедного поселка, чистенького и опрятного, и остановилась метрах в ста от одного из домов, на который указал Александр. Когда они подошли ко двору, огороженному фигурной, кованной вручную изгородью, им навстречу из-под ворот с хриплым рычанием ринулись два крупных, клыкастых питбуля. Все схватились за оружие. Но всех опередил Стас, который молниеносно выхватил пистолет с глушителем, взятый «на память» у убитого им ниндзя. С присвистом хлопнули два выстрела, и свирепые псы, повалившись наземь, забились в агонии.

— Жаль собачек, да ничего не поделаешь... — пробормотал Крячко, дунув в ствол. — Всех нас они могли сделать инвалидами в момент. Или вообще порвать.

— Это факт! — согласился Вольнов. — Надеюсь, в доме выстрелов никто не услышал и ничего не заметил? Что, полезем через забор?

— Сначала глянем на калитку... — вполголоса обронил Гуров.

Он подошел к кованой фигурной калитке и потянул за ручку. Она без особого усилия подалась нажиму его руки и бесшумно распахнулась.

— Странно это все... — с сомнением произнес Лев, оглянувшись на своих спутников. — Что-то уж очень ловушкой попахивает! Паша, останься здесь, оружие держи наготове. Если что — сигнал подам своим сотовым. Ну, а мы втроем попробуем зайти.

Он и следовавшие за ним Вольнов и Крячко поднялись на крыльцо дома.

— Такое ощущение, будто в склеп собираемся спуститься... — тихо рассмеялся Стас.

Гуров достал свои английские отмычки и, одной из них немного поковырявшись в замке, открыл тяжелую дубовую дверь. Подсвечивая себе фонариком телефона, Лев через просторный вестибюль бесшумно прошел в большую гостиную, обставленную дорогой импортной мебелью. Оглядевшись, он шепотом сообщил:

— Надо подняться на второй этаж. Скорее всего, барон там...

Они направились к устланной ковром лестнице с резными перилами, и тут... Гуров внезапно ощутил чей-то тяжелый взгляд, нацеленный ему в спину. Он резко обернулся, и тут же в помещении вспыхнул яркий свет, и раздался чей-то хриплый, скрипучий голос:

— Добро пожаловать, гости дорогие! Никому не двигаться! Дернетесь — срежу очередью всех троих! Будем знакомы: Вий!

Щурясь от слепящих ламп, Лев увидел стоящего у входа приземистого мужчину в годах, широченного, словно вытесанного из дубового комля. Из-под тяжелых, толстенных век в их сторону смотрели глаза неопределенного цвета, горящие недобрым огоньком. В толстых руках-лапищах безобидной игрушкой смотрелся нацеленный в их сторону автомат.

— Пистолетики свои на пол положите... Да поживее! — прорычал Вий, потрясая автоматом.

Переглянувшись, все трое неспешно положили оружие, при этом Гуров успел нажать на заранее настроенную «тревожную» кнопку своего телефона. Заметив это, хозяин дома гоготнул странным, хрюкающим смешком.

— Это тебе не поможет, легавый! — с издевкой прохрипел он, нажимая на какую-то кнопку, торчащую из стены. — Сейчас и вашего четвертого сюда приведут мои слуги. Вот тогда и повеселимся! Это ты моих собачек пришил? — спросил он, наведя автомат на Стаса.

— Я, — спокойно ответил тот, борясь с искушением выхватить припрятанный за пазухой пистолет с глушителем.

Его сдерживало лишь нежелание спровоцировать Вия на преждевременную стрельбу, из-за чего могли пострадать его товарищи. Хозяин дома криво ухмыльнулся, обнажив крупные желтые клыки и несколько золотых резцов, блеснувших в свете ламп.

— С тебя-то и начнем! — Вий снова издал булькающий смех.

— Ну, раз уж нам все равно хана, то хотя бы можем мы узнать — ты и есть барон Дэвидштейн? — невозмутимо поинтересовался Лев.

Окинув его мутным взглядом, Вий снова злорадно гыгыкнул.

— Да, я барон, — с некоторой напыщенностью объявил он.

— И Хантли-Урриморский у тебя? — деловито спросил Вольнов.

Ухмылка медленно сошла с бородавчатой асимметричной физиономии барона. Судя по всему, ему не понравилось то, что его пленники не проявляют никаких признаков испуга, паники, ужаса.

— Здесь... — уже с вызовом уведомил Вий. — Чего там они копаются? — проворчал он, покосившись в сторону окна.

В этот момент откуда-то снаружи донеслись отзвуки чьих-то голосов, глухие удары, короткая автоматная очередь и несколько пистолетных выстрелов, сопровождаемых чьим-то визгливым вскриком.

— Это не Пашка! — удовлетворенно улыбнулся Александр. — Значит, кирдык твоим слугам, — добавил он.

— Только тебе в этом радости никакой! — с мстительностью в голосе прохрипел барон. — Молитесь, суки! Три секунды!

Крячко внутренне напрягся и уже готов был в долю секунды упасть на пол, доставая пистолет, однако в тот же миг сзади прогрохотал выстрел. Взметнув на груди барона клочки одежды, его тело прошил заряд волчьей картечи. Вий выронил автомат и, мучительно выпучив налитые кровью глаза, тяжелой колодой опрокинулся на спину. И почти сразу же в гостиную вбежал Павел.

Пленники удивленно оглянулись и увидели на лестнице красивую молодую женщину в длинном платье. В ее руках было охотничье ружье с дымящимся стволом.

— Сдохни, упырь проклятый! — с ненавистью произнесла она, глядя на корчащегося от боли Вия.

— Анька... «С-скорую»... Выз-зови... — судорожно суча руками, с трудом выдавил барон.

— В аду тебе будет «Скорая», вурдалак поганый, кол тебе осиновый в глотку! — Женщина снова вскинула ружье, но стрелять ей больше не пришлось: выгнувшись в последний раз, Дэвидштейн затих. — Вы за Томом? — спросила она недоуменно взирающих на нее мужчин.

— Да, мы за Томом Хантли. Он же — герцог Дэниэл Урриморский, — сказал Гуров.

— Я знаю, — кивнула женщина, спускаясь по ступенькам в гостиную. — Идемте! Вам его без меня не найти...

Прислонив к стене ружье, она, брезгливо морщась, достала из кармана Вия связку ключей и открыла одним из них потайную дверь, за которой открылся коридор, уходящий вниз. Тонким пальцем Анна нажала на клавишу электрического выключателя, и все увидели просторный, обложенный кирпичом туннель. Они двинулись по нему. Метров через сто пути по этому подземелью Анна открыла еще одну потайную дверь. Пройдя метров тридцать по боковому ответвлению, мужчины ощутили тяжелый запах канализации. За еще одной дверью они увидели что-то вроде подземной тюрьмы. Здесь было около двух десятков клеток с истощенными, изможденными людьми в одежде, давно уже обратившейся в лохмотья.

Старик с избитым, окровавленным лицом, ворочаясь на голом, бетонном полу, простонал:

— Выпустите нас отсюда! Ради бога!..

— Сейчас, сейчас, все выйдете, все! — торопливо отпирая решетчатые двери, проговорила Анна.

— Энни, ангел мой! — из дальнего конца этого коридора донесся чей-то голос с сильным акцентом. — Ты меня не забывать! Ты меня спасти!

— Я сейчас, Том, сейчас! — отпирая дверь за дверью, откликнулась та.

— Мистер Хантли, вы же — Дэниэл Урриморский? — направляясь к иностранцу, спросил Вольнов.

— Йесс, да! — закивал стоявший за решеткой мужчина.

— Все, мужики! Финиш! Общими усилиями герцог найден в рекордно короткие сроки! — оглянувшись, объявил Александр.

* * *

...На столе в кабинете Орлова стояла бутылка добротного коньячка и закуска, наспех приготовленная секретаршей Верочкой. Со своим благоверным они в очередной раз отправились в «свободное плавание», и поэтому, накрывая стол, она периодически бросала томные взгляды на сияющего от такого внимания полковника Вольнова. Лев и Станислав, внешне сдержанно-флегматичные, время от времени обменивались иронично-понимающими взглядами: ну, все, Вера начала решающий штурм. Теперь только держись!

Когда за Верочкой закрылась дверь, Петр поднял свой коньячный бокальчик-«снифтер» и провозгласил тост за дружбу и удачу, которые позволили невероятно оперативно найти подданного и родственника королевы Великобритании. Хотя Дэниэл Урриморский все еще находился в России — с ним работали сотрудники ФСБ и Генпрокуратуры на предмет уточнения всех обстоятельств происшедшего, — Скотланд-Ярд уже выразил свою признательность за высококлассную работу российских сыщиков и спецслужбистов.

Забегали в главк и донельзя счастливые Бугс и Сингхан. Они заявили, что восхищены работой «русских корифеев сыска», и прозрачно намекнули, что были бы весьма признательны, если бы их российские коллеги упомянули и их в позитивном контексте. Но широкий и щедрый душой Петр Орлов опередил их чаяния, в своем ответном спиче британскому сыскному ведомству отразив «неоценимую помощь, оказанную английскими детективами».

— ...Вообще, мужики, история эта — «Граф Монте-Кристо» и «Три мушкетера» в одном флаконе! — осушив свой бокал, с оттенком мечтательности отметил Александр. — На моей памяти такого еще ни разу не случалось. Но, как ни верти, главную роль во всех этих событиях играла некая транснациональная секта сатанистского толка, называемая «Пламя Истины». Наши спецы установили личность покойничка из парка, того самого, у которого был заминированный кейс. Как оказалось, это гражданин Польши, находившийся в России по фальшивым документам. Зовут его Ежи Пшикшевич, формально он владелец небольшого торгового комплекса. На деле — профессиональный вербовщик неофитов для своей секты. В совершенстве владел русским и английским языками. Сюда прибыл для формирования новых ячеек своей секты.

— Саша, а вот Хадова ваши еще не нашли? Ну, того, «неприглядненького»? — поинтересовался Гуров.

— Почему же? Когда мы прилетели из Барнаула, мне сразу же сообщили, что этот гусь задержан. По паспорту он — Капиладзе. Но это — фамилия его жены. Свою «девичью» не называет. Дескать, забыл. Так что работа с ним продолжается. А вот о его «половине» удалось узнать немало интересного. Она одно время работала в секретной охранке «жевателя галстуков». Кстати, есть предположение, что именно она завербовала своего муженька в «Пламя Истины», поскольку два года стажировалась в каком-то американском «исследовательском центре», который представляет собой абсолютно закрытую контору — пока что не удалось даже приблизительно установить, кто его курирует.

— А этот, Том Хантли, когда вы его освободили, он что-нибудь рассказывал о том, для чего вообще затеял эту авантюру? — спросил Петр, наполняя рюмки.

— Это для нас — авантюра, а для тех, кто вырос в стране, считай, без реальных госграниц, такого рода поездки дело обыденное, — усмехнулся Гуров. — Правда, поговорить-то нам с ним удалось, по сути, на ходу, поскольку его вместе с остальными пленниками Вия, которых было около двадцати человек, мы сразу же отправили в больницу. Как я понял из рассказа Урриморского, подбил его на этот визит один бывший школьный приятель.

Случилось это, как далее поведал Лев, на одной из молодежных вечеринок в одном из аристократических клубов Лондона, куда они вместе пошли. Попытавшись приударить за некой восходящей поп-«звездулькой» и получив необоснованно хамский отказ, Дэниэл впал в уныние и депрессию. Его школьный друг уверил его в том, что зря он разменивается на всяких «синтетических кукол», тогда как есть реальная возможность познакомиться с настоящей «Мисс Флорой», каковую являет собой юная гостья из России.

Дэниэл встретился с Людмилой и, хотя явных признаков благосклонности с ее стороны к нему проявлено не было, тем не менее ее тактичное, душевное, участливое отношение к гостю не могло не восхитить молодого герцога. Таких девушек он еще не встречал никогда и поэтому счел за вопрос личной доблести добиться взаимности Людмилы и сделать ей предложение.

Когда он узнал, что «Русские затейницы» уже покинули Лондон, тот же приятель и подсказал ему отчасти сумасбродный план — поехать в Россию инкогнито, чтобы избежать наглого соглядатайства папарацци. Неведомым образом те уже успели разнюхать о личной неудаче Дэниэла на вечеринке, и в некоторых «желтых» газетах вышли ехидные статейки с названием типа «Хронический лузер потерпел очередное фиаско».

— Да, в этом спектакле все было продумано до мелочей! — Слушая Льва, Орлов задумчиво потер лоб. — И срежиссированный облом с той «звездулькой», и хамство в газетах, и «своевременные» советы школьного друга... Только вот чего ради весь этот сыр-бор?

Усмехнувшись, Вольнов достал из своей папки для бумаг тоненькую пачку принтерных распечаток.

— Когда мы проводили обыск в квартире Капиладзе, в вещах его жены нашли мини-флешку. Собственно говоря, ее и не нашли бы, если бы не специальное сканирующее устройство — она была сработана в виде пуговицы, пришитой к платью. Дня два наши лучшие дешифровальщики бились над ее кодом и расшифровкой материалов. Но ребята — молодцы, раскололи-таки все эти заморочки. И вот представляю вашему вниманию то, что там было скрыто от посторонних.

Он протянул бумаги генералу, и тот, глянув на заголовок, прочел его вслух:

— «Из меморандума совещания Рыцарей-Властителей высшего круга посвящения тайного ордена «Пламя Истины». Совершенно секретно! Данный меморандум недопустим даже для частичного оглашения в среде адептов первого круга, а также оруженосцев и вассалов, не имеющих третьей степени посвящения»... Ничего себе, документик! — удивился генерал — Ну-ка, ну-ка, что там дальше?..

...Когда Петр закончил чтение, в кабинете еще некоторое время царила тишина.

— Ну и козлы-ы!.. — лаконично и очень емко резюмировал Станислав. — Вот задумки у пацанов!..

— Кстати, мужики! Это все — строго секретно. — Вольнов предупреждающе поднял руку. — Об этом — нигде ни слова.

— А по-моему, как раз наоборот. Это все надо огласить как можно шире. Чтобы весь мир знал о планах этих поганцев! — Орлов сердито стукнул кулаком по столу.

Александр, не соглашаясь, качнул головой.

— Петр Николаевич! Не горячись... Враг, который уверен в том, что мы о нем ничего не знаем, для нас куда менее опасен, нежели враг заведомо раскрытый и потому предпринимающий десятикратные меры предосторожности. Пусть думают, что мы — тупые лохи, которые ни хрена не смыслят в кодах и шифрах. Нам это только на руку! Игра еще не окончена. И я уверен, что мы еще не раз столкнемся с этим «Пламенем Истины»

— А-а-а! — генерал пожал плечами. — Ну... Тогда, конечно... Кстати, я вам еще не говорил? Кемеровские коллеги установили доподлинно точно — шереметьевскую четверку убил именно Альфи Мирзяров. Когда его брали, он оказал ожесточенное сопротивление, и поэтому его пришлось снять снайперу. Пули, выпущенные из его пистолета, были идентичны извлеченным из трупов. Ранен он был смертельно и поэтому уже на второй день, так сказать, преставился. Его спрашивали, зачем же он убил и своего брата. Он ответил, что на все воля Аллаха. Кстати! А Том не сказал, под каким же соусом его увезли из Шереметьева?

— Сказал... — взяв рюмку, Стас описал ею некий контур. — К нему прямо у трапа подрулил какой-то человек и спросил: «Ты к Людмиле? Давай быстрее! Она ждет. А то уже уезжает». Ну и все... Подскочили брюнеты, посадили в машину, мешок на голову, и так — до самого Кемерова. Там — стрельба. Мешок с головы сняли — его похитители в лужах крови. Тут же подскочил какой-то микроавтобус «Мерседес» с тонированными стеклами. Пришел он в себя уже в подземелье. От своих соседей по тюрьме много чего наслушался...

— Да и насмотрелся за неделю плена! — Лев махнул рукой. — И демонстративные зверские изнасилования, и избиения, и даже убийства. Этот чертов Вий устроил настоящий концлагерь. Вот Дэниэл и сделал вывод, что Россия — это страна сплошного террора, смерти и ужаса, и что русских надо срочно спасать от всего этого кошмара. Парень-то он хороший, но и наивный.

— Это верно, что наивный, — согласился Гуров. — Он мне даже так сказал: «Я вижу себя выходящим из православного храма в шапке Мономаха и слышу свои первые слова, обращенные к собравшимся: «Я спасу тебя, святая Русь!»

Слушая его, все негромко рассмеялись. Впрочем, без язвительности — скорее даже с сочувствием.

— Да теперь-то, похоже, ему это все по барабану... — Крячко как-то загадочно улыбнулся. — У него теперь новый жизненный маяк — барнаульчанка Анна. Людмила была, скажем так, спонтанным увлечением, что называется, под горячую руку. Его обидели, взвинтили, и он в душе чувствовал необходимость расквитаться с высокомерными лондонскими гламурщицами. А тут — уже нечто более серьезное. Хотя и драматичное.

— А, кстати! Что это там за Анна? — заинтересовался Орлов.

— Наша спасительница, — со значением в голосе пояснил Гуров. — Она вовремя нажала на спусковой крючок двустволки. А то бы...

Как ему рассказала сама Анна, она была дочерью подневольной наложницы Вия (такую кличку ему дали на зоне много лет назад, где он сидел за грабежи и разбои). Несмотря на свой уродливый вид, тот предпочитал женщин молодых и самых красивых.

Аню похитили вместе с матерью, когда ей было всего десять лет. Прислужники барона умыкнули их прямо с городской улицы. Четыре года Вий использовал похищенную женщину и как наложницу, и как прислугу. Бежать из его логова было невозможно, а забито-молчаливые соседи по поселку если бы даже и знали об их существовании, никогда не рискнули бы об этом сообщить. Этот нелюдь внушал им ужас, леденящий кровь.

Когда Ане исполнилось шестнадцать, Вий пришел к выводу, что настала пора наложницу сменить. Матери Ани в ее присутствии он собственноручно перерезал горло и предупредил, что это же самое будет и с ней, если она посмеет ему противиться. Так Аня и стала его очередной рабыней. Но, помня о смерти матери, девушка знала, что рано или поздно настанет и ее черед. Поэтому она постоянно думала о побеге. Внешне притворяясь всецело ему покорной и даже преданной, в душе она вынашивала планы мести.

Уверовав в то, что она окончательно сломана и никогда уже не посмеет восстать против, Вий, помимо работ по его основному дому (у барона в Лазурном Саду всего было пять домов, расположенных пятиугольником и соединенных меж собой туннелями), поручал убираться и в остальных. Кроме того, поручил он ей и опеку над узниками подземной тюрьмы. После этого несчастные, иные из которых находились там уже не один год, хотя бы стали получать лекарства и более-менее регулярное питание — до этого охранники про них могли не вспоминать и по несколько дней.

В своей тюрьме Вий содержал всякого, кто хоть как-то выразил ему свое неподчинение. Мог отправить в темницу тех, кто ему по каким-то причинам мешал. Да и просто чем-то не понравившихся ему случайных людей, увиденных, например, где-то у дороги. Попасть в подземелье означало одно — умереть там от голода и болезней. Если только еще раньше ради забавы не убьют садисты-охранники. Выхода из тюрьмы для узников не предусматривалось.

Тем вечером, поняв, что у нее есть шанс избавиться от ненавистного рабства, Аня решилась вырваться на свободу. Пусть даже и ценой своей жизни. Увидев, что убийца ее матери держит на мушке автомата каких-то мужчин, она подняла заранее присмотренное ею коллекционное ружье и нажала на спусковой крючок...

— А этот Дэниэл, он что, и в самом деле шибко на нее запал? — Петр вопросительно посмотрел на своих компаньонов.

— Похоже на то... — Стас с многозначительным видом кивнул. — Настаивал, чтобы и она отправилась с ним в Англию. Но Анна пока что решила найти своих родственников, восстановить документы — у нее же вообще ничего нет, отучиться хотя бы в вечерней школе. Ей уже восемнадцать, а образование на уровне третьего класса. Да и мы ему объяснили: куда и как она поедет? Ее на данный момент формально вообще нет в природе. Но Даниэл объявил, что в ближайшее время обязательно приедет к ней.

— Хм... Надо же! — Орлов озадаченно потер переносицу. — Вообще, мужики, если по совести, то я и сейчас в полном недоумении. Как-то слишком уж быстро вам удалось с ним разделаться. Тут, по-моему, даже теоретически требовалось бы не менее пары недель. Вы его раскрутили за считаные дни. Что это? Простое везение или... Или — что?

— Знаешь, я анархист... — хитро усмехнувшись, Крячко изобразил неопределенный жест. — И я никак не могу назвать себя человеком суеверным или верующим... Но в этой истории есть немало странностей. Нам как будто кто-то специально подгонял нужных свидетелей. Кто бы мог подумать, что в Барнаул снова вернется Карский? Отчего-то он вдруг заскучал по родным местам, как-то так случайно встретил невесту... Кстати, когда мы туда прилетели, мне звонил отец Владимир. Он сказал, что молится за успех нашего дела и за наше благополучие.

— А что ж ты нам ничего об этом не сказал? — укоризненно спросил Вольнов.

— Ну... Он еще мне сказал, что минувшей ночью ему было видение: молния поразила мерзкого бородавчатого дракона, вылезшего из подземелья. Кстати, тогда я и думать не мог, что мы столкнемся с этим бородавчатым уродом. Вот что тут хочешь, то и думай!

Петр удивленно хмыкнул и снова отвинтил пробку.

— Так! Сначала — тост. А потом уже разговоры. А то коньяк уже выдыхаться начал! Выпьем за то, что в нашей жизни и работе хоть иногда случаются хорошие, добрые чудеса!

Когда бокалы опустели, Стас, уминая особый «послеконьячный» салат с лимоном, приготовленный Верочкой (в том, что эта снедь подается именно к коньяку, она поклялась своим рабочим столом, телефоном и компьютером), напомнил Александру:

— Кстати, ты обещал рассказать про Вия.

Вольнов, по-французски закусывавший коньяк шоколадкой, в знак согласия кивнул.

— Да, нам удалось найти информацию об этом так называемом бароне, — не спеша заговорил он.

По словам Александра, настоящее имя Вия — Валентин Дрыкун. Он шестидесятого года рождения, уголовник, начиная с семидесятых несколько раз сидел за грабежи и разбои. В девяносто втором каким-то образом сумел скрыться за границей — его разыскивали за ограбление и зверское убийство потерпевшей. Прибыв во Францию, Дрыкун вступил в Иностранный легион. Служил в Африке, участвовал в карательных операциях, в западной прессе именовавшихся «борьбой цивилизованного мира с террористическими формированиями». Был подлинным зверем в человеческом обличье. Особой жестокостью отличался по отношению к женщинам и детям.

Году в девяносто восьмом — к тому времени Дрыкун купил себе бумаги о том, что является потомственным бароном Дэвидштейном — он был направлен в некие закрытые лагеря легионеров, где те проходили усиленную подготовку. Год спустя он вообще пропал. Но уже году в две тысячи втором невесть откуда прибыл в Россию как гражданин Нигера, представляющий интересы некой ТНК «Золотой век». Одним из ее подразделений и был обосновавшийся в Булее «Бийский капитал». Банк, по документам числясь российским, скупал земли для «своих» людей. Тех, кто к «своим» не относился, из округи Булея вытесняли. Кто не хотел уходить со своей земли, бесследно исчезал при «невыясненных обстоятельствах».

Когда появился элитный поселок Лазурный Сад, барон Дэвидштейн, и до той поры не склонный к публичности, обратился в настоящего невидимку, управляющего созданной им мини-империей через цепочку из нескольких лиц. Всего за несколько лет он стал настоящим кошмаром для всей округи. Никакие правоохранители, никакие ветви власти не рисковали с ним связываться. Концы он прятал надежно, возможные свидетели боялись открыть рот, кто-то из чинов и сам боялся Вия, кто-то им был куплен, кого-то он прочно держал на крючке...

— ...Сейчас в Булейском районе арестовано более десятка человек по подозрению в принадлежности к банде Вия, — завершая свой рассказ, сообщил Вольнов. — Интересный момент! У обоих супругов Капиладзе, у Вия и еще у кое-кого, на лопатке найдена вытатуированная «восьмерка» из пернатой змеи.

— Саша, задержанных уже восемнадцать — вот, только-только туда звонил... — уточнил Лев, тоже дегустируя салат Верочки. — Кстати, посмотри, какую я сам про себя статью заказал! — смеясь, он протянул Петру номер газеты «Народное слово».

Пробежав глазами по статье, озаглавленной «А при чем тут газета?!», в которой повествовалось про якобы имевший место прямо-таки свирепый визит в редакцию крупного московского опера, Орлов округлил глаза и потряс головой.

— Ничего себе! Да это прямо какая-то выездная гестаповская экзекуция. Ты и в самом деле заказал этот материал?

— Ну да! — жизнерадостно улыбаясь, подтвердил Гуров. — Кто ж думал, что события будут развиваться столь стремительно? Мне на следующий день позвонил редактор: «Лев Иванович, что ж делать-то? Материал уже вышел, номер разошелся... Я про вас такую злую статью написал — даже самому неловко». Ну, ничего, говорю ему, в следующем номере расскажете, как было.

— Ну, Лева! Вот что значит человек, преданный своей профессии, — ради дела пожертвовал собственной репутацией! — одобрительно сказал Петр, потрясая воздетой рукой.

Поморщившись, Стас с вызовом произнес:

— Строго говоря, кое-кому из нас жертвовать своей репутацией приходится еще и почаще!

— Не спорю! — усмехнулся Орлов. — Но, согласись, при всех имеющихся издержках твои жертвы немного заманчивее и приятнее...

Его последние слова заглушил звонок городского телефона. Выслушав своего собеседника, Орлов отчего-то вдруг стал задумчиво-серьезным.

— Так, мужики! Поступила оперативная информация о том, что на Дэниэла Урриморского — он завтра вылетает домой из Домодедова — может быть совершено покушение. Видимо, эти пройдохи из «Пламени Истины», не получив тех дивидендов от своей аферы, на которые они рассчитывали, решили провести хоть какую-то провокацию. Как поступим?

Подумав, Гуров обыденным тоном уведомил:

— Ну — как-как? Поедем его проводить. Кстати, эти же их детективы еще здесь? Ну вот, пусть и они его прикроют.

— Мы своих сотрудников тоже подключим, — пообещал Вольнов и, услышав пиликанье своего телефона, смеясь, добавил: — Похоже, и мне звонок на эту же тему!

...На следующий день к автостоянке аэровокзала Домодедово подрулил серый «Пежо». Из него вышли двое рослых мужчин средних лет и уверенным шагом направились к главному входу. Чувствовалось, что эти двое знают себе цену и по мелочам не размениваются. Окидывая прилегающие окрестности профессионально цепким взором, мужчины время от времени обменивались лаконичными замечаниями.

Тот, что повыше, взглянув на недешевые часы на своем запястье, негромко сказал:

— Сейчас он должен подъехать. Его будут сопровождать помощники Вольнова.

— Гляди! По-моему, это он! — его спутник ткнул рукой куда-то влево, указав на большую белую «Дэу» с плотно тонированными окнами, которая, подрулив к стоянке, припарковалась невдалеке от их «Пежо».

Гуров и Крячко, несколько изменившие свою внешность, чтобы их с ходу нельзя было узнать (Стас хоть и с неохотой, но отказался-таки от своей привычной кожаной куртки), оглянулись в сторону «кореянки». Станислав не ошибся — из «Дэу» с рюкзаком на плече вышел Том Хантли. Он же — наследный герцог Дэниэл Урриморский. Увидев оперов, англичанин широко заулыбался и помахал им рукой.

— Хэллоу, май фрэндз! — поприветствовал он.

— Привет, Данила! — на русский лад назвал герцога Станислав.

С задних пассажирских мест «Дэу» выбрались оба скотландярдовца. Те тоже сочли своим долгом поприветствовать русских коллег. Как оказалось, домой они летели завтра, задержавшись еще на сутки по неким пикантным «личным причинам».

Из-за руля «кореянки» вышел полковник Вольнов собственной персоной. Как пояснил Александр, он сам лично решил проконтролировать процесс отправки британского гостя, дабы избежать предполагаемых форс-мажоров. А вот его сотрудники — уже почти с утра в самом аэровокзале. В данный момент они изучают обстановку и выявляют потенциально подозрительных людей.

Согласившись, что это было разумное решение — «окучить» аэровокзал заранее, опера зашагали следом за Томом-Дэниэлом и Александром. Лондонские детективы шли по бокам в некотором отдалении. Со стороны их компания особого внимания не привлекала. И тем не менее в какой-то миг Гуров вдруг ощутил некоторое внутреннее напряжение, и что-то тут же ему подсказало — за ними следят! Но откуда неизвестный соглядатай мог вести за ними наблюдение?

Достав из кармана как бы для чего-то понадобившийся бумажник, Лев «случайно» уронил его и, смеясь своей неловкости, быстро поднял и снова сунул в карман. Этого мгновения, когда он оборачивался и поднимал бумажник, ему хватило, чтобы охватить взглядом всю автопарковку. Черный «Ниссан», стоявший между «Тойотой» и «Опелем», сразу же привлек его внимание. Почему? А кто его знает? Интуиция...

— Кого-то засек? — не оборачиваясь, спросил Крячко.

— Черный «Ниссан» — коротко уведомил Лев. — Саша! Сориентируй своих ребят — пусть они под каким-нибудь предлогом выяснят, кто в черном «Ниссане», — окликнул он Вольнова.

Тот, не оборачиваясь, в знак согласия кивнул и, достав телефон, кому-то что-то быстро сообщил. Через минуту сзади к «Ниссану» подрулил белый «Роллс-Ройс», и из него вышел шикарно наряженный «крутяк», который, «загибая пальцы веером», недовольно заорал:

— А чего это тут стали на наше место?

Выскочившие из «Ниссана» — здоровенный рыжий парняга и крепкий высокий брюнет с орлиным носом — неприязненно уведомили его, что им «начхать на всяких недоумков», которые «херней страдают». Еще через минуту на сотовый Вольнова пришли снимки хозяев «Ниссана».

Время в зале ожидания тянулось довольно медленно, и когда была объявлена посадка на рейс до Лондона, все шестеро некоторое время сидели на диванах, не двигаясь с места. Первым поднялся Лев Гуров. Он внимательно огляделся по сторонам. Но ничего, что таило бы в себе угрозу, заметно не было. Все прочие, оживившись, тоже вскочили с диванов и направились к терминалу, где оживленным ручейком на посадку выстраивались пассажиры лондонского рейса.

Дэниэл стал в очередь следом за пожилой чопорной дамой. За ним подошел и остановился сзади какой-то неформал наподобие былых хиппи. И вдруг Гуров понял: это случится прямо сейчас. Но вот кто? Кто из стоящих рядом с Урриморским может попытаться его убить? Уж не этот ли хиппи? И, главное, как?..

Дама, продвинувшись к стойке регистрации еще на шаг, достала из сумочки билет и, повертев его в руках, с растерянной улыбкой обернулась к Дэниэлу. Она показала молодому человеку билет и о чем-то его спросила. Урриморский, взяв билет, с улыбкой ответил даме. Он поднял правую руку и указательным пальцем что-то указал в билете.

В этот момент Лев вдруг увидел, как левая рука дамы внезапно отошла назад, как бы для замаха. Мгновенно сделав нужные выводы, он тигром метнулся к очереди. Железным захватом Гуров сомкнул пальцы правой руки на предплечье «престарелой леди» и резким рывком отбросил ее в сторону. При этом он удивленно отметил ее, несомненно, мужскую силу.

С яростным воплем ринувшись на Льва, «дама» попыталась свой смертельный удар специальным боевым шприцом, который не удалось нанести Хантли-Урриморскому, адресовать тому, кто вмешался. Но было уже поздно. Еще двое дюжих мужчин — среагировать успел Бугс и один из оказавшихся рядом сотрудников Вольнова, — подскочив с обеих сторон, скрутили агрессивную «леди». Стоявшие поблизости удивленно взирали на происходящее. Но когда Гуров снял с «дамы» шляпу и парик, стало ясно, что это переодетый и загримированный мужчина...

...Выйдя из аэровокзала на улицу, провожающие отследили взглядами уходящий в небо авиалайнер.

— Ну, вот и поставлена точка во всей этой истории, — глядя из-под ладони вслед самолету, проговорил Вольнов. — Хотя, возможно, и не последняя.

— Что ты имеешь в виду? — и Гуров, и Крячко разом повернулись в его сторону.

— Сегодня утром мне сообщили весьма занятную информацию, — оглянувшись, Александр заговорщицки приглушил голос. — Понятное дело, она не для посторонних ушей! В общем, как оказалось, Россия стала яблоком раздора между двумя кланами толстосумов и псевдорелигиозных организаций масонского типа, претендующих на мировую гегемонию и право перекраивать этот мир.

По словам Вольнова, помимо «мировой элиты», представленной в таких организациях, как Бильдербергский клуб, который частенько именуют «мировым правительством», с некоторых пор на Западе в обстановке строжайшей секретности появился его аналог. Что-то вроде гибрида чернокнижной секты и тайного общества бомбистов-террористов с похожими гегемонистскими целями и радикалистскими методами их достижения.

Насколько это удалось выяснить российским спецслужбам, главными организаторами «внеконфессионального международного альянса», именующегося «Пламенем Истины», стала верхушка всем известного Ку-Клукс-Клана, недовольная тем, что последние десятилетия ее, по сути, оттеснили на обочину и американской, и тем более мировой политики. Вошли в состав ряд транснациональных «беловоротничковых» ОПГ и несколько крупных сект сатанистского толка. Чуть позже к ним примкнули на правах ассоциированных членов некоторые ультрарадикальные исламистские группировки. Но главным закулисным идеологом и вдохновителем «Пламени Истины», по некоторым неподтвержденным данным, стало одно из ответвлений печально известного ордена иезуитов, обладающего колоссальными финансовыми активами, который решил вернуть себе былое тайное могущество.

За последние тридцать лет в плане организационной активности и агрессивной наступательности «внеконфессиональный международный альянс» оказался куда более успешным, нежели «мировое правительство». Он проявил способности не только умело использовать чужие достижения и наработки, но и обратить их себе на пользу. Узнав о планах бильдербержцев по «преобразованию» России, «Пламя Истины», которое весьма успешно сумело закрепиться на просторах Евразии и в свое время сделало очень многое для развала СССР (не случайно даже для ЦРУ, полностью подчиненного «мировому правительству», это событие стало неожиданностью), не преминуло перехватить инициативу у своих могущественных конкурентов, резко форсировав осуществление своих планов.

Именно они и похитили прибывшего в Москву Урриморского-Хантли, намереваясь использовать его в своих целях. По мнению аналитиков российской контрразведки, британского аристократа предполагалось выдержать точно просчитанный срок в подземелье до того момента, когда его психика станет более лабильной для промывания мозгов и восприимчивой к перепрограммированию. После этого автоматически мог быть запущен процесс «управляемого хаоса» путем «майданизации» юга Сибири и особенно Алтая.

— А ты уверен, что там это было бы возможно? — с сомнением прищурился Крячко. — Я общался с людьми в Барнауле — народ нормальный, на мятежи не настроенный. Даже не представляю, кто бы это вдруг там начал ни с того ни с сего бузить и строить баррикады?

Потерев лоб, Александр сокрушенно вздохнул.

— К сожалению, в нашем мире возможно все что угодно... Даже то, что как будто невозможно вообще. Есть масса методик, дающих возможность манипулировать человеческой психикой. А если к подобным методикам добавить еще и воздействие особых устройств, иногда именуемых псигенераторами? О-о-о! Тогда дров можно много наломать. Бедолага Каддафи, наверное, и в страшном сне не мог увидеть того, что с ним сделают его же подданные, которые при его властвовании жили так, что нам и при социализме не снилось. А ведь сделали же!

— А ты считаешь, смуту устроить могли сразу в нескольких регионах? — с озабоченностью в голосе уточнил Станислав.

— Безусловно! Это единственный вариант, который мог дать им шанс на успех. Если бы им удалось одновременно воспламенить тот же Кавказ, центр европейской части России, обе столицы, где уже сейчас полным-полно ваххабитской агентуры, ждущей «часа икс», некоторые территории Сибири и Дальнего Востока, то... Сами понимаете — федеральному центру было бы очень трудно справиться со смутой в таких масштабах. А если учесть, что тут же началось бы оголтелое давление извне, в том числе и военного характера? Тогда и вовсе ситуация могла бы стать критической.

— Ну а что же бильдерберждцы — они-то как отреагировали на действия «Пламени»? И вообще, каков мог быть их вариант использования Урриморского? — выслушав Александра, спросил Гуров, безмятежно глядя на облака.

— Тут тоже огромный дефицит информации, и об этом мы тоже можем судить лишь по отрывочным данным, раздобытым нашей агентурой. Насколько это стало известно, бильдерберждцы не стали рыть землю копытом, а проявили склонность к относительно мирному разделению сфер геополитического влияния. По поводу использования герцога их вариант был более затяжной и менее эпатажный. После встречи с настоятелем монастыря Том-Дэниэл, так сказать, «по совету друзей», скорее всего, мог принять православие и стать, скажем, Даниилом Георгиевичем Романовым. Затем — что? Некоторое пребывание в роли монастырского послушника, женитьба на гражданке России, и за счет этого — получение вида на жительство и российского гражданства. Затем создание под новоявленного Романова мощной партии с неограниченным финансированием, тотальная информационная работа и как итог — попытка реставрации монархии.

— Мне кажется, насчет монархии — дохлый номер... — Крячко пренебрежительно поморщился. — Главари этого чертова «Пламени» свои возможности слишком уж переоценили и при этом недооценили нас. А зря! Хотя, я так думаю, в любом случае они угомонятся не скоро.

— Вот поэтому я и сказал, что самая последняя точка пока еще не поставлена. Да и будет ли она поставлена вообще хоть когда-нибудь? — риторически вопросил Вольнов.

Со сосредоточенным выражением на лице Стас неожиданно поинтересовался:

— Кстати, как вы думаете, сюда он еще рискнет вернуться?

— Дэниэл? Мне почему-то думается, что Россией он заболел всерьез. А от этого уже не излечиться... — все так же глядя в небо и чему-то улыбаясь, негромко ответил Гуров.

Содержание

Литературно-художественное издание

ЧЕРНАЯ КОШКА

Леонов Николай Иванович
Макеев Алексей Викторович

УБИЙСТВО НА БИС

Ответственный редактор *А. Дышев*
Редактор *А. Чернов*
Художественный редактор *В. Щербаков*
Технический редактор *И. Гришина*
Компьютерная верстка *Г. Ражикова*
Корректор *Н. Сгибнева*

Иллюстрация на суперобложке *В. Петелина*

ООО «Издательство «Эксмо»
123308, Москва, ул. Зорге, д. 1. Тел. 8 (495) 411-68-86, 8 (495) 956-39-21.
Home page: **www.eksmo.ru** E-mail: **info@eksmo.ru**

Өндіруші: «ЭКСМО» АҚБ Баспасы, 123308, Мәскеу, Ресей, Зорге көшесі, 1 үй.
Тел. 8 (495) 411-68-86, 8 (495) 956-39-21
Home page: www.eksmo.ru E-mail: info@eksmo.ru.
Тауар белгісі: «Эксмо»
Қазақстан Республикасында дистрибьютор және өнім бойынша
арыз-талаптарды қабылдаушының
өкілі «РДЦ-Алматы» ЖШС, Алматы қ., Домбровский көш., 3«а», литер Б, офис 1.
Тел.: 8 (727) 2 51 59 89,90,91,92, факс: 8 (727) 251 58 12 вн. 107; E-mail: RDC-Almaty@eksmo.kz
Өнімнің жарамдылық мерзімі шектелмеген.
Сертификация туралы ақпарат сайтта: www.eksmo.ru/certification

Сведения о подтверждении соответствия издания согласно законодательству РФ о техническом регулировании можно получить по адресу: http://eksmo.ru/certification/

Өндірген мемлекет: Ресей
Сертификация қарастырылмаған

Подписано в печать 17.02.2014. Формат $60 \times 90\ ^1/_{16}$.
Гарнитура «Ньютон». Печать офсетная. Усл. печ. л. 26,0.
Тираж 6000 Заказ 1236.

Отпечатано с готовых файлов заказчика
в ОАО «Первая Образцовая типография»,
филиал «УЛЬЯНОВСКИЙ ДОМ ПЕЧАТИ»
432980, г. Ульяновск, ул. Гончарова, 14

ISBN 978-5-699-71055-3

9 785699 710553 >

Оптовая торговля книгами «Эксмо»:
ООО «ТД «Эксмо». 142700, Московская обл., Ленинский р-н, г. Видное,
Белокаменное ш., д. 1, многоканальный тел. 411-50-74.
E-mail: **reception@eksmo-sale.ru**

По вопросам приобретения книг «Эксмо» зарубежными оптовыми покупателями *обращаться в отдел зарубежных продаж ТД «Эксмо»*
E-mail: **international@eksmo-sale.ru**

International Sales: International wholesale customers should contact Foreign Sales Department of Trading House «Eksmo» for their orders.
international@eksmo-sale.ru

По вопросам заказа книг корпоративным клиентам, в том числе в специальном оформлении, *обращаться по тел. +7 (495) 411-68-59, доб. 2261, 1257.*
E-mail: **vipzakaz@eksmo.ru**

Оптовая торговля бумажно-беловыми
и канцелярскими товарами для школы и офиса «Канц-Эксмо»:
Компания «Канц-Эксмо»: 142702, Московская обл., Ленинский р-н, г. Видное-2,
Белокаменное ш., д. 1, а/я 5. Тел./факс +7 (495) 745-28-87 (многоканальный).
e-mail: **kanc@eksmo-sale.ru**, сайт: www.**kanc-eksmo.ru**

Полный ассортимент книг издательства «Эксмо» для оптовых покупателей:
В Санкт-Петербурге: ООО СЗКО, пр-т Обуховской Обороны, д. 84Е.
Тел. (812) 365-46-03/04.
В Нижнем Новгороде: ООО ТД «Эксмо НН», 603094, г. Нижний Новгород,
ул. Карпинского, д. 29, бизнес-парк «Грин Плаза». Тел. (831) 216-15-91 (92, 93, 94).
В Ростове-на-Дону: ООО «РДЦ-Ростов», пр. Стачки, 243А. Тел. (863) 220-19-34.
В Самаре: ООО «РДЦ-Самара», пр-т Кирова, д. 75/1, литера «Е». Тел. (846) 269-66-70.
В Екатеринбурге: ООО «РДЦ-Екатеринбург», ул. Прибалтийская, д. 24а.
Тел. +7 (343) 272-72-01/02/03/04/05/06/07/08.
В Новосибирске: ООО «РДЦ-Новосибирск», Комбинатский пер., д. 3.
Тел. +7 (383) 289-91-42. E-mail: **eksmo-nsk@yandex.ru**
В Киеве: ООО «РДЦ Эксмо-Украина», Московский пр-т, д. 9. Тел./факс: (044) 495-79-80/81.
В Донецке: ул. Артема, д. 160. Тел. +38 (032) 381-81-05.
В Харькове: ул. Гвардейцев Железнодорожников, д. 8. Тел. +38 (057) 724-11-56.
Во Львове: ТП ООО «Эксмо-Запад», ул. Бузкова, д. 2. Тел./факс (032) 245-00-19.
В Симферополе: ООО «Эксмо-Крым», ул. Киевская, д. 153.
Тел./факс (0652) 22-90-03, 54-32-99.
В Казахстане: ТОО «РДЦ-Алматы», ул. Домбровского, д. 3а.
Тел./факс (727) 251-59-90/91. **rdc-almaty@mail.ru**

Полный ассортимент продукции издательства «Эксмо»
можно приобрести в магазинах «Новый книжный» и «Читай-город».
Телефон единой справочной: 8 (800) 444-8-444. Звонок по России бесплатный.

Интернет-магазин ООО «Издательство «Эксмо»
www.fiction.eksmo.ru
Розничная продажа книг с доставкой по всему миру.
Тел.: +7 (495) 745-89-14. E-mail: **imarket@eksmo-sale.ru**